エリア・スタディーズ 39

現代ベトナムを知るための63章【第3版】

岩井美佐紀（編著）

明石書店

はじめに

「エリア・スタディーズ」のベトナム版として『現代ベトナムを知るための60章』の初版が出版されたのは２００４年で、第2版は２０１２に出版された。そして今回、約10年を経て第３版を出版する運びとなった。この間、ベトナムは中進国の仲間入りを果たし、ホーチミン市には日本のＯＤＡによる地下鉄が開通する予定である。日本との外交・経済協力関係も緊密化し、これまで以上に重要なパートナーシップを構築している。

一方で、他のアジア諸国と同様、ベトナムも少子高齢化の時代に入り、日本ほどではないにせよ、「老いゆくアジア」の一角を占め、社会保障制度の整備を急いでいる。ベトナムは２０３６年には65歳以上が全人口の14％を占める高齢社会となり、２０５０年までにその比率が21％を超える超高齢社会になると予測されており、高齢者に対する社会的支援の拡充が社会保障に関する最重要課題とされている。

グローバル化により、国際的な人の移動が加速され、日本とベトナムの人的交流もより促進されている。在留ベトナム人の人数は52万人（２０２３年6月）を超え、中国に次ぎ第２位を占めている。日本のコンビニ業界は外国人の人手がなければ立ちゆかないが、中でもベトナム人留学生は主力を担っている。また、近郊の住宅街には主に地域で暮らす技能実習生向けにベトナム食材を売る小さな店が増えている。

以上のように、日本とベトナムの外交関係は良好で、多くの日本人がベトナムを訪れたり、多くのベトナム人が来日したりしているが、果たして日本人のベトナムに対する理解はどれほど進んだであろうか。本書を、私たちの暮らしに身近となった「隣のベトナム人」のバックグラウンドを理解し、より仲良くなるために役立てていただければ幸甚である。

新たなディシプリンとなるベトナム地域研究を提唱し、追求した故桜井由躬雄氏・東京大学名誉教授は、1993年から紅河デルタのある農村で学際的共同調査を開始し、当時博士課程の大学院生であった私も参加した。同プロジェクトは若手ベトナム研究者が学際的地域研究を追求する磁場となり、ベトナム地域研究のレガシーを確立する試みであったことは確かである。同氏による『歴史地域学の試み　バックコック』(2006年)は、それまでの10年以上に及ぶ地域研究の一里塚である。

私は2022年8月に、6年ぶりでバックコック村を再訪した。コロナ禍のため、旧知であっても外国人の私に村の人たちがどのような反応をするのか多少心配な面もあったが、それはまったくの杞憂に終わった。村の幹部クイさんによれば、パンデミックの最中、ほとんどの人が新型コロナウイルスに感染し、地元の医療保健センターと同機関が借り上げた学校の校舎などで、彼を含め多くの村人が隔離生活を送ったという。ある集落は丸ごとロックダウン状態となり、完全隔離を余儀なくされた。その間、必要な物資情報を世帯ごとに集約し、定期的に集落に届けたという。穏やかに話すクイさんではあったが、当時は極めて危機的で緊迫した状況だったことが伝わってきた。ただ、ワクチン接種のおかげで、幸いなことに重症化して死亡した村人はいなかったという。

目に見えない「敵」との戦いに大きなダメージを負いながらも、その非常事態の中で日常生活を送る村の人びとのたくましさを感じた。そして、今回改めて実感したのが、ベトナム人の家族関係の緊密さである。日常的な家族関係が緊密であるがゆえに、新型コロナウイルスは瞬く間に感染拡大し、ベトナムのオンライン新聞ＶＮエクスプレスによると２０２２年3月には一日の新規感染者が50万人近いピークを迎えた。しかし、立ち直るのも早い。互いに関心をもち助け合い、遠慮せずに依存できる関係は、レジリエンスが高いといえよう。レジリエンスとは、復元力とか、回復力などと訳されることが多いが、このような困難な時期に人びとの不安や恐怖を軽減する穏やかな光のようなものである。パンデミックは痛みや苦しみだけでなく、同時に人びとの助け合う力や利他性も引き出した。

国連機関である持続可能開発ソリューションネットワークが世界幸福度調査（World Happiness Report）の結果に基づき、毎年世界ランキングを発表している。２０２３年のランキングは、日本は先進国で最低の47位、ベトナムは65位であった。その内訳として、日本は1人当たり国内総生産（ＧＤＰ）や健康寿命が高いものの、他者への寛容さが極端に低い。寛容性は「正当な目的のために寄付する」「見知らぬ人を助ける」「ボランティアに参加する」などの項目で計られる。両者の大きな違いは、主に「主観的な幸福度」、すなわち自己肯定感や充足感、生き甲斐などに表れている。ベトナム人は、経済的豊かさや公的な社会支援の充実度が低くても、精神的な充足感が高い。逆に日本人は経済的豊かさや社会的支援の充実度が高くても充足感が低いのである。このことは、リスクへの対処に大きく顕著に表れる。すなわち、ベトナムは困難な状況下で公的サポートの不足を、私的サポート（この場合は、地縁・血縁関係やネットワーク）で補ったと解釈できるのではないだろうか。そうした環境がコロナ禍において極めて重要な役割を果たしたのであろう。

さて、初版発行以来、大変お世話になった2人の執筆者が逝去された。1人は、考古学者の西村昌也氏である。西村氏は、ドンソン文化やタンロン城址、中部フエ王宮周辺集落を中心としたベトナムの歴史・文化交流史の先駆的な研究を牽引した。また、同氏は2012年3月に、ハノイ郊外のキムラン村で、村おこしに役立てたいという村の古老たちの熱意を汲み、ベトナム初の村営博物館の開館に奔走した。翌2013年ベトナムで不慮の事故により他界した西村氏の告別式は、歴代のベトナム政治家の葬儀が行われてきたハノイの「国家斎場」で執り行われた。参列した私は、ベトナム全国各地から訪れたベトナム人弔問者の多さに目を見張った。同年10月には同じ斎場でヴォー・グエン・ザップ将軍の国葬が営まれた。現在西村氏は、キムラン村の共同墓地に埋葬され、静かに眠っている。

もう1人は、中野亜里氏である。同氏は、2021年1月に逝去したが、亡くなる直前まで取り組んできたライフワークがベトナムの2冊の大著の翻訳であった。フイ・ドゥック著『ベトナム――勝利の裏側』（めこん、2015年）と『ベトナム――ドイモイと権力』（同、2021年）である。2013年出版の原著の前編の邦訳は世界に先駆けて2015年に出版されており、現時点で英訳や仏訳はまだ出版されていない。その慧眼には驚きを隠せない。このような地道な研究成果の積み重ねも、日本のベトナム地域研究の水準の高さを世界のベトナム学術界に示す重要な到達点として高く評価されるべきである。

以上のことから、本書のみならず、ベトナム研究全般への貢献を鑑み、第3版を編集するにあたり、ベトナム地域理解を基礎づけるいくつかの章を執筆していただいた2人の業績をできる限り残す形を心掛けた。

本書のもう1つの特徴は、ドイモイとともに研究を本格的に展開されたポスト・ベトナム戦争世代のベテラン研究者の方々だけでなく、新世紀以降に研究を開始した若手研究者の方々やジャーナリスト、翻訳家、NPOの実践者など様々な分野で活躍されている方々にも執筆していただいた点である。さらに、執筆者のジェンダーバランスにも配慮した。また、日本留学経験をもち、キャリアを積み上げてきた「ベトナムを外から眺める」ことができたベトナム人研究者を執筆陣に多く加えたことは、より複眼的な特徴を本書に加味し、新たなベトナムの魅力を発信することにつながったと考えている。

本書は7部構成になっている。Ⅰはベトナムという国の枠組みが歴史的・空間的・人間集団的・文化的にどのようにつくられてきているのかを検討している。Ⅱでは現代ベトナム人が暮らす地理的・生態的環境、Ⅲではドイモイ以降に生じた急激な社会・生活の変容について扱っている。Ⅳでは多民族・多宗教の実相について取り上げている。Ⅴは文化・スポーツ、芸術・世界遺産について取り上げている。Ⅵでは「法治国家化」や「民主化」など、ドイモイ下における社会主義体制の政治的変化を追っている。最後に、Ⅶでは国際統合圧力がかかる状況下の外交関係・社会主義市場経済の現状とその課題が取り上げられている。旧版と異なり、本書は民族・宗教を独立した部門に据え、文化面をより充実させたため、7部構成となっている。

本書は多数の執筆者にご協力いただいたほか、何人かの方々から貴重な写真を提供していただいた。感謝の意を表したい。また、本書が多彩で充実した内容となったのは、2人の若き編集協力者、下條尚志さんと大泉さやかさんの尽力と貢献が極めて大きく、ここに心より感謝を申し上げたい。加えて、編集当初より誠実に対応してくださった明石書店の佐藤和久さんと長尾勇仁さんにも心からのお礼を申し上げる。

最後にベトナム地域研究の基礎を築きあげる途上、志半ばにして逝去された桜井由躬雄氏、西村昌也氏、中野亜里氏への哀悼の意を表すとともに本書を捧げたい。

なお、本書の第3版の重版に際しては、第15章「人と海の関わり」の執筆者が交代したため、第1刷の内容と完全に同一ではない。読者の方々にはご了承いただければ幸甚である。

２０２４年２月

岩井美佐紀

現代ベトナムを知るための63章【第3版】

目次

Ⅲ　多層化・多元化する社会

Ⅳ　多民族・多宗教の実相

V 文化・スポーツ、芸術・世界遺産

VI 市民社会と政治

＊各章掲載の写真は、特に断りがない場合、当該章の執筆者の撮影・提供によるものである。
＊本書には、ベトナム語ないしは英語で書かれたものを編著者が日本語に訳した章が複数ある。訳文において［　］は、訳者が補った部分である。

ベトナム行政区分図

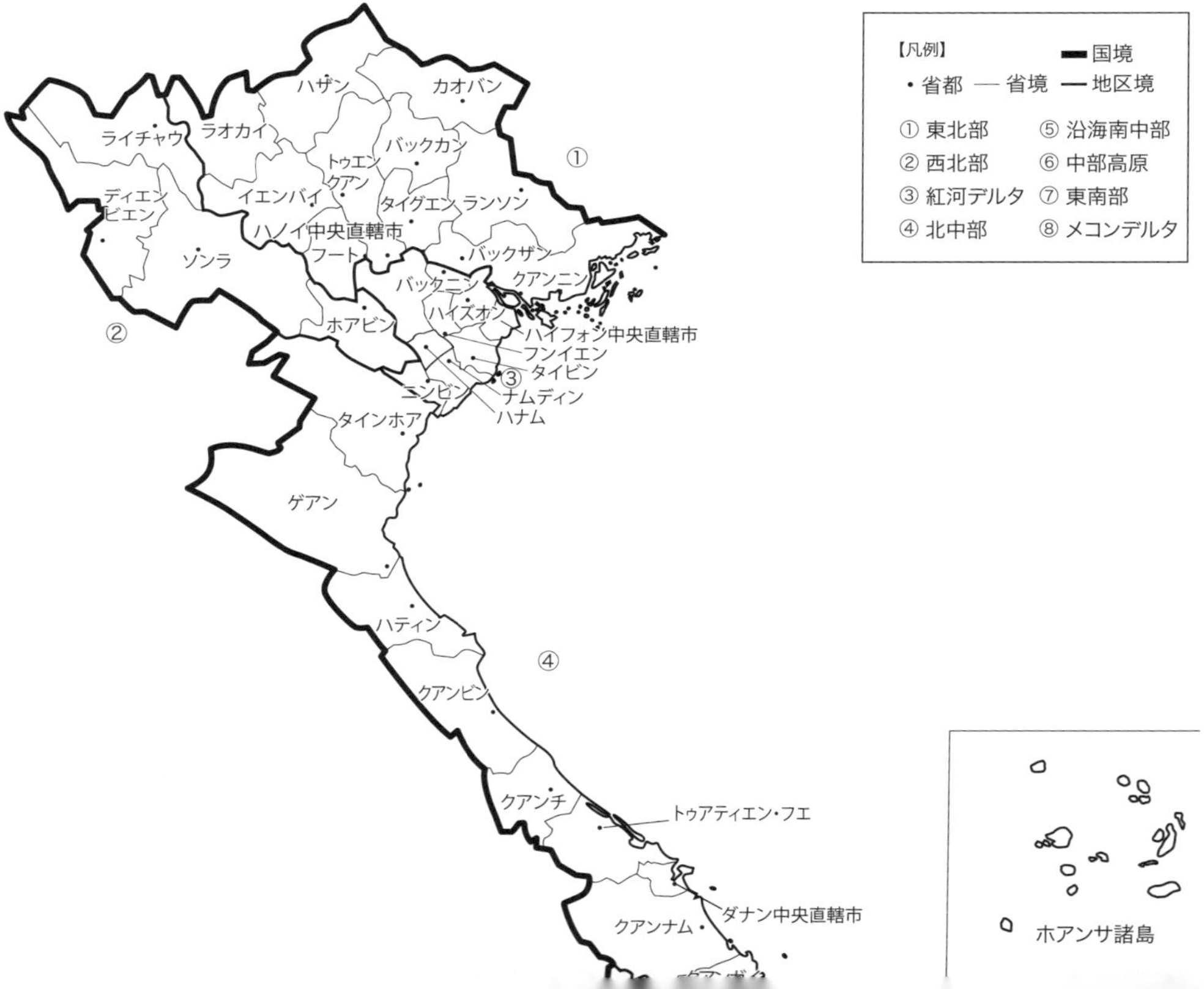
【凡例】
■ 国境
・省都 — 省境 — 地区境
① 東北部
② 西北部
③ 紅河デルタ
④ 北中部
⑤ 沿海南中部
⑥ 中部高原
⑦ 東南部
⑧ メコンデルタ
ハザン
カオバン
ライチャウ
ラオカイ
バックカン
トゥエンクアン
イエンバイ
ディエンビエン
タイグエン
ランソン
ハノイ中央直轄市
フート
ソンラ
バックザン
クアンニン
バックニン
ハイズオン
ホアビン
ハイフォン中央直轄市
フンイエン
タイビン
ニンビン
ナムディン
ハナム
タインホア
ゲアン
ハティン
クアンビン
クアンチ
トゥアティエン・フエ
ダナン中央直轄市
クアンナム
ホアンサ諸島
①
②
③
④

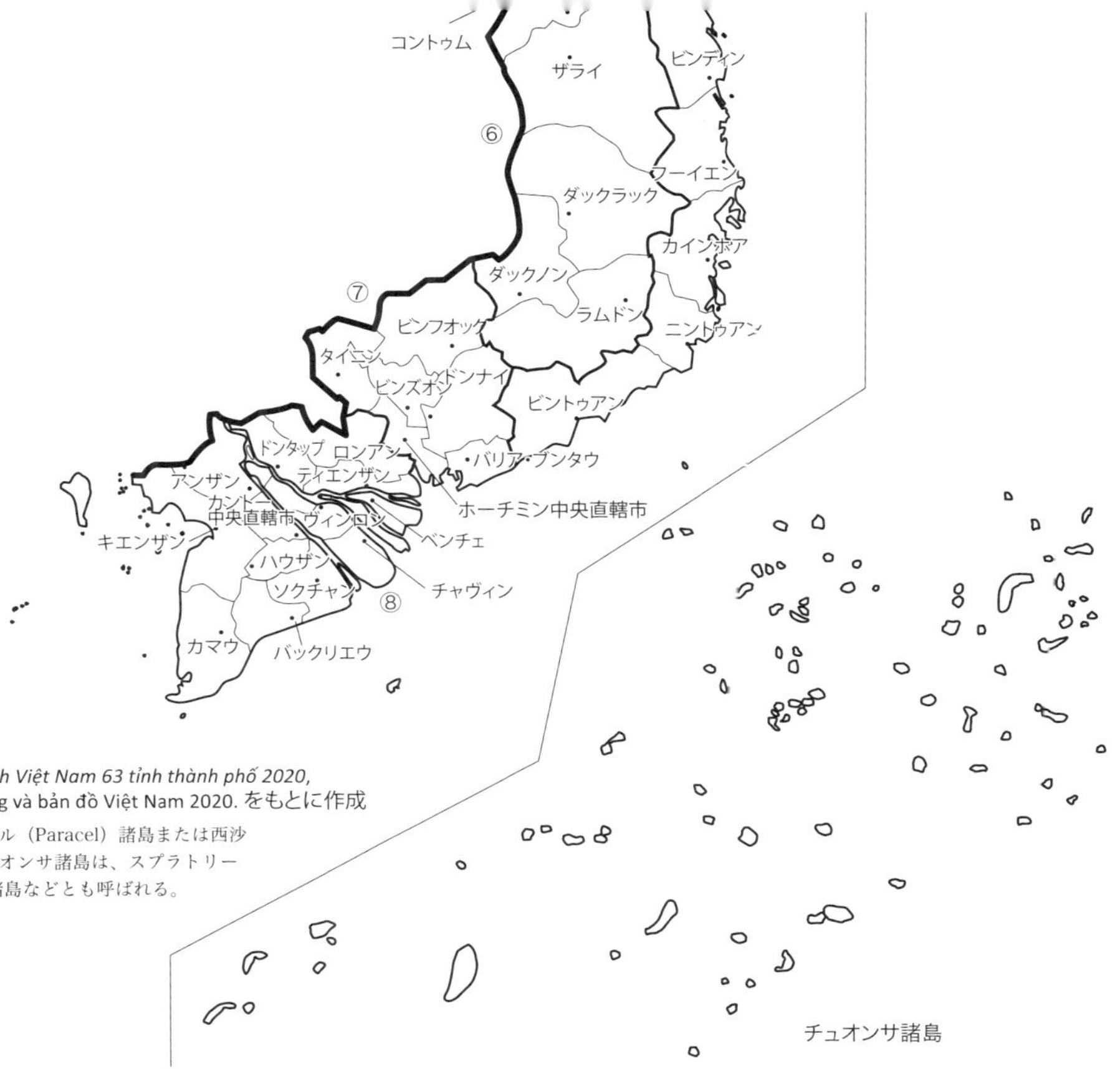

出典：*Tập bản đồ hành chính Việt Nam 63 tỉnh thành phố 2020*, NXB tài nguyên - môi trường và bản đồ Việt Nam 2020. をもとに作成

注：ホアンサ諸島は、パラセル（Paracel）諸島または西沙諸島などとも呼ばれる。チュオンサ諸島は、スプラトリー（Spratly）諸島または南沙諸島などとも呼ばれる。

〈地形区分図〉紅河デルタ

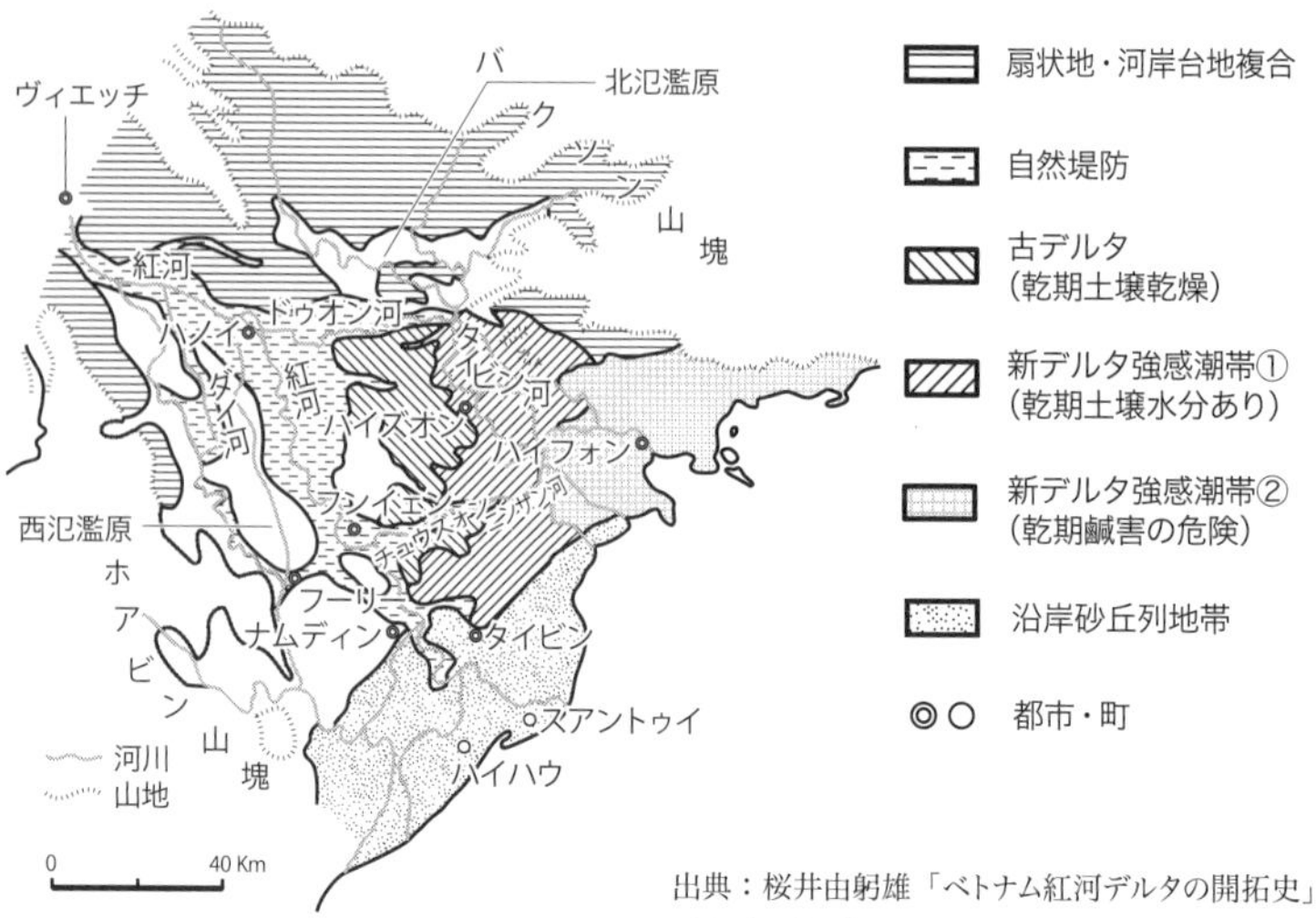

出典：桜井由躬雄「ベトナム紅河デルタの開拓史」
渡部忠世編『稲のアジア史２』小学館、1987 年

〈地形区分図〉メコンデルタ

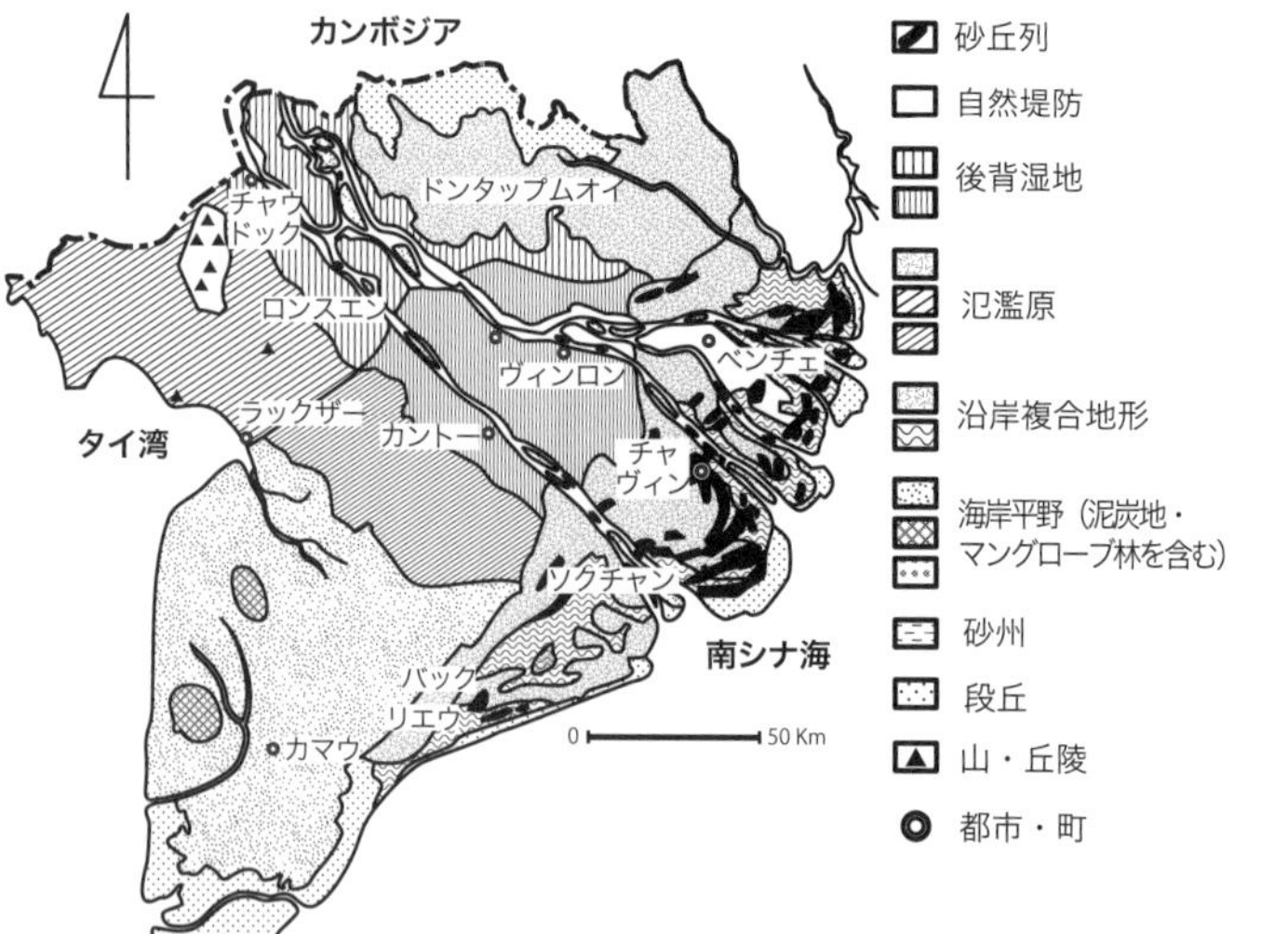

出典：Nguyen Huu Chiem, “Geo-Pedological Study of the Mekong Delta”,『東南アジア研究』, Vol.31 No.2, 1993.

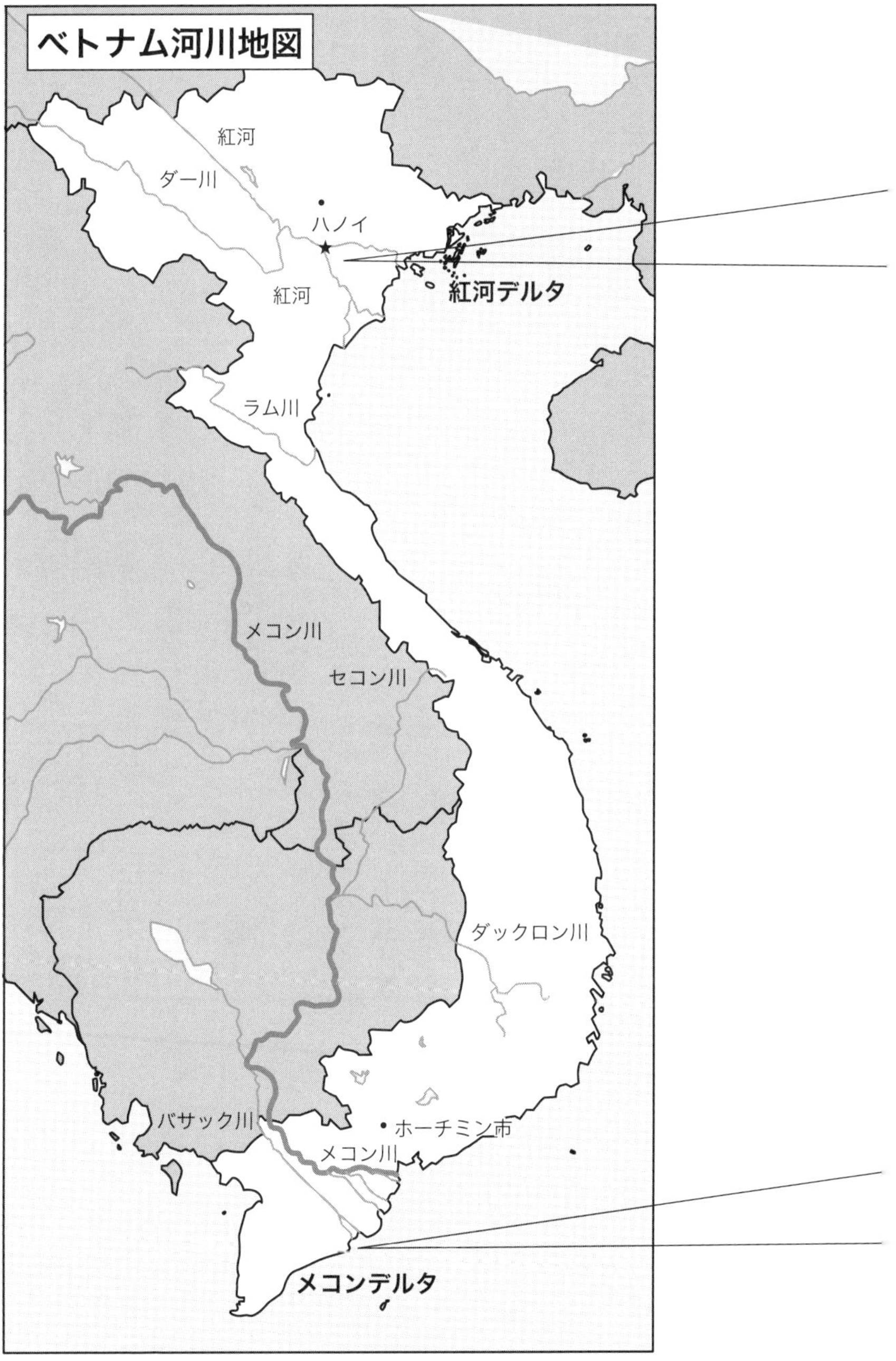
ベトナム河川地図
紅河
ダー川
ハノイ
紅河
紅河デルタ
ラム川
メコン川
セコン川
ダックロン川
バサック川
ホーチミン市
メコン川
メコンデルタ

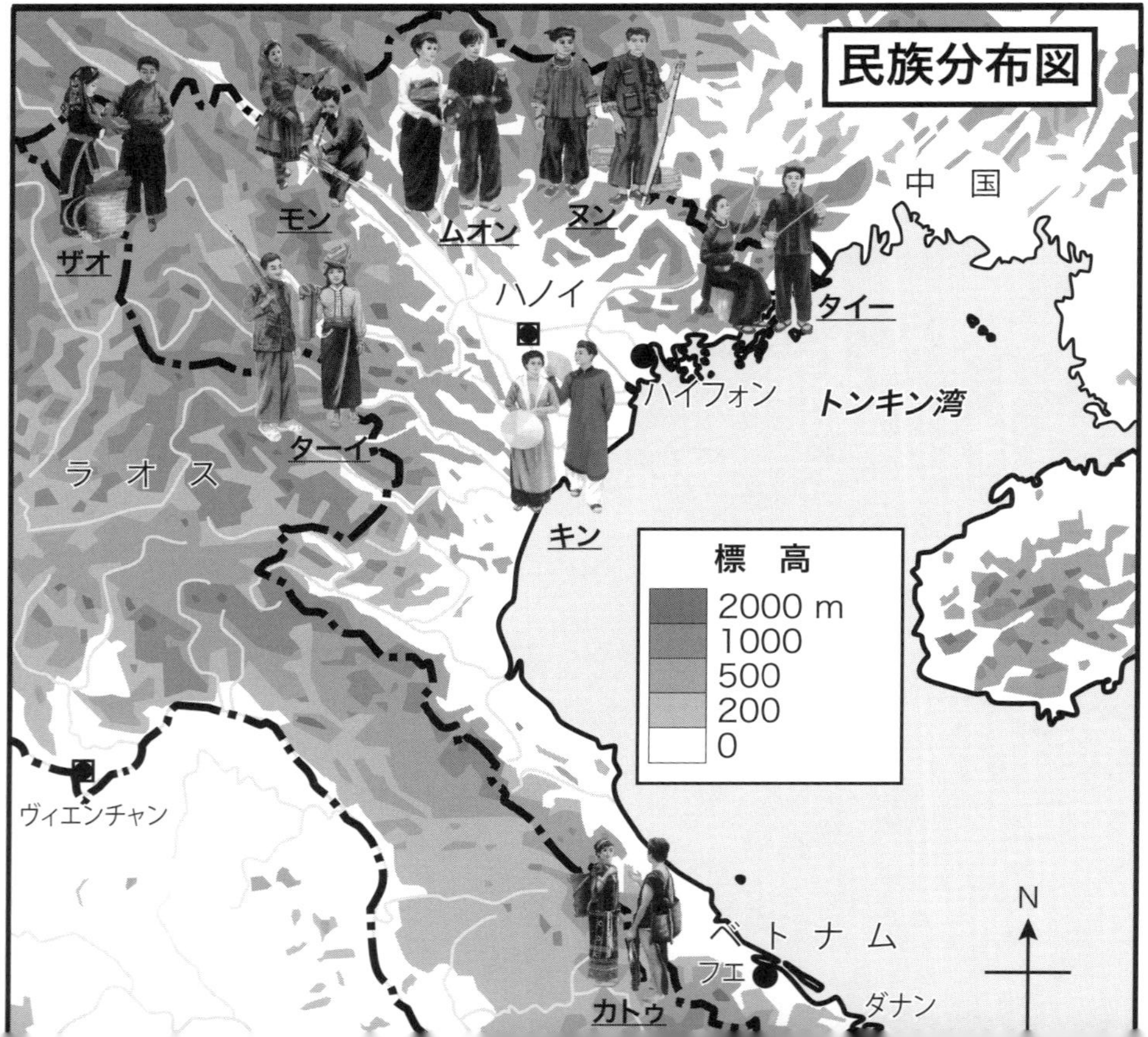

民族名	2019年人口（人）
合計	96,208,984
キン	82,085,826
タイー	1,845,492
ターイ	1,820,950
ムオン	1,452,095
モン（ミャオ）	1,393,547
クメール	1,319,652
ヌン	1,083,298
ザオ（ヤオ）	891,151
華（ホア）人	749,466
ジャライ	513,930
エデ	398,671
バナ	286,910
セダン	212,277
サンチャイ	201,398
コホ	200,800
サンジュウ	183,004
チャム	178,948
フレ	149,460
ラグライ	146,613
ムノン	127,334
スティエン	100,752
ブル＝バンキュウ	94,598
トー	91,430
コム ー	90,612
カトゥ	74,173
ザイ	67,858
ジエチエン	63,322
マ	50,322

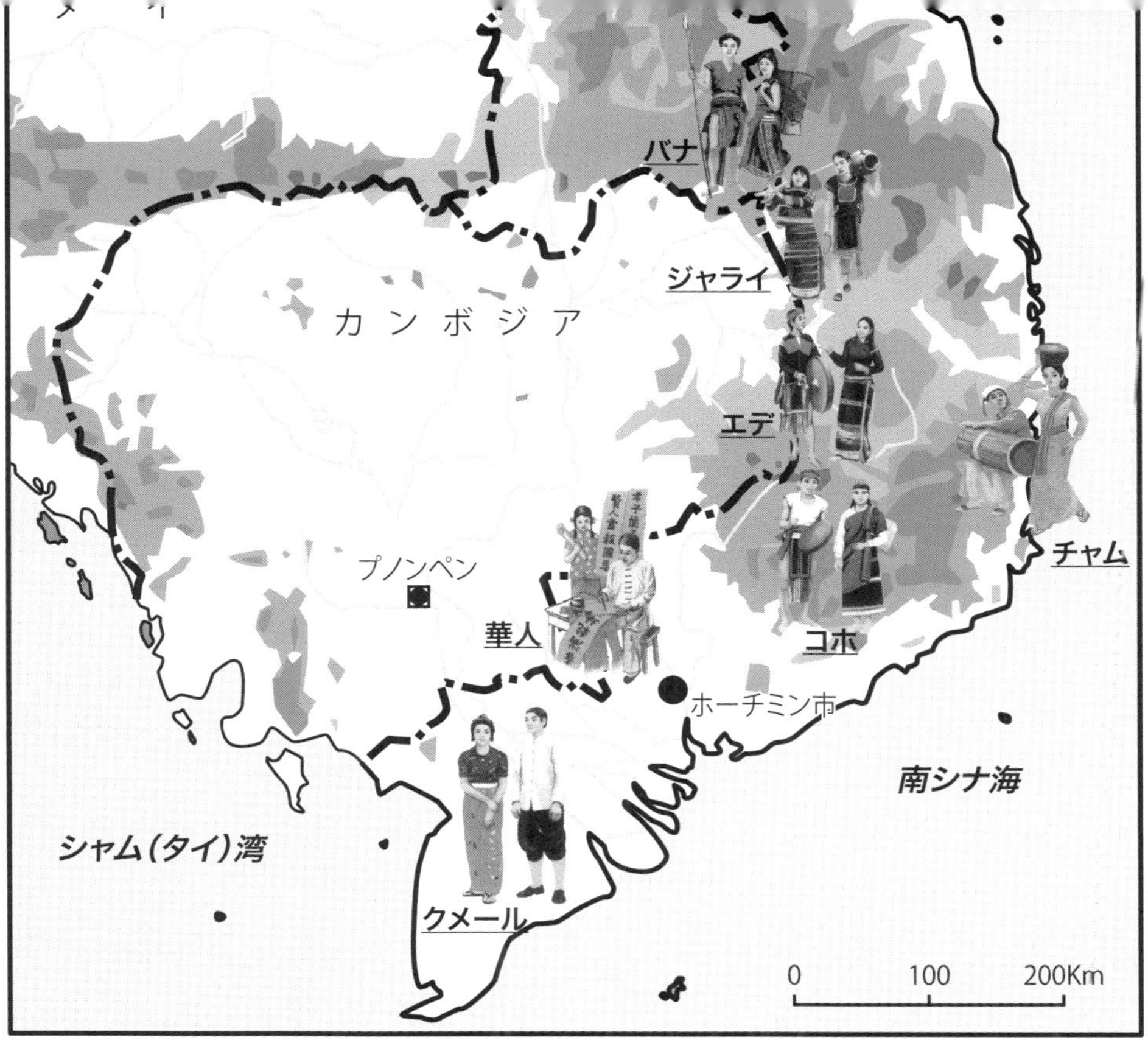

タオイ	26,201
コー	20,548
チョロ	14,822
シンムン	14,793
ハニ	12,895
チュルー	11,363
ラオ	8,991
カン	8,170
ラチ	7,523
フラ	6,398
ラフ	6,122
ラハ	5,186
パテン	4,137
チュト	3,793
ルー	3,439
ロロ	2,413
マン	2,313
コラオ	2,005
ボイ	1,695
ガイ	1,649
コーン	1,341
プペオ	467
シラ	453
ロマム	317
ブラウ	255
オドゥ	237

出典：*Kết quả Điều tra thu thập thông tin về hiện trạng kinh tế – xã hội của 53 dân tộc thiểu số năm 2019*, NXB Thống kê, 2020, pp. 133-134 をもとに作成

I

「ベトナム」の成り立ち：時空間の領域

文廟（ハノイ）

1

「ベトナム」という名称

★国号の変遷と「ベトナム（越南）」★

多くの地名が他者によってつけられることがある。例えば「アジア」も古代地中海東部に栄えたフェニキア人が使用したことがはじまりである。「ベトナム（漢字で書くと越南、ベトナムは20世紀まで漢文を公的文書に使用していた）」という国号も、「ベトナム」人自身がつけたものではない。しかし、「越」と「南」はともにベトナムのアイデンティティを示す文字でもある。

ベトナム側の伝説では中国出身の駱龍君《ラックロンクアン》とその代々の子孫雄王《フンヴォン》が「文郎国《ヴァンラン》」を名乗り、ベトナムを治めていた。その文郎国も蜀の出身者である安陽王《アンズオンヴオン》（甌駱《アウラック》国）の孫に滅ぼされるが、中国秦の始皇帝の時代、南海郡（現在の広東）に派遣された軍人である趙陀《ちょうだ》が、秦末の混乱期に自立し、広東を中心として「南越国」を創立した。彼は甌駱国も滅ぼしてその版図の一部は北部ベトナムにも及んだ。

このあたりからベトナムは神話の時代から歴史の時代に入るのだが、この南越国を「ベトナム史」の一構成要素とするべきかどうかで、考古学者も交えて活発な議論が続けられている。ただ、その南越国も漢の武帝の遠征によって滅び、中部ベトナムまでが漢の版図となり、その後「交趾《ザオチー》（阯）部」という統括組織に組み込まれ、のち「交州」と改名された。それから数世紀を経て、この交州の最南端からチャンパ王国が勃興してくるのである。

長い分裂時代を経て久しぶりに中国に統一をもたらした隋は、ベトナムに「交州総管府」を設けた。それはつぎの唐に「安南都護府」として受け継がれる。これが安南《アンナム》（アンナン）という呼称の直接の起源である。

10世紀の唐末の混乱を機としてベトナムは独立に成功するが、小国ベトナムは朝貢国として中国諸王朝の宗主権を認めざるを得なかった。また、国内でも主導権争いは絶えず、中国からの承認を得ることが、自らの正統性の重要な根拠ともなった。

11世紀初めに李朝《リー》が成立し、統一王朝としての形態を一応整えたため、宋は12世紀後半に朝貢国としてようやくこれを承認した。そして採用された国号が「安南国」であり、それより19世紀初めに至るまで、中国は公式には一貫してベトナムを安南と呼んだ。

しかし、その国号にベトナム人自体は必ずしも満足しなかった。ベトナムが中国に面従腹背する姿勢は国号の使用法にも及び、李朝以降、国内で用いられたのは専ら「大越《ダイベト》」＝「大いなる『越』」であった。

李朝、陳朝《チャン》、胡朝《ホー》と400年あまりが経ち、ベトナムは再び中国明朝の支配下におかれる。それに対する独立戦争に勝利し、15世紀初めに黎朝《レ》が成立する。功臣の阮廌《グエンチャイ》が書いた有名な独立宣言である『平呉大誥』では北の中国に対して自らが対等の南国であると高らかに宣言しているが、戦後の外交交渉ではやはり臣従の姿勢をとって安南国王の称号を中国に乞い、名より実を取ったのである。この対中姿勢は今に至るまで一貫している。

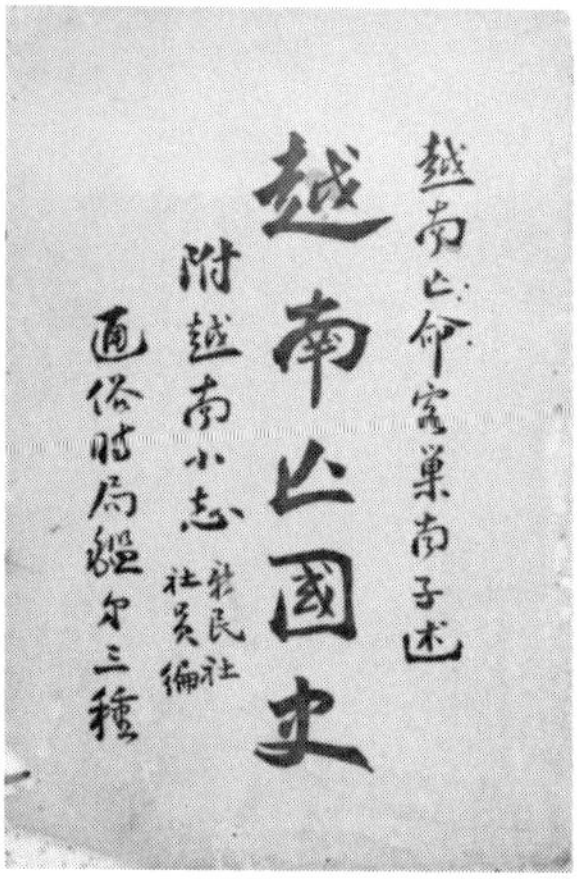

ファン・ボイ・チャウ『越南亡国史』（1906年刊）

16世紀にベトナムは南北に分裂し、北部には依然として安南国王に封ぜられた黎朝皇帝が権臣鄭《チン》氏の実質的支配のもとで存続する。中部には黎氏より自立した阮《グエン》氏がフエを中心に王国を築き、南へ勢力拡大をはかる。阮氏は黎朝に対しては臣従の形式をとったものの、やがて「王」、ないしベトナム口語で領主を意味する「主《チュア》」を称するようになる。「安南」の枠組みは残るものの、交易の盛んになったこの時代に、この王国は「広南《クアンナム》」「交趾《ザオチー》」、北の鄭氏政権は「東京《トンキン》」などと外国人の間で呼ばれ、区別されるようになる。

18世紀の後半、両国は現ビンディン省の西山《タイソン》村から始まった大乱により崩壊し、その領袖阮恵《グエンフエ》は両国を滅亡に追い込み、さらに中国清朝やタイとの戦いに勝利したことで、今では国民的英雄となっている。しかし、そんな彼とてもやはり中国からの「安南国王」の称号授与に甘んじるのみであった。

彼の死後、西山《タイソン》王朝は衰退し、広南国阮氏の末裔である阮福暎《グエンフックアイン》（通称嘉隆《ザーロン》帝）により、阮朝が成立する。南部から巻き返して北伐を成功させた後、彼は王国が従来に比して倍になったことをもとに、1803年、清に対して朝貢を行い、「南越国王」の称号を要求する。しかしこの請求は、かつての南越の版図を想起させるものとして却下された。かわりに与えられたのが「越南＝ベトナム」（阮福暎がまずベトナム南部〈伝説上の越裳《えつしょう》の地〉を得て、次に従来の安南の地をも併せた、という苦しい外交担当者たちの方便）である。

ベトナムがこの国号にどれだけ満足していたかは別として、2代明命《ミンマン》帝の頃よりベトナムは

世紀	ベトナム	ベトナムの自称（中国・フランス支配期の行政区画）	中国の呼称	中国
ＢＣ４世紀以前	神話の時代	郎・越裳など	越、越駱、駱越など	春秋・戦国期
		甌貉		
ＢＣ３世紀	北属期	（嶺南三郡の中の象郡）		秦朝
	北属期？	南越	南越	前漢朝～魏晋南北朝
ＢＣ２世紀–９世紀	北属期	（交趾部）	–	
		（交州）		
		（交州総管府）		隋朝
		（安南都護府）		唐朝
10 世紀	小王朝乱立期	丁氏政権下（968–979）で「大瞿越」を国号としている	※１	五代十国期
11 世紀				宋朝
12 世紀	李朝	大越	安南	
13 世紀				元朝
14 世紀	陳朝			
15 世紀	胡朝	大虞		明朝
	属明期	（交趾承宣）		
	黎朝（前半）	大越		
16 世紀	莫朝・黎朝並立期			
17 世紀	黎朝（後半、南北並立期）	大越（北部）、広南（中部・南部）		清朝
18 世紀	タイソン阮朝	大越		
19 世紀	阮朝	大南・越南	越南	
	植民地期※２	フランス領インドシナ下のベトナム（トンキン、アンナン、コーチシナ）		
20 世紀	分裂独立期	（北）ベトナム民主共和国 （南）ベトナム国・ベトナム共和国		
21 世紀	統一期	ベトナム社会主義共和国		

※１　安南国王に冊封する以前に「静海郡節度使」「交趾郡王」「南平王」「南越王」などの称号を中国は与えている
※２　阮朝（アンナン）は 1945 年まで保護国として存続

「大南《ダイナム》」を内向き、および周辺の弱小勢力に対しては称するようになる。しかし半世紀も経たずにフランスの侵略が始まる。その結果、ベトナムは解体され、北部、中部、南部と異なった植民地体制下に置かれ、それぞれトンキン（保護領）、アンナン（保護国阮朝）、コーチシナ（直轄植民地）と呼ばれるようになる。

もちろん、独立を求める人々の運動は様々な形で行われたが、彼らの目的は言うまでもなく統一ベトナムの復活にあった。その求められるべき政体の名は、ばらばらとなったトンキンやアンナン、コーチシナではなく、フランスの保護国の立場に転落した阮朝がその後も依然として使用していた呼称「ダイナム」でもなく、「ベトナム」でしかなかった。愛国革命家ファン・ボイ・チャウの代表著作名は『越南亡国史』であり、ホー・チ・ミンによって1930年に成立した共産党も「ベトナム共産党」（後インドシナ共産党に改称）であり、日本の支配下にあって抵抗を続けたのも「ベトナム独立同盟」であった。すべてが「ベトナム」であった。

1945年、日本の敗戦を機として八月革命が成功し、ベトナムは「ベトナム民主共和国」として独立する。それを認めないフランスとの長い戦いの後、1954年のジュネーブ協定でベトナムは再び南北に分割されるが、北は前述の「ベトナム民主共和国」、南は「ベトナム共和国」を称した。南北に分かれはしても、もはや「ベトナム」以外にベトナムを表現できないことを象徴するものであった。そして1975年の南政権の崩壊の翌年、現在のベトナム社会主義共和国が成立する。その長い歴史から見れば「ベトナム」の呼称は200年あまりのものではあるが、いまの政治的、文化的枠組みが変わらぬかぎり、その国号であり続けるであろう。

（八尾　隆生）

2

「古代」のはじまるころ

―★ベトナム考古学と「インドシナ考古学調査」をめぐる考古社会史★―

ベトナムの「古代」（先史時代を含めこのように呼ぶ）、少なくともベトナム考古学のはじまりに関して、それは単なる「過去」の出来事ではない。なぜならば、ベトナムをはじめ第二次世界大戦後に独立した新興国民国家にとっては、彼ら「国家」の歴史的実在、少なくとも植民地支配にさかのぼるその祖型の「証明」こそが、ナショナリズムのためにきわめて重要な政治的意味を持つからである。

王朝時代ベトナムの歴史実践は各王朝の正統性を歴史化するため、その根幹である正史を編纂することで、現実上の政治実践と結びついた歴史モデルを形成していた。ベトナム最後の王朝である阮《グエン》朝（1802〜1945年）の正史『大越史記全書』（15世紀黎《レ》朝呉士連《ゴシーリエン》編纂）の「外紀」「鴻厖紀」にベトナムのはじまりが描写されている。そこには1329年編纂の神話集『越甸幽霊集』の要素があり、中国文献をもとに編纂されたはずの「外紀」に中国正史とは異なる歴史観が存在している。例えば『後漢書』に記される徴《チュン》姉妹の乱（40〜43年）の記事について『大越史記全書』では「徴王」と記して英雄的評価を与えている。神話や様々な英雄的記事が織り成すベトナム固有の歴史

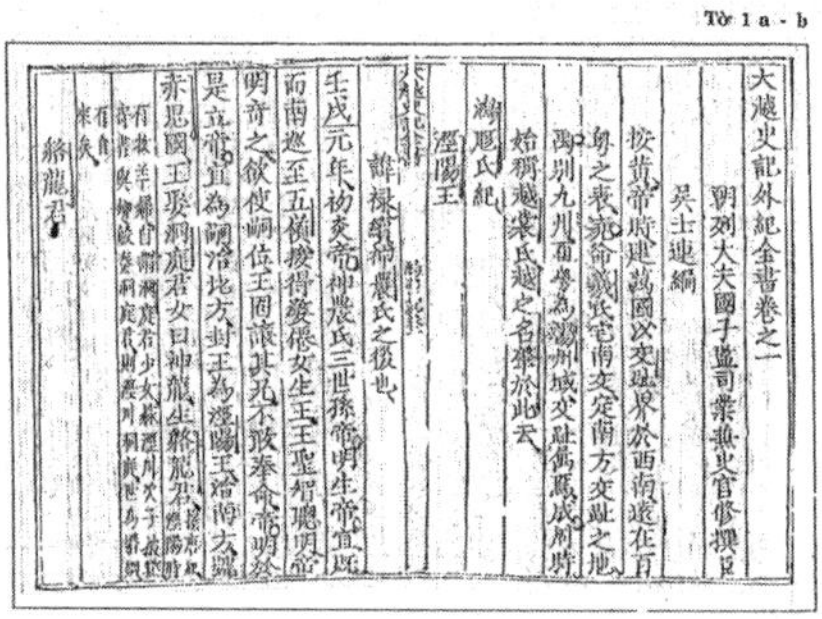
Tờ 1 a - b

大越史記外紀全書巻之一
朝列大夫國子監司業兼史官修撰臣
吳士連編
按黄帝時建萬國以交趾界於西南遠在百
粤之表堯命羲氏宅南交定南方交趾之地
禹别九州百粤為揚州域交趾屬焉成周時
始稱越裳氏越之名肇於此云
鴻厖氏紀
涇陽王
諱祿續神農氏之後也
壬戌元年初炎帝神農氏三世孫帝明生帝宜既
而南巡至五嶺接得婺僊女生王王聖智聰明帝
明奇之欲使嗣位王固譲其兄不敢奉命帝明於
是立帝宜為嗣治北方封王為涇陽王治南方號
赤鬼國王娶洞庭君女曰神龍生貉龍君
貉龍君

『大越史記全書』外紀巻之一 鴻厖紀

認識（「ベトナムモデル」）は、王朝時代ベトナムが取り入れた中国（中華）的世界観／支配システム（「中国モデル」）をより強固にするために不可欠であった。

ベトナムにおける近代学問としての東洋学（考古学）の実践は、言うまでもなく19世紀フランスのインドシナ植民地化を契機としたものであり、「新しい古典的規範」としてベトナムの歴史モデルに根本的な変化をもたらした。フランス人文アカデミーの研究組織として仏領インドシナに設立されたフランス極東学院にはベトナム世界を総体として「中国の地方類型」という地平上で対象化しようとする姿勢があり、同時に中国史を根本に据えることで、植民地支配を正当化するような言説を伴っていた。すなわち、ベトナムの王朝制度あるいはその歴史的過去を、現実上の「中国」あるいはその周縁的存在として置き換え、また表象することにより、王朝時代の歴史実践が有していたベトナム主体の政策実践を切り離すことに成功した。これが仏領インドシナ時代の「中国モデル」の実体であり、その権力的な核心はむしろ宗主国フランスにあったといえる。

フランス極東学院に先史部が設けられたのは１９１０年だが、先史考古学的な調査成果の多くはインドシナ地質局（H・マンシュイ、M・コラニーら）によって進展したものである。フランス極東学院の研究は、文献・碑文・美術品・宗教建築などを主要な対象とするもので、考古学に関しては建造物以外に古美術品を研究する程度の意識しかなかった。このような問題は、１９２０年代後半にフランス極東学院長オールソーの信任を得て税官吏パジョが実施したタインホア省ドンソン遺跡の発掘によって露呈した。ドンソン遺跡からは銅鼓を含む在地系青銅器や中国漢文化系の遺物群が多数出土し、ベトナム北部および東南アジアを代表する金属器文化（ドンソン文化）の遺跡として世界の学界の注目を浴びた。しかし、遺物収集を目的とした乱雑な発掘によって遺跡は広範囲にわたって破壊され、調査記録すらほとんど残っていない、いわゆる「宝探し」と変わりなかった。１９２９年のオールソーの死後、新院長に就任したジョルジュ・セデスは、ただちにパジョに発掘の中止命令を出し、専門研究者による再発掘を含めたドンソン遺跡の体系的調査を企画したのである。そこで招聘されたのが、ヨーロッパ考古学の実績を持つスウェーデン人考古学者オロブ・ヤンセであった。

ヤンセによるこの「インドシナ考古学調査」は、１９３４〜35年、１９３６〜38年、１９３８〜40年と計３回実施され、調査地はベトナム北部、特にタインホア省ならびに中部地方を中心として、最後はアメリカ統治下のフィリピンへと及んでいる。調査遺跡はドンソン遺跡のほか、ベトナムの中国支配の時代（北属期）に築かれた「漢墓」や窯跡の資料が多くを占める。これら調査の経費ははじめはフランス極東学院、インドシナ総督府、パリ博物館等によるものであり、調査で得られた膨大な資料（コレクション）もフランスの博物館へと送られるはずであったが、その一部はハノイのルイフィノ博物館（現ベトナム歴史博物館）に保管されたほか、特定個人や博物館へ「謝礼」という形で分散した。第３次調査はアメリカ・ハーバード大学燕京研究所の財政援助のもと実施され、その資料はすべてピーボディ考古学・民族学博物館に収蔵されることになった。これら調査成果の報告書の出版については、

オロブ・ヤンセ
出典:Janse, Olov R.T. 1959 Ljusmannens Gåta: Arkeologiska upplevelser in Sydöstasien. Stockholm: Rabén & Sjögren.

戦後の１９４７年に第１巻、１９５１年に第２巻がハーバードの財政援助で出版されたが、１９５８年の第３巻はベルギーでの出版となった（未報告資料も多数ある）。またヤンセ自身戦時中のヨーロッパには戻らずハーバード大学に身を寄せた後、１９４３年以降戦時体制下のアメリカ政府系機関に勤務し、戦後にかけて極東戦略の知識を支えた。

　１９６３年７月、ハーバード大学ピーボディ考古学・民族学博物館のヤンセ第３次調査資料の一部がサイゴン国立博物館（現在のホーチミン市歴史博物館）に返還された。１９５８年、ヤンセはアメリカ合衆国親善使節として、ベトナム共和国（南ベトナム）のサイゴン国立大学に訪問教授として招かれており、ヤンセにより「友好」の一環として立案された可能性がある。しかし、返還の前年には南ベトナム大統領ゴ・ディン・ジエムが暗殺され、軍事クーデターやテロ活動が頻発する中で、１９６４年よりアメリカの軍事介入は本格化し、１９６５年２月には北ベトナムへの直接爆撃が開始される（狭義のベトナム戦争の開始）。

　１９６０年代後半から１９７０年代はじめ頃は、世界中でベトナム反戦運動や社会運動が起き、ベトナムに関する関心が高まっていた時期である。この時期に発表されたヤンセの論文には、仏領インドシナ時代の考古学的成果（つまりヤンセ自身の調査成果）があるのみで新しい研究成果はない。

１９７０年代前半頃を境に、ヤンセ「インドシナ考古学調査」とその資料は研究者の間から急速に「忘却」されていった。

１９５４年以降、ベトナム民主共和国（北ベトナム）の考古学者により行われたベトナム北部における考古学発掘の成果は、仏領インドシナ時代以来のベトナム古代の歴史認識に画期的な変化をもたらした。とりわけベトナムの金属器文化がフングエン－ドンダウ－ゴムン－ドンソンという発展図

ハムゾン鉄橋からドンソン遺跡をみる（タインホア省、1999年）

ベトナム「漢墓」の墳丘（タインホア省、1999年）

式において把握されたことは、中国支配以前のベトナム文明／文化の自立的発展を証明すると同時に、神話伝承とされてきた雄王《フンヴォン》時代に初めて実在の根拠を与える可能性を示すものとなった。また、1968年史学院が中心となりファン・バン・ドン首相も参加した「雄王時代研究会議」の開催（1968～1971年に毎年開催）、そして同年設立された考古学院を中心とする「雄王神話」実体化の動きは、「ベトナム民族」の優秀性および団結と「中国モデル」の完全否定を国家レベルで推進することに貢献した。新しい「古代」のはじまりである。

これらの時期、ベトナム考古学者が最も関心を寄せ、対外的に強調したのが、「ベトナム民族」の固有性や「雄王神話」に直結する「先ドンソン文化」や「ドンソン文化」および「銅鼓」の研究であったのは至極当然である。しかしだからといって「漢墓」研究がまったく行われなかったわけではないし、「北属期」すなわち中国支配1000年の研究なくして真のベトナム史はありえない。しかし、それはかつての「中国モデル」としてではなく国民国家ベトナムによる「ベトナムモデル」としての存在理由があるからなのだ。

1986年ベトナムのドイモイ以降、ベトナムと日本が戦後はじめて共同調査を行ったランヴァク遺跡での発掘（1990～1991年）より約30数年を経た現在、「古代」に当時ほどの活気はない。研究関心の多様化や社会環境の変化などが影響しているのかもしれないが、一研究者として「ベトナムモデル」の新たなる展開に期待したい。

（俵　寛司）

3

北属南進の歴史

──★圧倒的な存在としての中国・フロンティアとしての中・南部★──

中国人の知り合いにベトナムの話をしたとき、「ベトナムは昔、中国だったところですよね？」とか、「中国語が通じるのでしょ？」といわれて、やれやれと思った記憶がある。ナムディン省でバイク・タクシーを雇ったとき、広東あたりの中国人に間違われ、「中国ってのは大きな国で、大発展を遂げている国の1つで、それに比べればベトナムなんて小さくて、足下にも及ばないよ」と私は中国人ではないのにさんざん持ち上げられて、返答に困った。どちらも、国境を越えずに相手を見たときの素直な認識の1つと考えてよい。また、近年の中国による中部高原のボーキサイト開発問題やチュオンサ（南沙）諸島などへの覇権主張などに対しては、ナショナリズム的な反応がベトナム市民のなかにも一般化してきたことは、中国の日本への反応とよく似ている。

黄河・揚子江文明を育んだ中国中原から眺めると、その周縁世界というものは、中原からの影響を受けた辺境で、ベトナムも日本もその一地域にすぎない。こうした視点はベトナム国内においても有効で、ハノイを中心にした紅河デルタがベトナムの中原とするなら、山地部はおろかタインホア以南の海岸部からメコンデルタまで、その周縁世界となってしまう。さて、その中原たる紅河デルタはベトナムのなかでも、中国化の度合いが強く見受けられるところである。すでに後期新石器時代（紀元前２０００年紀）から、中国との文化的交流があったことは明らかである。そして、ドンソン時代（先史時代末）からその度合いは増し、後漢並行期以降、中国の存在感は圧倒的になる。

歴史家によって異なるが、一般的に前漢武帝による南越征服時の交趾・九真・日南郡設置（紀元前111年―現在の北部ベトナムに相当）から、呉権《ゴクエン》による独立（９３９年即位）までの１０００年以上を北属時代と呼び、ベトナム史のなかでは暗黒時代的扱いを受けている。特にハイ・バー・チュン（徴姉妹）の起義（紀元後40〜43年）が馬援《ばえん》につぶされて以降は、漢からの移民増加も手伝い、中国の種々の制度・技術・習慣が移植されたようだ。しかし、こうした先進地域からの文化受容が逆に、反作用として、支配者中国に対抗し、独立「ベトナム」の基盤になるような社会・民族集団を土着化した中国系の人々も交えて作り上げていく。それは北の大きな中華世界に対抗する、南のささやかなアイデンティティの発揮であったともいえる。このアイデンティティ発揮は漢字をもとにしたチュノム（字喃）、中国の陰暦とは異なる陰暦法の採用、間歇的ではあるが中国陶磁にせまる高品質で生産されたベトナム陶磁などに、具体例を読みとることができる。

漢朝に対抗して独立国を嶺南《れいなん》に築いた南越国の趙佗《ちょうだ》（紀元前2世紀）、嶺南から北部ベトナムにかけて、一族とともに半独立勢力を築いた交趾郡太守の士燮《ししょう》（紀元後2〜3世紀）などは中国人であるが、ベトナムの古い歴史書では正統の王として扱われているし、万春《ヴァンスアン》国を建国し、一時的に中国から独立した李賁《リービ》（6世紀）も、もとは中国人で、土着化した存在として伝えられている。唐末（9世紀）に雲

士燮廟での祭り。士燮（2-3世紀の交趾郡太守）が居城としたルンケー城（通称ルイロウ城と呼ばれるが、文献上の龍編城に同定される）では、城跡の真ん中に士燮を祀る神社（デン）があり、いまでも地元の信仰を集めている

南の南詔《なんしょう》侵略軍を撃退して節度使を務めた高駢《こうべん》の場合、彼の大羅城造営事蹟は、李《リー》朝都城造営の際の重要な範となったようだ。彼は護国神にもなっているし（『越甸幽霊集』〔14世紀〕）、ベトナム風水の祖にもなっている。

さて、歴代の王朝や政権の始祖となる人物の出身地を俯瞰するとあるパターンに気づく。それは始祖たちには2つの系列があることだ。李賁李朝、陳《チャン》朝、莫《マック》氏政権らは、紅河平野を故地とし、丁《ディン》朝、黎《レ》朝、胡《ホー》朝、鄭《チャン》氏政権、そして広南阮《グエン》氏政権などはホアビン山塊からタインホア省中山間地域までを故地としている。このなかで李賁、李朝、陳朝、胡朝、莫氏らに関しては中国系の人間を祖としているという説があり、丁朝、前黎朝、後黎朝に関してはムオン族に始祖伝承、あるいはその血縁を持つと考える説がある。つまり、ベトナムの中原（紅河デルタ中央）を制圧した者は、その土地の者ではなく、異人なのである。言い換えれば、北もしくは紅河デルタより南の血を引くものによる紅河デルタ制圧こそが、ベトナムの中国からの独立を維持させた大きな要因であろう。彼らにとって中国、つまり「北」は、範となりつつも、自らの拠り所とはなりえなかった。拠り所はあくまでもベトナム、つまり「南」なのである。隣接する雲南省・広西壮族自治区・海南島などがやはり漢代以降、幾度となく起義を起こしたり、中国支配から脱したりしたにもかかわらず、最終的には中国に内属してしまったことは、ベトナムと対照的である。ベトナムでは紅河デルタ中央を制圧して政権をうち立てる歴史的パターンが定着し、そこに1つの強力な社会集団的アイデンティティが確立していたのに対し、前述の各地域はそうした核になれる地域を持てなかったからだと考える。

ところで北属を脱したベトナムは、中国との関係安定化に努める一方で、南へ触手を伸ばす。南接するチャンパ王国は南海交易の一大中心地であり、北属時代から国境をせめぎ合ってきた歴史がある。陳朝期までこのチャンパとの抗争は五分五分に近い争いであったが、後黎朝の黎聖宗《レタイントン》の南征（1471年）で、首都ヴィジャヤ（ビンディン省クイニョン郊外）を奪われたチャンパの衰勢は決定的となり、領域国家としては衰退の途をたどる。そして、キン族が広南阮《グエン》氏政権のもと入植を行っていく。稲作の作付け選択や治水・水利技術など、農業集約化の技術を身につけていたキン族が、瞬く間に北部の高人口圧のはけ口をもとめるかのように、植民を進めたようだ。17世紀以降は、滅亡した明の遺民も交えて、サイゴン（現ホーチミン市）周辺やメコンデルタへの入植を急速に進め、先住民であるクメール族と争うまでもなく、3世紀もかけずにメコンデルタの主人公になってしまった。この南進には、北部ベトナムの南域に位置して、中部ベトナムとの交流に長い歴史を持っていたタインホア・ゲアンの人たちが活躍し、現在のベトナム国家領域形成に大きく寄与している。

南進はベトナム国内に限定された現象ではない。17世紀のヨーロッパ文献にはタイのアユタヤ、チャンタブリー、カンボジアのプノンペンなどに、かなりの数の「コーチシナ人」がコミュニティをなして居住していることを記録している。東南アジアと域外間の交易の発達のもと中南部のベトナム人が中国人などとともに周辺域に商業的利益をもとめて移住したのであろう。

現在のカンボジア領内にも10万人程度のベトナム人が居住しているが、仏領期に移住してきた人もあれば、つい最近来た人もいる。見方によっては１９７５年以降の海外への難民流出を、経済的辛苦脱出のための南進と捉えることも可能である。また、現在でも北部や中部の人は新天地をもとめて南部に移住したり、出稼ぎに行ったりしている。しかし、その逆は非常に少ない。南進は過去から現在まで一貫した社会現象なのである。

（西村　昌也）

4

インドシナの時代

★現代ベトナムが生まれたとき★

ベトナムが一時期姿を消した時代がある。1858年フランスはベトナムに侵入し、1867年南部全域を直轄植民地コーチシナとし、次いで中部・北部にその触手を伸ばすと、形骸化した阮《グエン》朝とフランス植民地政庁による二重支配下に北部にトンキン保護領、中部にアンナン保護国をつくり、ベトナムの国土を3分割した。1887年に成立したインドシナ連邦は、ベトナム全土とカンボジアを支配下に置き、後にはラオス、広州湾租借地を包摂する巨大かつ複雑な植民地へと発展した。ベトナム語でドンズオン（東洋）と呼ばれるインドシナの時代は、ベトナムにとって阮朝期以前の残滓と決別し、フランスがもたらした「近代」の衝撃と対峙して新たな「ベトナム」を模索し苦闘した、いわば現代ベトナムを生みだした時代といえる。都市を歩けばロータリーと官庁やオペラ座・教会のコロニアル様式の建築がそびえたち、路地には軒を連ねた煉瓦造り町家とその奥にひっそりと佇むディンや寺廟、農村を歩けば中心にディンや仏寺が並び、水田の向こうにカトリック教会がポツンと見える。現在私たちが目にする植民地時代を彷彿とさせる建築物も、東アジア世界の一員たる歴史を感じさせる「伝統」建築も

ベトナム人地主が建てたフランス・ベトナム折衷様式の屋敷

また過去から連綿として受け継がれたのではなく、この時期に生みだされたものである。
　インドシナでは経済構造すべてがフランス本国への奉仕のために再編され、それは社会構造をも変化させた。ベトナムの北部・中部やラオス・カンボジアでは鉱山や高地のコーヒー・ゴムプランテーションに農村から契約労働者が送り込まれ、「赤色土の地獄」と呼ばれる過酷な労働を強いられた。輸出米生産に特化した南部ではフランス人や華僑・印僑大地主の下で小作農・日雇いに転落したベトナム人が過重な小作料と前借りの累積債務にあえいでいた。この時期に開発された鉱業産品・農林産品のなかで米・コーヒー・ゴムは、原油と軽工業産品輸出が増加する近年までベトナムの主要輸出品目となっていた。世界市場に連動したインドシナ連邦の経済構造下では、ベトナムとフランス本国のみならず、香港・シンガポール等のアジア諸国との関係もより緊密なものとな

紅河デルタ沿海の貧困村にそびえ建つカトリック大教会

り、アジア系移民の流入が増加した。当時のベトナムにおける全人口のわずか0・1％にすぎないフランス人が88％を占めるベトナム人を政治的に支配し（1880年）、そのフランス人も流通と金融を掌握した華僑・印僑の経済力にはるかに及ばず、主人たるべきベトナム人が社会・経済の最底辺に置かれた。

「近代」は一方で新たな「伝統」を生みだした。容赦なく侵入してくる西洋に対抗して既存地域社会の結びつきを強固にすべく、東洋に由来するベトナムの「伝統」文化が動員・強化され、チュノム文学が盛んになり、村では家譜や郷約があらためて編纂され、ディンや祀堂が修築された。しかし、その試みはフランス植民地支配の実権に抵抗するにはあまりにもぜい弱であり、「伝統」を基盤とした在地社会有力者による抗仏運動は次々と挫折し、代わって親フランス派に転じたベトナム人が植民地統治の末端部分として地方官吏・村役や地主として台頭してきた。

20世紀初頭北部と南部の農村で発生した改宗の事例は、このような「伝統」社会では抗し難い新しい時代の到来に対して個人がどのように対応していったかを示している。末成が紹介するハノイ近郊農村で起こったキリスト教改宗例では（末成１９９８：57頁）、「天主教（キリスト教）の信徒となって自分で５代目になる。ひいおじいさんの代から入教し、子孫はみな天主教を信じている。昔、この村に義賊が居た。他の村で盗ってきて、貧しい人々に分けていた。村の人がこの義賊の首を切って殺した。しかし、死んで３日経っても血が止まらなかった。朝廷がこれを見て冤罪で殺したとした。そうなると３族皆殺しの罰を受けることになる。そこで、自分たちの祖先は、キリスト教に関係すれば教会のほうで保護してくれると入教し、この村にもキリスト教徒が出るようになった」と信仰上の動機というより、旧来の阮朝宮廷とカトリック教会が象徴する植民地政庁の二重権力下において強者を選択するしたたかな農民像を示している。

南部では既存ベトナム仏教に近代西洋文化を摂り入れたカオダイ教と民間信仰要素を摂り入れながらより原理主義的な仏教を目指したホアハオ教の新宗教が生まれていた。ヒッキー（１９６４：66〜73頁）は、「富農ヴォー・ヴァン・チウは１９２６年新宗教の噂を聞きその降霊会に参加したところ、カオダイ教を受け入れるよう伝える精霊のメッセージを受けた。かれはまもなく農地を息子にまかせてタイニン（カオダイ教本山）へ行った」と個人の帰依を契機として知人・親族を巻き込んでメコンデルタ農村に新宗教が普及していく経緯を紹介している。このように既存地域社会の中にもたらされた新しい変化とは別途に、鉱山や農園へ契約労働者として、あるいは自作・小作農から転落し農村や都市で日雇い労働に就労した人々もまた過酷な労働と搾取にさらされて、新しい場所でそれぞれに秘密結社や新宗教、そして革命運動に関わっていった。

インドシナの中に国境はない。人々は労働者として、植民地官吏として、研修・留学生としてベトナム、ラオス、カンボジア、フランス、広州あるいはアジア各地を自在に移動した。インドシナは世界市場と結びアジア・ヨーロッパ各地とつながり、モノもひとも思想も移動し活発に交流するようになった。新しい文化・思想がアジア・ヨーロッパ各地から運ばれ、ベトナム国内に広まった。その普及基盤となったのが旧来の漢字・チュノム文字に代わったクオックグーと呼ばれるローマ字化されたベトナム語である。フランスは植民地化の過程で統治の手足となる通訳・現地官吏養成のために当初からフランス語とクオックグーの普及に力を注いだ。フランス語教育機関が設立され、植民地政庁現地官吏への道が開かれると、儒教に基づく科挙試験を通じた宮廷官僚を輩出していた旧知識人層に対抗する新知識人層が形成された。クオックグーは、漢字よりはるかに学習が容易であったため識字率を向上させ、活版印刷になじみ新聞・雑誌等の出版が盛んになった。従来は旧知識人層に独占されていたチュノム文学もフランス語小説も翻訳され、新たにクオックグーによる文学も生まれて人々の間に広まっていった。同時に、クオックグーと活字を媒介として、インドシナの内外から受容された新しい思想として民族独立・革命思想が知識人のみならず一般の人々のなかに広まっていった。インドシナはベトナムの人々と世界を結び、次なる民族運動の時代をもたらしたのである。（大野　美紀子）

5

ベトナム現代史

★独立の達成から統一国家形成までの歩み★

ベトナム現代史の起点がいつかという問題に関しては、少なくとも現在のベトナムという国家に通じる諸前提の形成が考慮されなければならない。その点で、当該地域の政治党派がどのような地理的要素を自らの名称に冠するかは、自分たちの拠って立つ基盤や、将来的に勝ち取るべき新たな目標あるいは自分たちのアイデンティティと不可分であると考えられるため、現代史の起点を探る上で1つの判別指標となりうるだろう。フランス支配下のインドシナにおいては、1920年代から30年代にかけては、党派名にベトナムを冠するものもあれば、アンナンを冠するもの、さらにはインドシナを冠するものもあるという状況であったが、1940年代に入る頃にはベトナム独立同盟（ベトミン）、ベトナム復国同盟、大越国家連盟などの如く、政治的主張の差異にかかわらず「ベトナム」あるいはそれに類するものへと収れんされていった。そして、1945年9月にはベトミン主導の下に、ベトナム民主共和国（以下、民主共和国）が樹立された。ベトミンは実質的にホー・チ・ミンを指導者とする共産主義者が主体となった組織ではあったが、愛国主義と階級融和的な政策を前面に押し出すことにより、ベトナムの独立を希求する広範な階層を吸収することに成功した。こうした経緯を反映して、民主共和国成立当初の政府は、愛国主義者の連合体ともいうべき様相を呈していた。しかし、同国は国際的な承認を得ることができないまま、1946年フランスとの間で独立をめぐる戦争に突入した（第一次インドシナ戦争）。

孤立無援状態の中での戦争を強いられた民主共和国にとって転機となったのは、1949年10月の中華人民共和国成立であった。1950年に入ると同国は中国とソ連を皮切りに、社会主義諸国から国際的承認を得たばかりでなく、とりわけ中国からの経済的・軍事的支援を確実なものとした。こうして民主共和国は、地続きで社会主義陣営に連結されることになった。

他方、フランスも民主共和国に対抗する形で、1945年8月に退位した阮《グエン》朝最後の皇帝バオ・ダイを擁立し、彼を元首とするベトナム国を樹立した（1949年7月）。その拠点はベトナム南部コーチシナであり、支持母体となったのは反ベトミンの民族主義党派であった。ベトナム国は1950年に入り、英米などの諸国から承認を得るに至った。こうして、1940年代末には、ベトナムには「ベトナム」を称する2つの国家が存在し、全土で攻防戦を繰り広げていたことになる。また、視点を変えると、この時期にはベトナムの独立をめぐる戦いに、東西冷戦という要素が加わりつつあったともいえる。

スターリン晩年の1952年になると、ソ連を中心に大国間で緊張緩和の機運が高まり、インドシナもその対象となった結果、1954年7月にジュネーブ協定が調印され、ベトナムでもようやく戦火が止むこととなった。協定が文字通り実現されれば、暫定的に設定された軍事境界線（北緯17度線）をもって、民主共和国とフランス・ベトナム国の兵力を分離した後に、総選挙を経て統一国家が創出されるはずであった。しかし、現実には協定がベトナム国を取り込むことに失敗した結果、１９５５年17度線の南に単独国家ベトナム共和国の樹立を許すこととなった。ベトナム共和国（以下、共和国）はその後、米国をはじめ西側陣営との関係を強化していった。こうして、協定で規定されていた総選挙は行われないまま、17度線は、38度線やベルリンの壁と同様に、東西冷戦を象徴する国家分断の境界と化してしまった。

一方、ジュネーブ協定のような南北分割による和平達成案をめぐっては、民主共和国にとっても南部の支配地域を放棄しなければならなくなるため、ベトナム労働党指導部内には否定的な見解もあったが、ヴォー・グエン・ザップのような軍人は、まとまった地域が手に入るとして肯定的に受け止めていた。とはいえ、民主共和国は、最大の支援国である中国とソ連の意向に従って、最低ラインとしていた北緯16度線からさらなる後退を余儀なくされた点で、満足のいくものではなかった。ジュネーブ協定は、他国との交渉において自らが主導権をとることの重要性をベトナム労働党に痛感させるとともに、失地回復としての意味合いも込めた南ベトナム解放と全土統一へと突き動かすことになった。

北緯17度線を境に対峙することになった2つの国家は、身の置き場所は異なっていたものの、似通っていた面もあった。それは、いずれも、中ソあるいは米国といった大国の経済的・軍事的支援の上に存立していた点である。他方、差異はといえば、民主共和国がベトナム労働党による実質的な一党体制下にあり、国内にさしたる反対勢力を抱えていなかったのに対し、共和国は政治的主張の異なる党派や多様な宗教集団を包摂する多元的な政治体制の下にあった点である。

また、ベトナム労働党は、１９５９年以降、17度線を迂回して、ラオス領やカンボジア領を通過

ベンハイ川にかかるヒエンルオン橋。本来は兵力分離のための一時的な境界となるはずであったが、恒久化し、1954年から76年にかけてベトナム分断の象徴となった（2007年3月南側より撮影）

して南ベトナムに到達する兵員・物資等の輸送路（ホーチミン・ルート）の建設を進めた事実が示すように、国境や領土に関する意識が希薄であった。これは、米国からは共産主義勢力の共和国領内への「浸透」とみなされ、米国のベトナムへの直接的な軍事介入へとつながることとなった（ベトナム戦争）。他方、米国と共和国は共和国領外での軍事行動に慎重であったため、共和国領内が戦争の主戦場となることになった。

民主共和国側は米軍の介入以後もホーチミン・ルートの稼働を続けたが、米軍が共和国に駐留している間は共和国の政権中枢に決定的な打撃を与えることはできなかった。労働党内部は、どのくらいの時間をかけて南ベトナムを解放するのかという点において必ずしも一致していたわけではなかった。実戦においても、1968年のテト攻勢では人的・物的に甚大な損失を被ったし、最大の支援国の1つである中国の対外政策転換（1971

1954年のジュネーブ協定調印以降、北緯17度線は分断国家の境界線と化した。1959年から17度線を迂回し、ラオス領・カンボジア領経由で北から南に兵員と物資を輸送するための道路（ホーチミン・ルート）が稼働を続けた（〜1975年）
出典:***The Ho Chi Minh Trail in Wartime***, Ha Noi: National Political Publishing House, 2007, p.128.

年、米中接近）によっても翻弄されることになった。

それでも、民主共和国が米国との直接交渉を通じて、1973年のパリ協定調印にこぎつけ、米軍の撤退とホーチミン・ルートの現状維持を勝ち取ったことは大きな成果であった。パリ協定では、段階的・平和的な南北ベトナム統一が想定されていたが、実際には米軍の撤退後、1975年民主共和国の軍隊による南ベトナムの電撃的な武力制圧という、協定に違反する「併合」という方式で達成された。このような国家の大事に関わる最終決定が、ホアンサ（パラセル諸島）の奪取（1974年）など中国の動向に不安を覚えたベトナム労働党第一書記レ・ズアンなど少人数で行われ、しかも国際的な取り決めがいとも簡単に破られてしまったことは、後の統一国家ベトナム社会主義共和国の前途に暗い影を投げかけるものとなった。（栗原　浩英）

6

基層文化としてのサーフィン文化

★ベトナム中部の鉄器時代★

サーフィン文化とは現在のベトナム中部に広がっていた鉄器時代の文化である。北部のドンソン文化とほぼ同じく、紀元前4～前3世紀頃から後100年頃まで続いたとみられる。文化名の由来となったサーフィン遺跡は、クアンガイ省南端の海岸に形成された南北に延びる砂州に位置している。サーフィン文化の最も顕著な特徴は甕棺墓《かめかん》であり、円筒形もしくは卵形の胴部をもつ甕に、帽子型の蓋が被せられて墓壙《ぼこう》内に縦に埋置された。副葬されたのは土器、鉄器、青銅器、そしてビーズや耳飾などの装身具である。

ベトナム中部ではサーフィン文化のあと、中国史書の記録によれば2世紀末に後漢の南端で反乱が起こり「林邑《りんゆう》」が独立した。林邑とはチャンパと同一の実体とみなされている。ベトナム中部各地にヒンドゥー教と仏教の寺院や彫刻を残したチャンパは、19世紀前半まで続いたとされる。サーフィン文化からチャンパへの変遷については1980年代までは不明な点が多く、東南アジア考古学上のミステリーとも言われた。その後の調査研究が明らかにしたことは、甕棺葬というサーフィン文化の伝統的な埋葬習俗が消えた直後の2世紀に、ベトナム中部では初めての中国式の瓦を葺いた木造建築が建てられたことである。中国の文化を身に付けた北からの移住者が、それまでサーフィン文化を担っていた土着の社会に大きな変革をもたらしたのであろう。

チャンパの主要民族であったチャム族は、現在ではベトナムの少数民族の1つとしてベトナム南中部、ホーチミン市、そしてメコンデルタに暮らしている。チャム族の言語が東南アジア島嶼部から太平洋にかけて広く分布するオーストロネシア語族に属することから、彼らの祖先は鉄器時代もしくはそれ以前に島嶼部から海を渡ってベトナム中部に移住したと考えられている。そのためチャム族の祖先がサーフィン文化の担い手になったと考える仮説もあるが、検証されているとは言えない。

ただし、考古学の調査研究から浮かび上がるサーフィン文化の特質は、文化自体が衰退した後も、チャンパへと続く歴史的展開の中に受け継がれたとみることが可能である。本章では2つの対照的な視点――海と川――からサーフィン文化の特質を概観する。それによって、ベトナム中部ならではの基層文化を考える1つの方途としたい。

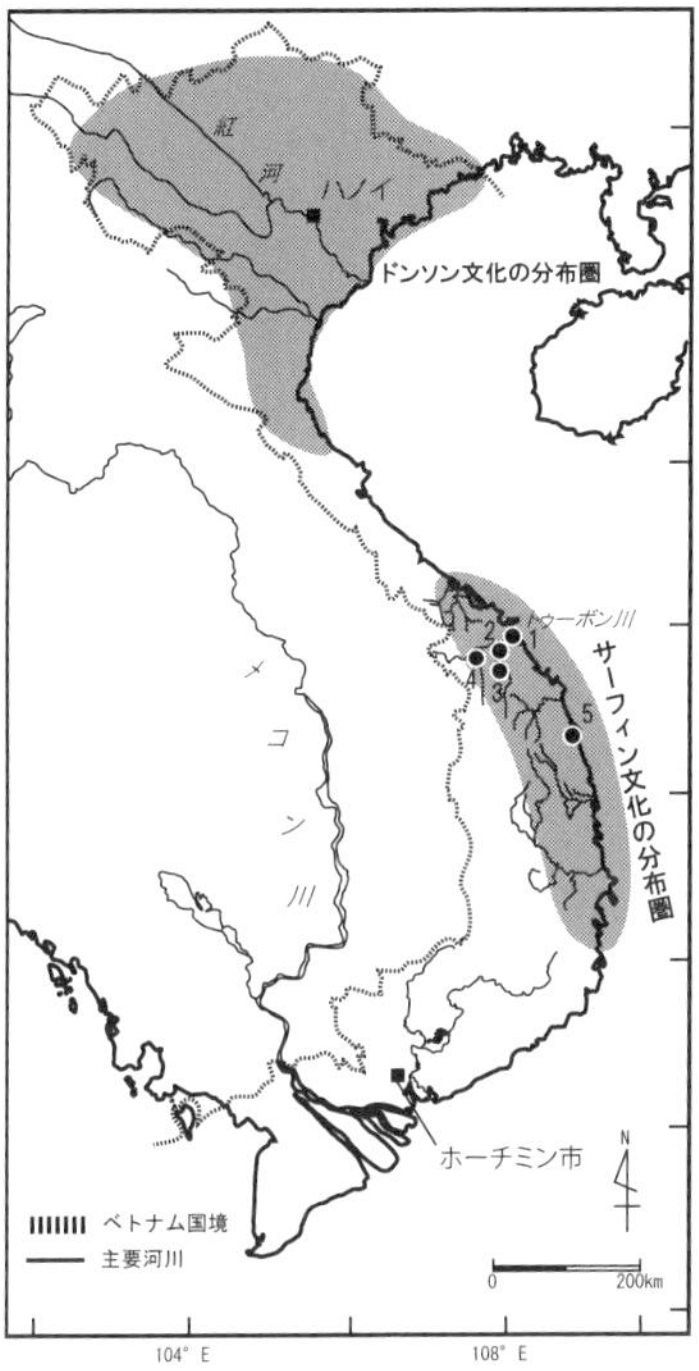

地図　サーフィン文化の分布圏と遺跡の位置（●）
1. ライギ　2.ゴーズア　3.ビンイェン　4.タビン　5.サーフィン

サーフィン文化の分布圏

サーフィン文化の甕棺墓から発見される遺物の中で、最も注目されてきたのは耳飾である。ベトナム中部の甕棺墓からは「3つの突起をもつ玦状《けつじょう》耳飾」、「双獣頭形耳飾」という特異な形

復元されたサーフィン文化の甕棺と蓋
（クアンナム省博物館）

状の耳飾が出土する。同種の耳飾は台湾、フィリピン、マレーシアのボルネオ島、カンボジア、タイの遺跡からも出土しているため、サーフィン文化の耳飾が遠方まで運ばれたと考えられてきた。

　耳飾に使われた石材のうち最も多いのは、日本では軟玉とも呼ばれるネフライトで、産地が限られている。地球科学者によって台湾東部豊田産ネフライトの同定基準が確立されたことにより、東南アジアで出土する耳飾のいくつかは台湾ネフライトで作られていたことも判明した。

　近年、耳飾の製作者集団を識別する研究が進んだ。その結果、耳飾の起源が後期新石器時代の台湾からフィリピン北部にあったこと、フィリピン南部で台湾ネフライトの使用を特徴とする別の製作体系が展開したこと、その後ようやく耳飾が大陸部へと伝播し、大陸部と島嶼部の間で耳飾の製作に関する情報が活発にやり取りされたこと、そして最終的にサーフィン文化に耳飾の製作と使用が収れんされたことなどがわかってきた。耳飾の起源と拡散に南シナ海（ベトナムの呼称は東海）周辺の多くの地域社会が関わっていたことになる。耳飾の専門工人が海を渡って回遊し、各地で支配者層の求めに応じて耳飾を製作した状況も想定されている。

　耳飾の広域分布を可能としたのは、南シナ海とタイ湾を取り巻く各地に成長していた鉄器時代社会をつなぐ海のネットワークであった。人・物・情報が行き交う道が交錯する海域世界の一員として、サーフィン文化を担った人々が活動したとみられる。

海から陸へと視点を移すと、ベトナム中部では中小規模の河川が形成した沖積平野が、山地に隔てられて海沿いに点在するという特徴がみられる。ここではサーフィン文化の遺跡が最も集中する地域であるトゥーボン川に焦点をあて、川筋に根付いた在地文化としてのサーフィン文化について述べる。

トゥーボン川はベトナム中部の主要河川であり、流域面積は信濃川に匹敵する。インドシナ半島を縦走するチュオンソン山脈中のゴックリン山塊に源を発し、クアンナム省を貫流してホイアンの先で南シナ海に注ぐ。このトゥーボン川の河口から内陸山間部まで、川沿いに多くのサーフィン文化の遺跡が連なる状況が明らかにされている。この遺跡分布からは、サーフィン文化の担い手たちが河川交通つまり舟運によって往来し、流域全体がひとつの社会経済圏として機能したことが読み取れる。

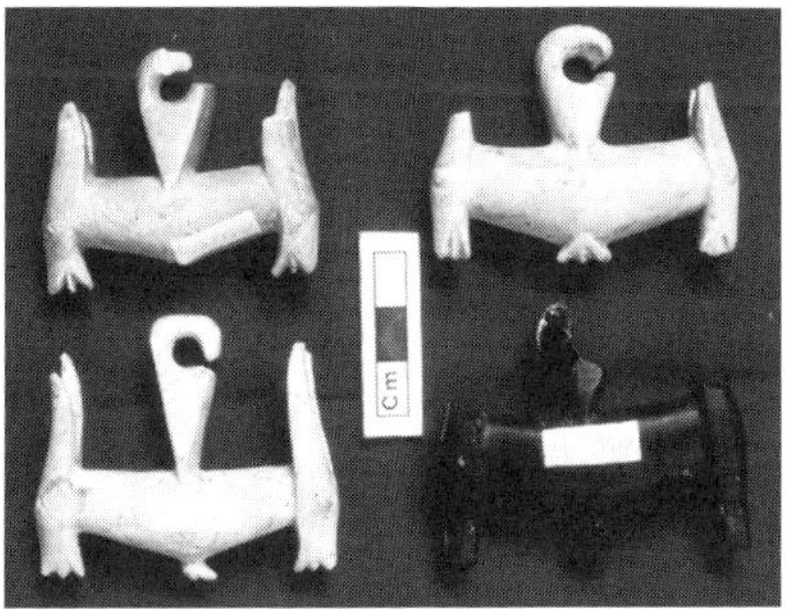

クアンナム省出土双獣頭形耳飾

その頂点にいた首長と支配者層は、下流平野を拠点としたことがわかってきた。ホイアン郊外のライギ遺跡は、そのような拠点を形成した集団の墓地とみられる。その調査範囲内から63基の墓が検出されたが、注目されたのは総計1万２８９点という出土数のビーズである。石製（カーネリアン、メノウ、ネフライト、水晶、アメジストなど）、ガラス製、金製のビーズがあり、それらの多くが交易によってインドやマレー半島方面などの外部世界から輸入されたものとみられる。

ライギ遺跡では1つの甕棺にガラスビーズ３０１６点とメノウビーズ79点が入っていた例があるが、トゥーボン川中流のビンイェン遺跡ではビーズの

クアンナム省ビンイェン遺跡6号甕棺墓出土装身具（左上：3つの突起をもつ玦状耳飾、右上：玦状耳飾、下：ガラス製・カーネリアン製・ネフライト製ビーズ）

数が最も多い甕棺墓でも166点であった。さらに、上流山間部に位置するタビン遺跡では、発掘された2基の甕棺墓のうち1基からガラス製5点とメノウ製1点のビーズの出土が報告されている。上流と中流に比べて下流のライギ遺跡が圧倒的な数のビーズを有したことは、下流の首長が外来の貴重な品を入手し、それを川沿いに再分配した状況を想起させる。中流のビンイェン遺跡とゴーズア遺跡、そして下流のライギ遺跡からは前漢鏡が出土しているが、それらもまた下流の首長から内陸の有力者へと伝えられたのであろう。一方、上流から下流へと運ばれた物品は考古資料としては明らかではない。森林の産物が搬出され、下流の集散地を経て輸出された可能性が考えられている。

ベトナム中部では河川流域ごとに在地首長が統御する社会が成長し、それらが複数集まってサーフィン文化圏が醸成されたとみられる。それぞれの首長制社会は、のちにチャンパを構成した地域政体の素地となったであろう。同時に、サーフィン文化は大陸の東端にあって海へと開かれた位置を占め、海域ネットワークを通じて他地域の鉄器時代文化とつながっていた。その基礎の上にさらにチャンパの海洋交易路が発展した。海と川の結節点に花開いたサーフィン文化の特質は、ベトナム中部ならではの基層文化として次代以降の歴史的展開の中に受け継がれたのである。

（山形　眞理子）

7

扶南と林邑（チャンパ）

★ベトナム南部と中部の初期国家★

2011年にフランスの碑文学者アン・ヴァレリー＝シュヴァイヤーが『古代のベトナム：歴史・美術・考古学』を著した。この本の前半はベトナム中部の「チャンパ」を扱い、ヒンドゥー教の祠堂建築やヒンドゥーの神々を題材とした砂岩彫刻の写真が多数掲載され、後半は北部のベトナム（章のタイトルは「ベト人の土地」）を扱い、現在もベトナム人の信仰を集める木造の仏寺と仏像、さらにはベトナム歴代王朝の史跡の写真が並ぶ。古代のベトナムが異なる2つの国であったことが読者に伝わる一方で、南部のメコンデルタで後2世紀頃に出現した初期国家「扶南」については触れていない。扶南の王都と目される遺跡はカンボジア国内にあり、7世紀に扶南を併合した「真臘」がクメール人の国家とみられることから、扶南はカンボジア史の一部と認識されているからである。

しかしベトナムの考古学界は南部の「オケオ文化」を扶南の文化と位置付け、長年にわたり調査研究を続けてきた。文化名の由来となったアンザン省オケオ遺跡は扶南の外港とみられ、ここで1944年に調査を行ったフランス人考古学者によってローマ皇帝の金貨や後漢鏡が発見されたことで、一躍有名に

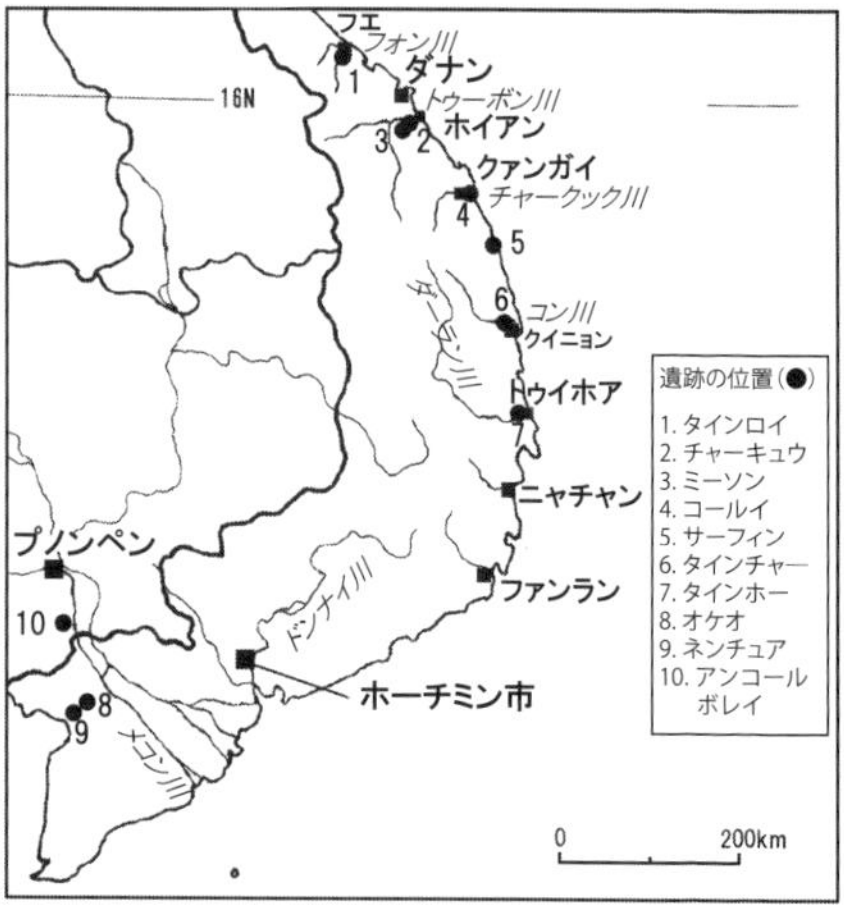

ベトナム中部・南部、カンボジア南部の都市（■）と遺跡の位置

なった。最近では２０１７年から２０２０年にかけて、ベトナム社会科学アカデミーがオケオ文化に関する大規模な発掘調査プロジェクトを展開した。ベトナムにとって扶南は、古代のベトナムを語る上で欠かせない存在である。

チャンパはベトナム中部で後2世紀末から19世紀前半まで長く存続した国であった。その主要民族であったチャム族は、現在では少数民族の1つとしてベトナム南中部と南部、そしてカンボジア国内に暮らしている。チャンパというインド風の国名は6世紀末から7世紀初頭とされる碑文の中に初めて登場する。漢籍の中ではチャンパを指す名称は「林邑」「環王」「占城」と変化した。このうち林邑は、ベトナム中部まで伸びていた後漢の南端で起きた反乱の末に独立したとされる初期国家である。

本章では東南アジアの２つの初期国家・扶南と林邑（チャンパ）に注目し、両者に関するベトナム考古学の近年の成果を概観する。ベトナム北部では中国の支配を受けた「北属」の時代が続いたが、それについては第3章が論及する。

オケオはメコンデルタに屹立するバテ山（標高２２１メートル）の南東の水田中に広がる遺跡である。上述のフランス人考古学者によって長さ3キロ、幅1・5キロの区域が五重の濠や土塁に囲まれ、運河が中心を貫いていたと報告されたが、それらの痕跡を今、地上でみることはできない。この運河は

オケオ遺跡群ゴーサウトゥアン遺跡の発掘風景（2018年）

オケオとその南西約14キロに位置するキエンザン省ネンチュア遺跡を結び、一方で、オケオの北約90キロに位置するカンボジアのアンコールボレイ遺跡へも運河網が伸びていたとされる。

上述の大規模プロジェクト「オケオ－バテ、ネンチュア遺跡（ベトナム南部オケオ文化）の考古学研究」の一環として、オケオの中心を貫いた古運河が発掘された。14カ所の発掘トレンチの所見によると、古運河は幅30～45メートル、底の深さが現地表面から平均1・5～2メートルを測り、両岸に居住の痕跡が残る。高床住居の木柱、船着き場の木杭群、長い柄をもつ木製の櫂、膨大な量の土器破片、炭化米や植物の種、動物骨や魚骨などが出土した。それらは低湿地を開発して定住した人々の生活を反映する貴重な資料である。調査者は古運河が利用された年代を後2世紀から6世紀と推定した。

同じくオケオ遺跡内のゴーゾンカット遺跡A区では、周囲より少し高いマウンド上から石造大型宗教建築址と木造建築址が検出された。煉瓦造の井戸も発見され、一辺約2・5メートルの方形で、地山の表面から2・9メートルの深さで底に達した。儀礼用の聖水を汲む井戸であったとみられる。この遺跡の年代は4世紀から6世紀と考えられている。

ベトナム考古学はオケオ文化を早期（後1～3世紀）、発展期（4～7世紀）、後期（8～10世紀）に分ける。扶南は早期と発展期にあたり、扶南衰退後もオケオ文化後期段階が続いたと考えられている。オケオ周辺では居住の開始が後1世紀にさかのぼり、早期段階から海上交易が盛行した。そして発展期つまり4世紀以降にレンガ造や石造の宗教的な建造物が出現する。インドから受容したヒ

チャーキュウ遺跡東城壁の発掘風景（2013年）

ンドゥー教と仏教が、発展期を通じて扶南に根付いたことがうかがわれる。

林邑についてはクアンナム省のトゥーボン川流域に位置するチャーキュウ遺跡で重要な調査が進んだ。チャーキュウは林邑の王都に比定される遺跡で、東西約1・4キロ、南北約0・5キロの方形の範囲が城壁（土塁）に囲まれている。1927年から翌年にかけて行われたフランス極東学院の調査は、11世紀とされるヒンドゥー寺院の基壇を検出した。

現在までに筆者を含む日・越・英の合同チームが行った発掘調査は、林邑の時代に、インドよりはむしろ中国文化の影響が色濃いことを明らかにした。トゥーボン川流域では鉄器時代のサーフィン文化が後100年頃までに衰退し、その直後の2世紀にはチャーキュウなどに中国式の瓦を葺いた木造建築が建てられた。3世紀には人面紋を施した軒丸瓦が使われるようになるが、非常によく似た人面紋の瓦は江蘇省南京市や湖北省鄂州市から出土しており、中国の研究者はそれを三国時代の呉の瓦と捉えている。林邑の人面紋瓦は呉の紋様を採用した可能性が高い。

中国式本瓦葺の瓦は王宮や寺院、官署などの重要な建物の屋根に用いられたはずであり、その建築技術が北から伝えられたことは明らかである。ただし3世紀に入ると瓦の製作技術が変化している。さらに、人面紋は中国では4世紀に他の紋様に取って代わられたが、林邑では盛行し続け、顔の表現のバラエティが広がった。外来の文化要素が林邑で現地化し、独自の発展を示した例である。

その後の瓦の変化はチャーキュウの南西約14キロに位置するミーソン遺跡でみることができる。

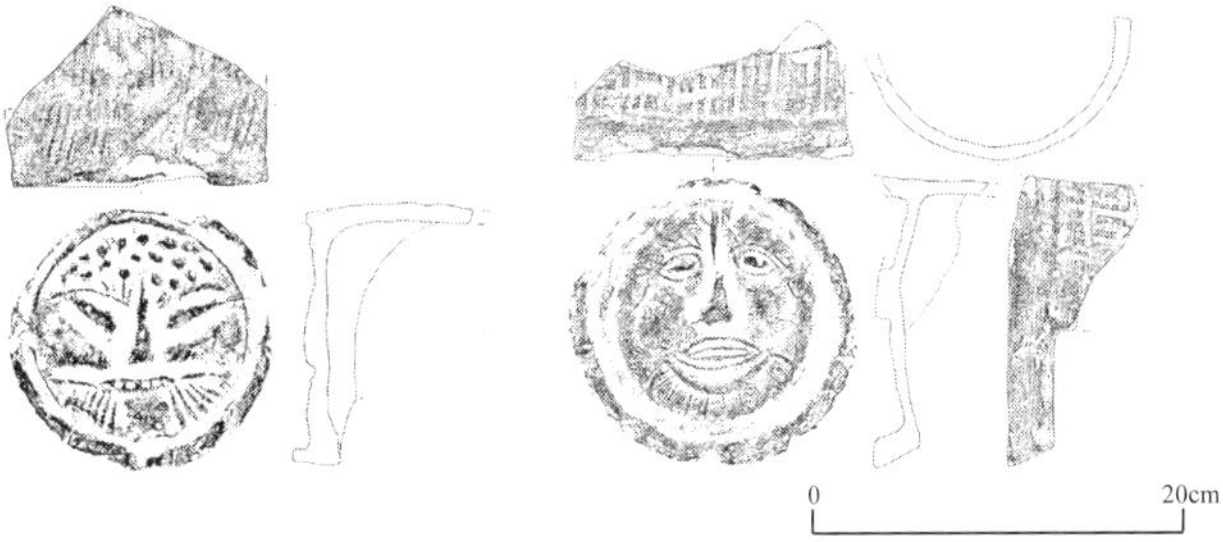

チャーキュウ遺跡出土人面紋軒丸瓦実測図

ミーソンは世界遺産に登録されているチャンパの寺院遺跡で、聖山の麓に8世紀から13世紀にかけて建てられた約70棟のヒンドゥー建築遺構が現存する。ミーソンE1祠堂は8世紀前半にさかのぼると考えられる遺構であるが、ここで人面紋の瓦が出土した。ただし瓦の紋様、形状、葺き方は中国式の瓦とは異質のものに変わっている。

ベトナム中部では河川流域ごとに地域的な政体が成長し、それらがゆるやかに結びついてチャンパを構成したとみられる。フエ市フォン川南岸のタインロイ遺跡、クアンガイ市チャークック川の河口に近いコールイ遺跡、ビンディン省コン川南岸のタインチャー遺跡、フーイエン省ダーラン川北岸のタインホー遺跡は、いずれもチャーキュウと同じく各流域の拠点であったとみられる。これらの遺跡からも中国式の瓦が大量に出土し、人面紋の軒丸瓦もある。瓦の共通性が、林邑の空間的広がりを示す1つの指標になっている。

扶南と林邑(チャンパ)は、ベトナムの多数民族であるキン族の祖先の国ではなく、その意味でベトナム史の中ではマイノリティの歴史に属する。一方で、東南アジアの古代史において両者は主人公である。ベトナムで進行している考古学の調査研究は、外来文化の受容とその現地化というプロセスとともに成長した初期国家の様相を明らかにしつつあり、東南アジアの古代史研究を大きく前進させている。

（山形　眞理子）

8

在外ベトナム人

★多様化するコミュニティ★

在外ベトナム人（Overseas Vietnamese）とはベトナムにルーツを持つ海外在住の人々であり、越僑やベトナム人ディアスポラとも呼ばれる。定住先で市民権や国籍などを得た人々を含む移民・難民の第1世代とその次世代以降から構成され、送金などを通じて故国の家族・親戚・友人とのネットワークを維持している場合が多く、ベトナム政府は1994年以降かれらを在外ベトナム人と呼んでいる。かれらの移住先も、その移住した年代も、多岐にわたる。グローバル化により労働者あるいは留学生として移住する人の数が増加し、移住先もさらに多様化している（ただしコロナ禍は2019年末以降の動向に影響を与えている）。ベトナムの2010年代後半のGDPに占める海外からの送金の割合は6％程度で維持されてきたため、在外ベトナム人の本国への送金はその規模においても影響力を持ってきた。

そうした在外ベトナム人の歴史的起源は、ベトナム戦争（第二次インドシナ戦争）後に、主に北米・西ヨーロッパ・オセアニアなどの諸地域に移住した人々およびその子孫と、1950年代からソ連および中央・東ヨーロッパ共産圏に移住し、ソ連崩壊後も残ることを選択した人々とその子孫からなる集団にある。

カリフォルニア州ガーデングローブ市で開催されたテトの様子
（1980年代後半頃）

以下に、前者の代表例としてアメリカ合衆国（以下、アメリカ）、後者の例として旧ドイツ民主共和国（以下、東ドイツ）のベトナム系コミュニティを取り上げる。

　在外ベトナム人の最大規模のコミュニティはアメリカにあり、カリフォルニア州やテキサス州などをはじめとして、在外ベトナム人総数のおよそ半数以上が暮らしている。これは、１９７５年４月末のサイゴン陥落／解放をきっかけとして、旧南ベトナム（ベトナム共和国）政府関係者などが難民となり、およそ13万人が米軍の支援によりアメリカへ移動したことがその背景にある。50年代から74年までにアメリカ永住権を取得したベトナム人は総計2万人以下であったが、２０１０年代後半には在米ベトナム系住民は２００万人を超えた。

　在外最大規模の在米ベトナム人コミュニティ「リトルサイゴン」は、カリフォルニア州オレンジ郡にある。その誕生は、難民としての退避時に多くのベトナム人がアメリカ軍に救出され、米軍基地を経由してアメリカに受け入れられたことに起因する。かれらは臨時入国許可によって例外的にアメリカ入国を許可され、米軍基地があるグアムに急遽建設された避難所などを経由し、カリフォルニア州サンディエゴ郡のペンドルトン基地などアメリカ本土の軍基地に収容された。そして１９７０年代後半に、そのペンドルトン基地の近隣であるオレンジ郡ウェストミンスター市などにベトナム難民が定住しはじめた。

カリフォルニア州ウェストミンスター市のベトナム戦争記念碑前の旧ベトナム共和国関係者（2003年）

同市は当時、郡内の他地域より経済的に衰退しており不動産価格が低めだったため、魅力を感じた人々が定住し事業を展開しはじめた。例えば、全米で最初のベトナム語日刊新聞『ベトナム人デイリーニュース（Người Việt Daily News）』は78年、リトルサイゴンの中心に本社を構えて創刊した。また、同地に87年に完成した巨大ショッピングモール「アジアン・ガーデン・モール」は、現在も多くの客を引きつけている。同モールを含め複数のモールを所有するフランク・ジャオ（Frank Jao）は、75年に27歳で難民としてペンドルトン基地に到着した後、掃除機セールスマンとして働いた。その後彼は短大で不動産の授業を受講し、リトルサイゴンの不動産開発で成功を収め、同地の発展に大きな役割を果たした。難民の身から大きな財を成した彼の成功は、まさにアメリカンドリームの体現である。多くのベトナム人およびベトナム系が南カリフォルニアに住むことを選ぶが、これは同胞コミュニティの存在に加えて、教育機会やその温暖な気候などが理由である。

さらに、中越関係の悪化やベトナム政府による旧南ベトナムの社会主義化推進によって、１９７０年代後半以降、特に華僑や華人を中心に多くの人々が陸路および海路でベトナムから近隣諸国へ流出した。かれらは「ランドピープル」や「ボートピープル」と呼ばれ、国際的人道問題として世界的に注目されるようになった。アメリカ政府が積極的に難民受け入れを進め、先進諸国が受け入れを「負担分担」した結果、カナダ・オーストラリア・フランスなどの国々に難民が再定住した。日本も81年に難民条約を締結し、結果的には1万人程度の「インドシナ」難民を受け入れた（ベトナム出身者はその76％）。こうして、北米・西ヨーロッパ・オセアニアなどに在外ベトナム人コミュニティが形成された。

一方、ソ連および中央・東ヨーロッパを中心とする在外ベトナム人コミュニティは、１９５０年代以降、フランスからの独立後のベトナム（ベトナム民主共和国）再建に必要な知識・技術習得を目的とした留学・技術者派遣によりその礎が築かれた。例えば50年代にベトナム民主共和国から子どもが教育のために東ドイツに派遣され、60年代には東ドイツ政府がベトナム民主共和国に帰国した子どもに大学留学の機会を提供した。

このような人の移動は一部のエリート層に限定されていたが、統一後のベトナムが１９８０年にソ連・東ドイツ・チェコスロバキア・ポーランドなど社会主義諸国と労働協定を結び労働者を派遣したことにより、大規模な労働者派遣へと変化した。それらの国々を行き来する労働者と留学生により、中欧・東欧とアジア間の非公式の物流経済も展開した。

ベルリンの壁崩壊後、東ドイツ政府が所有していた企業が閉鎖され、契約労働者だったベトナム人は新しい職を求める必要があったが、統一後のドイツ政府が帰国を推奨したため、その数は１９８９年の6万人強から翌90年には2万１０００人にまで減少した。帰国を望まなかったベトナム人は、89年以前に構築した東西ヨーロッパ・ロシア・中国などにまたがるエスニック・ネットワークを駆使してビジネスを展開した。

その一方で、旧ドイツ連邦共和国（西ドイツ）は１９７０年代後半からベトナム難民を受け入れ、その数は84年までに3万８０００人となった。難民として受け入れられた人々と旧東ドイツで契約労働者であったベトナム人は、その移動の背景や本国政府との関係が異なった。アメリカでも、米越関係の改善とともにベトナムからの留学生や労働者の流入によって在米ベトナム人コミュニティの多様化は進んでいる。このようにドイツのみならずアメリカにおいても、冷戦とその終結は人々の移動経路を規定してきただけでなく、現在の在外ベトナム人コミュニティに大きな影響を残している。

（佐原　彩子）

9

ベトナム語と「クオックグー」

★現代ベトナムの言語と文字の成り立ち★

この章では現代ベトナムの言語と文字の成り立ちについて紹介する。ベトナム社会主義共和国の国家語であるベトナム語は、オーストロアジア語族モン・クメール語派ベト・ムオン諸語（Vietic）に属する。ベトナム語には複雑な声調（音節内の音の高低・曲折の変化）の体系があるが、カンボジア語など他の同系言語にはない（あるいは、あってもベトナム語ほど複雑ではない）。かつてその声調の存在により、フランスの東洋学者アンリ・マスペロ（１８８３〜１９４５年）はベトナム語をタイ系言語とみなしたが、その後言語学者アンドレ・G・オードリクール（１９１１〜１９９６年）が、ベトナム語内部で声調が発生するプロセスを解明し、タイ系言語説を否定した。後に声調発生のモデルとして世界に知られる重要な発見である。

現代ベトナム語の意味を持つ最小単位（単語）は「子音＋介音＋母音＋子音／声調」という単一の音節からできている。このような言語を「単音節言語」と呼ぶ。一方、ベトナム語と同系統のベト・ムオン諸語が分岐する前のベト・ムオン祖語（Proto Vietic）と呼ばれる時代の言語には、単音節の前にさらに「子音＋母音」が付加される「１・５音節」構造を有していた。したがって、ベト・ムオン祖語からベトナム語が分岐する過程で、単音節化が生じたと考えられている。

もう1つのベトナム語の特徴は、語形変化のない「孤立語」タイプに属することである。語形変化がないので名詞の単・複数の区別や動詞の時制などは、もっぱら単音節の語を並べて表現される。例えば、名詞の複数は「数詞または複数表示要素＋類別詞（名詞の種類を表す語）＋名詞」という語順、時制は「副詞（英語の助動詞にほぼ相当）＋動詞」という語順で表現される。接続詞を介することなく複数の動詞を並べて使役・受け身・他動詞化などの意味を表す「動詞連続」もベトナム語の大きな特徴である。例えば、bắt（つかまえる）＋ăn（食べる）＝「無理に食べさせる」、được（得る）＋khen（ほめる）＝「ほめられる」、bị（被る）＋mắng（叱る）＝「叱られる」、đánh（打つ）＋vỡ（壊れる）＝「壊す」といった具合である。さらに、前置詞のほとんどが動詞や名詞から派生してできた（つまり語彙的な意味が希薄になり文法的な機能を担うようになった）点も特徴的である。例えば、đến（着く）という動詞が、到着点を表す前置詞（〜まで）として用いられ、của（財産）という名詞が、所有を表す前置詞（〜の）として用いられる。

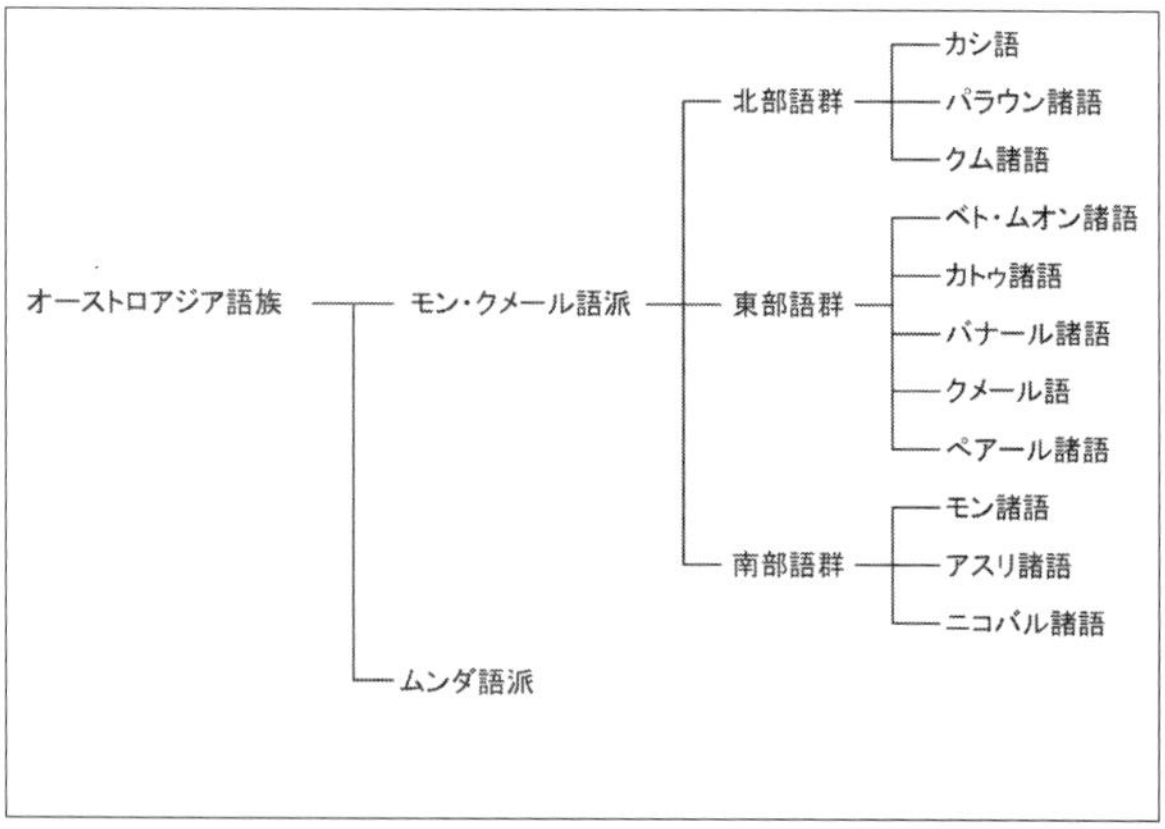

オーストロアジア語族の分類

ベト・ムオン祖語からベトナム語が分岐して、現代ベトナム語の直接の祖先が形成される過程については様々な意見がある。中国から独立を遂げる10世紀頃、ベトナム独自の漢字の読み方（ベトナム漢字音または漢越音）が成立したと言われるが、その背景には10世紀には既にベトナム語の原形が確立しており、その中に漢語が取り込まれたという大前提がある。ところが近年、ベトナム漢字音の母体は従来考えられてきたように『切韻《せついん》』という字書に示される規範的な書き言葉ではなく、同時期の中国語南部方言の口語であり、それとベト・ムオン祖語が接触することにより10～11世紀頃現代ベトナム語の直接の祖先が成立したという説が、米国コロンビア大学のジョン・ファンにより提起され注目を集めている。

　現代ベトナム語のローマ字正書法体系が成立する前、ベトナム語はチュノムと呼ばれる漢字を改良して作製された文字で表記されていた。漢字の改良の仕方は、日本の万葉仮名や中国南部チワン族の古壮字（または方塊壮字）等と共通する部分が多い。チュノムに特徴的な点は、まず漢字の字形をそのまま利用してベトナム語を表記する際、ベトナム語の意味に相当する漢字を当てる例、言い換えると、漢字をその意味に相当するベトナム語で読む「訓読み」の例がほとんど存在しないことである。また、当初は漢字の音を当ててベトナム語を表記する仮借文字（例えば「三」を表す「巴」ba）が優勢であったが、18世紀頃からそれに意味を表す要素を付加した形声文字（例えば「三」を表す「𠀧」ba）が優勢となった点である。ベトナム古典文学の最高峰『金雲翹《キムヴァンキエウ》』には、ベトナム独自の字体である形声文字が豊富にみられる。

　現代ベトナム語の正書法「クオックグー」（「国語」のベトナム漢字音）の直接の祖先となるベトナム語

アンリ・マスペロが現存する最古のチュノム資料と紹介した「護城山」の碑文

のローマ字表記は、カトリック宣教師らによってはじめられ、17世紀中頃アレクサンドル・ド・ロード（1591～1660年）の『安南（ベトナム）語・ポルトガル語・ラテン語辞書』および『8日間の公教要理』（1651年、ローマ刊）として結実した。一般には、ロードがクオックグーの生みの親と考えられ、今では道路の名前になるほどであるが、実際には複数の先駆的著作を参考に成り立ったものである。特に同じくイエズス会士であるフランシスコ・デ・ピナ（1585～1625年）の功績が大きく影響していることがロラン・ジャックらによって指摘されている。興味深いことに、ロードがローマ字でベトナム語を表記した際の手法と、日本を訪れた宣教師ジョアン・ロドリゲス（1561～1633年）が日本語をローマ字で表記した際の手法に明らかな共通点がみられる（例えば、共通の音に対するポルトガル語やイタリア語正書法の援用）。それは決して偶然の一致ではなく、ピナはマカオ滞在中にロドリゲスから日本語を学んでいるし、17世紀のコーチシナ宣教では、安南語（ベトナム語）のみならず日本語も用いられていた事実が知られている。日本とベトナムのキリシタン資料の比較研究は、今後のクオックグー研究のみならず、これまで注目されなかった日越言語交流史の一端を明らかにするものと期待される。

当初キリスト教会という閉じた世界でのみ使用されていたローマ字が、まずフランス植民地期にベトナム知識人層に広まり、１９４５年八月革命を経て一般大衆に広まることになる。現代の正書法に直接つながるクオックグーの標準化が植民地行政官チュオン・ヴィン・キー（１８３７〜１８８９年）によりなされ、19世紀末には現在と同程度のシステムに整備された。そして１９８４年には教育省（教育訓練省の前身）により『ベトナム語正書法およびベトナム語専門用語に関する規定』が制定された。ここに至りそれまで活発になされてきた正書法に関する議論が決着したかのように見えるが、実は現在も奇天烈《きてれつ》な改定案を含む様々な議論がインターネット紙上で自由に繰り広げられている。最近では、元ハノイ外国語師範大学（現、ハノイ国家大学外国語大学）副学長ブイ・ヒェン博士による改定案がインターネット紙上で紹介され物議を醸したことは記憶に新しい。現行の38字母を31字母に減らし（Nga > Qa, Nhưng > N'ưq, Thảo > Wảo; Chường > Cường など）、あらゆる面での負担軽減に資すると主張したが、その実現性の低さから利用に向けて取り上げられることはなかった。

（清水　政明）

コラム1

戦争の記憶

下條尚志

ベトナムで戦争といえば、多くの人々が思い浮かべるのは、ベトナム戦争だろう。ベトナム戦争を題材にした映画、ドキュメンタリー、ルポルタージュ、小説は無数にある。なかでも、アメリカにおいてベトナム戦争中の1960年代から戦後まもない1980年代にかけての諸作品は、質・量ともに充実しているとともに、ある特徴がみられる。

その特徴とは、そのなかで描かれる戦争のイメージである。ジャングルのなかでさまよう米兵、そこに急襲を仕掛ける「ベトコン（ベトナム人共産主義者の俗称）」、それに対する米兵の応酬と戦場からの脱出劇、米軍戦闘機による空爆や枯葉剤散布、サイゴンの街角で米兵に群がる物売り、物乞い、ストリート・チルドレン、セックス・ワーカー、そして突然の爆破テロ……。様々なパターンこそあれ、こうしたイメージは、多くの作品で繰り返される。戦争の構図は、アメリカ対ベトナム人共産主義者／ナショナリストであり、どのような立場の作品であれ、二項対立的に描かれる。作品のなかで、当時のベトナムで生きる普通の人々は、まるで風景のようだ。

むろん、こうした諸作品は、報道や従軍した米兵らの証言に基づき、現実以上に当時の状況や苦悩を生々しく表現した名作もある。だが、私がこれまでメコンデルタの村落調査で人々から聞いてきた戦争の記憶は、上記の作品でイメージが喚起されるような戦争そのもの、すなわち戦場での激しい銃撃戦や空襲といった劇的な記憶ではなかった。

コラム1
戦争の記憶

私が調査してきた地域は、メコンデルタのソクチャン市近郊の一村落である。ベトナム戦争中は、対立し合う南ベトナム政府・アメリカと革命側両勢力の狭間に置かれていた。ある村人は、当時を振り返り「夜7時以降は外出できなかった。国家側（南ベトナム）と革命勢力の撃ち合いが夜間に頻繁に起こって、誤射される恐れがあった」と述べる。

人々にとって戦争とは、淡々と過ぎ去る日常のなかで、ある日、ある場所で、突如として勃発する散発的な戦闘の繰り返しであった。日常とは、衣食住を賄い、働き、家族や隣人と苦楽を共にし、時には諍《いさか》い合い、誰かの誕生を祝い、死を悼む、そうしたごく当たり前の日々である。そのなかで、人々は、日常を一瞬で破壊しうる戦争という得体の知れない現象に怯えながら過ごしていた。誰が敵で誰が味方なのか、村人の誰がどちら側に協力しているのか、当事者すら明確に認識していなかった。両勢力いずれの側にも知り合いがおり、面従腹背の態度でどちらにも協力することがあったが、寺院で出家して徴兵逃れするなど、戦争を避けようとする人々が特に戦争末期は多かった。「ベトナム対アメリカ」という単純な構図で、人々は戦争を認識していなかったのである。

さらに人々にとって戦争は、ベトナム戦争だけではなかった。ベトナム戦争前に起こったインドシナ戦争、またベトナム戦争直後の対カンボジア戦争や中越戦争においても、この村落社会は、戦争に巻き込まれた多くの移民難民を受け入れ、また国外を含む他地域へと送り出すこととなった。人々は、20世紀半ば以降に経験した数々の戦争を、一連の連続的な現象と捉えていた。

もちろん、私が村人から聞いた戦争の記憶も、過去を振り返って人々が現在語る戦争の一場面

多くの高齢者は戦争を語らないまま
この世を去りつつある

に過ぎない。記憶は移ろいやすい。戦争中に革命側に参加していたが、出身地や革命に参加した動機さえ、話を聞くたびに変わる村人がいた。最後に話を聞いた際には、病によって記憶が錯乱していた。戦争期に人々の経験した事実について、現在を生きる私たちは、出来事が生起してからだいぶ時間が経過したものしか、聞くことができない。しかもそれは、時間が経過すればするほど、自己と他者の記憶が混じり合い、個人の物語から集団の物語へと変化してゆく。

だがそれでも、戦争の記憶を丹念に聞き集める必要はある。ベトナム戦争終結から50年近く経ち、戦争経験者は高齢化し、まもなく当事者から記憶を想起してもらうことが難しくなる。それだけでなく、ベトナム政府や研究者が重視する戦争の記憶は、主に集団の（多くの場合、国民的な）物語であり、ベトナム戦争に関わるアメリカ映画などと同様に戦争の背景を単純化する傾向がある。個々人が語る記憶の断片を丁寧に拾い集めてゆくことで、時間の経過とともに集合的で大きな歴史物語に回収されてゆく戦争の記憶を、絶えず問い直す余地を残しておかなければならない。

コラム2

残された家族のその後――ベトナム残留日本兵とその家族の物語

小松みゆき

「私ノ父ハ、日本人デス」1992年、私はまだ邦人が少ないベトナムで大学生にまじって日本語を勉強している中年男性の言葉に耳を疑った。私と同世代の男性40代の父親がどうして日本人なのか？　なぜ日本語を勉強するのか？「お父さんに会ったら日本語で話をしたい」。その意味さえわからなかった。

太平洋戦争後も進駐先のベトナムにとどまっていた日本人がいたことを知るのはずっとあとのことだ。自国の戦争が終わったのに数百人の日本人がベトナムの独立戦争（抗仏戦争）に加わり、彼らは「新しいベトナム人」と呼ばれ、ベトナム社会に溶け込み軍事技術や専門知識面で貢献した。ベトナムの土になろうとして家庭をもった者も少なくなかった。しかし1954年、ディエンビエンフーでフランスに勝利した段階で彼らは日本への帰国を余儀なくされ悲劇はそこから始まった。最初の帰国者は家族帯同がかなわなかったから。その後はベトナム戦争（抗米戦争）となり国交はなく音信不通のまま彼らは成長し長い歳月が過ぎた。

そんな彼らと出会った私はいつのまにか「お父さん探し」を手伝っていた。当然ながら彼らの母親はベトナム人である。そのうち、3人の残留日本兵の妻たちのことは「ベトナムの蝶々夫人」（季刊『民族学』108号、2004年春号）と題して紹介した。これが契機になりNHKによって戦後60年企画の1つとして「引き裂かれた家族」というドキュメンタリーが製作された。当時はまだBS放送が普及しておらず大勢の人には届かない長い空白期間があった。

急展開したのは２０１７年、明仁天皇皇后の訪越時に家族との面会があってからだ。当時の両陛下は元日本兵の妻や子15名と滞在先のホテルで面会して１人１人とお話しされた。そのとき美智子さまの目に留まったのが元日本兵の妻グエン・ティ・スアンさん（当時93歳）で別れ際に美智子さまがスアンさんを抱きしめた瞬間を目の前にしたときは感動的だった。

ベトナムには家族を大切にする風土があり「尊敬長上」の気風が残っている。その後彼らは「お父さんの国へ行ってみたい」というささやかな望みが生まれ、関係者の努力により実現した。その様子は「遥かなる父の国へ」というドキュメンタリー番組になりＮＨＫで放映された。数家族の墓参と舞鶴港訪問ではお父さんたちが乗ってきた興安丸の前で釘付けになった。そして父も戦争に翻弄されたんだなあと語り合うなど父や日本で待っていた家族を思う気持ちにも触れていた。彼らの存在が日本で広く知られるようになったのは２０１７年であった。そのとき2世は60～70代、妻たちは90代となり、今さらではあったかもしれないが日

雨の中、父の墓石にすがる息子。写真はゴー・ザ・カインさん（当時72歳）

本とベトナムの間にこのようなことがあったことが知られる良い機会であった。彼らは日本へ行くことを「帰郷」といった。父の国へ行くからである。

　スアンさんの姿は、日越合作映画『ベトナムの風に吹かれて』（２０１５年制作上映）の１シーンになっている。異国の田園地帯で異国の老女が日本語で歌うのは、「山の淋しい湖に一人来たのも悲しい心（《湖畔の宿》の引用）」だ。

　戦争に翻弄された日越両家族の物語はとてもコラムに書ききれない。ぜひ拙著を読んでいただきたい。

II

生態環境・ムラとマチ

メコン川

10

ベトナムの生態環境

★山と平野★

ベトナムの生態環境の基盤が形成されたのは、インド大陸とユーラシア大陸が衝突し、ヒマラヤ山脈とチベット高原が形成されたおよそ5000万年前にさかのぼる。大陸同士の衝突により、ヒマラヤ山脈の東端を頂点として、東から南方向にかけて山脈が放射状にのび、ベトナムの地形の基盤が形成された。北部山地ではファンシーパン（3143メートル）を最高峰に、3000メートル級の山々が屹立する。竜に形容されるベトナムの国土のちょうど背骨にあたる部分には、チュオンソン山脈が南北に走る。

ヒマラヤ山脈とチベット高原の隆起は、季節的な風の流れ、すなわちモンスーン（季節風）を規定し、それに伴う大量の降雨をベトナムにもたらすようになった。5月から11月頃にかけてインド洋を経由する南西モンスーンと、12月から4月にかけて大陸を経由する北東モンスーンは、ベトナムに季節を創り出した。

降雨により山の土が削りとられ川に流れ込む。土砂は河川流域で堆積し、山間盆地や扇状地のほか、河口では広大なデルタを形成する。土砂が堆積したこの比較的平らな土地が、現在のベトナムの水田地帯に相当する。北部山地では、見事な棚田地帯が形成されただけでなく、散在する山間盆地での水稲の高い生産力は13世紀以降の盆地国家群の食糧基盤となった。河口に形成されたデルタ、すなわち北部の紅河デルタと南部のメコンデルタは、面積が広大なだけでなく、単位面積当たりの生産性も高く、国にとっての重要な穀倉地帯となっている。

これらのデルタの内部を歩くと、低平な地形と見渡す限りの水田という、ほとんど変化のない風景が広がっているように見える。しかしよくみると、デルタ特有の様々な地形があちこちでみられる（巻頭の地形区分図を参照）。例えば、河川が氾濫するときに土砂が堆積して形成される自然堤防が卓越するのは、紅河デルタではヴィエッチからハノイを経て、東はハイズオンまで、南はフーリーまでの河川沿いである。メコンデルタではカントーやヴィンロンあたりの自然堤防がよく発達している。自然堤防上では、良好な水条件と肥沃な土壌とによって、集約的な農業生産が行われる。

自然堤防や山塊にはさまれて排水困難な地域は雨季の水深がかつては数メートルにも達する氾濫原となっていた。紅河デルタでは、ハノイから東に向かうドゥオン川から北の地域と、ハノイの南で国道1号線とホアビンの山並みとに挟まれた地域とがこれに相当し、メコンデルタでは、チャウドックからロンスエンの間の低地では、広い範囲で雨季に深く湛水していた。

海岸沿いでは、河川と潮汐、風の影響によって河川からの土砂が海岸線と並行するように何本も列状の砂丘を形成する。砂丘列は、海抜2～3メートルにもなるため冠水被害が発生せず、古くから人びとの集落が形成されてきた。紅河デルタではナムディン省のハイハウやスアントゥイ、メコンデルタではチャヴィンやベンチェあたりの砂丘列が特に発達している。

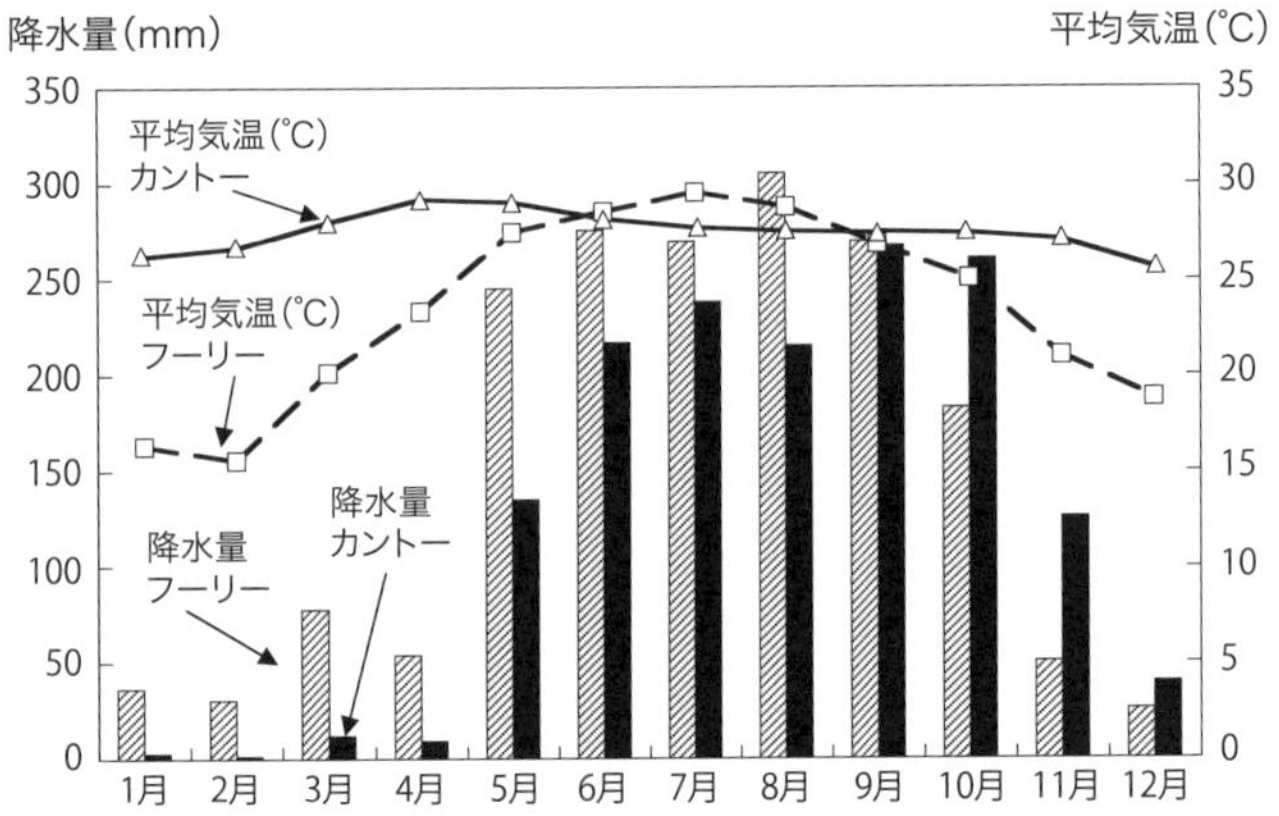

出典：カントーおよびフーリーの気象ステーション
注：データは両ステーションの1986～95年の日別データの平均値

図1　フーリー（紅河デルタ）およびカントー（メコンデルタ）における月別の平均気温と降水量

このように紅河とメコン川の両デルタでは地形形成においてデルタ特有の共通点がみられるが、その一方で、気象条件や農業の様子、開拓の歴史はずいぶんと異なっている。

まず、有名なケッペンの気候区分によると、熱帯の北限はベトナムのハティン省あたりを通っている。これより北の紅河デルタでは、冬季の気温が5度前後まで冷え込み、雲が空を厚く覆うため日射量も少ない（図1）。そのため、コメの生産は年間二期作が中心となる。冬季の低温と12～4月にかけての降雨は、古くからの冬春作栽培を可能とし、亜熱帯や温帯条件下で生育する野菜栽培が可能である。

一方、メコンデルタは熱帯に属し、1年を通じて温度が高いことと、降水量は雨季と乾季で明瞭な差がみられることが大きな特徴である。日射量が豊富なため、年間を通じて灌漑水を人為的にコントロールできる地域ではコメの三期作が可能となる。

開拓の歴史も2つのデルタで大きく異なる。紅河デルタは2000年以上前から開拓が開始され、開拓困難な氾濫原でさえ、遅くとも13世紀には開拓前線が到達した。洪水を避けるための堤防が徐々に建設され、安定した耕作の可能な土地が増える一方、輪中のように締め切られた堤防の内部の低地では排水不良が発生するようになった。また堤防建設が進むにつれ、それまでデルタの広範囲に堆積していた土砂が河川に集中し天井川が形成されるようになると、そのことがさらなる堤防建設を必要とするようになった。紅河デルタは、人為的な関わりが顕著な農業空間である。

これに対してメコンデルタでは、水田面積が飛躍的に増加するのは19世紀のフランス植民地時代である。植民地政府の運河と排水路の建設によって水利条件が改善された。また、掘削した土砂を運河沿いに盛り土することで冠水しにくい居住空間を作り出した。こうして、開拓移住のための基盤を人為的に作り出したのである。

19世紀以来の長い戦乱の時代を経て、南北統一（1976年）以降、生態環境を利用する農林業は大きく変化した。山地部では、土地利用や土地所有の明確化とそれに基づきながら、経済開発と環境保護がともに進められた。慣習的利用が制限されて囲い込まれたり、近代法上の「無主」の土地での植林が進められたりして、1990年代以降、ベトナムの森林面積は増加に転じた。同時に開発も進み、例えば中部高原では、80年代から盛んになったコーヒー栽培が、北部の少数民族の移住と現地社会での軋轢を経験しつつも、90年代には生産量を増加させ、2000年にはブラジルに次いで輸出量が世界第2位となった。

両デルタもまた急激な変化の中にある。ドイモイ直後の1989年以降、ベトナムが世界の主要なコメ輸出国になったのは有名な話である。輸出米のほとんどはメコンデルタで生産される。紅河デルタではコメ生産量の増加を単位面積あたりの収量の増加によって達成しているのに対し、メコンデル

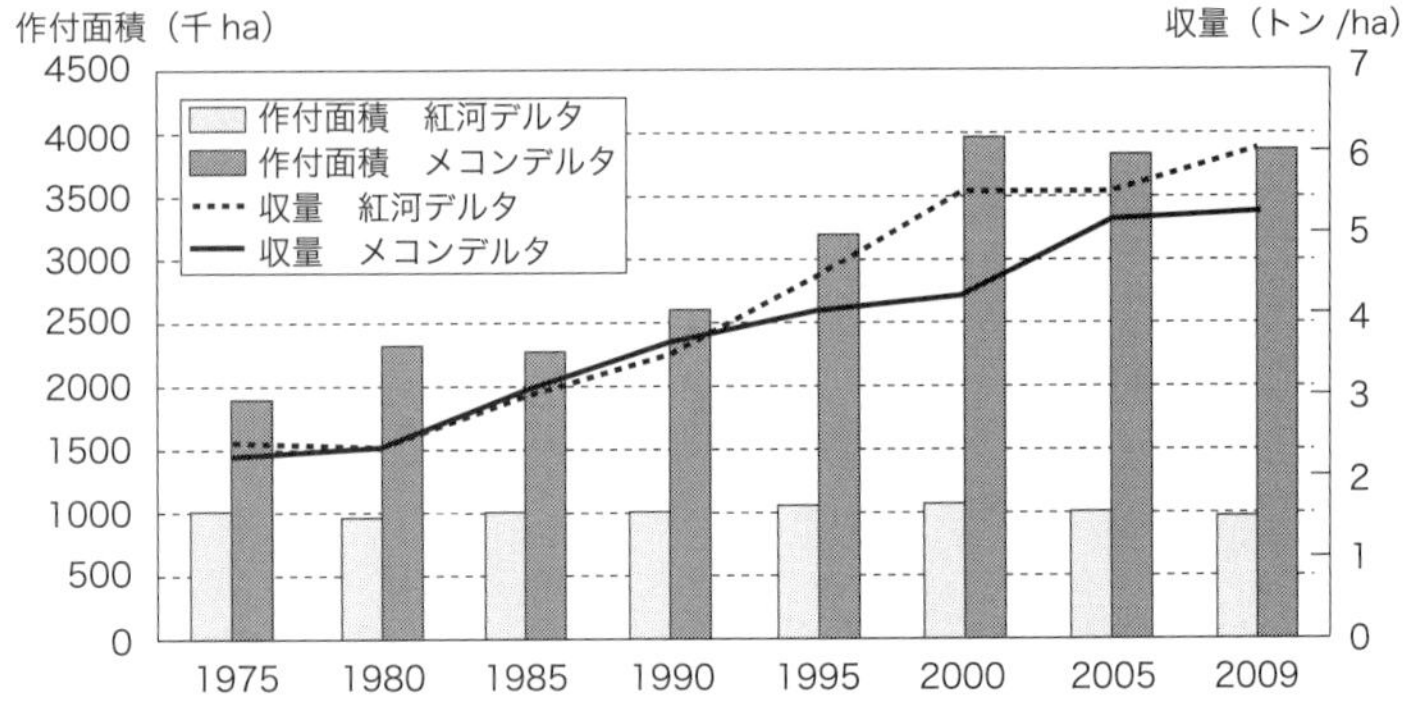

出典：Statistical data of Vietnam agriculture, forestry and fishery 1975-2000, Statical publishing house 2000, p.199〜210 および、ベトナム統計総局 HP http://www.gso.gov.vn/defolt.aspx?tapid=430&idmid=3 より

図2　紅河およびメコンの両デルタにおけるコメ作付面積と収量の変化

タでは、作付面積拡大と収量増大の両方によって生産量を増加させた（図2）。コメ作付面積の拡大は、ドンタップのようなかつての荒蕪《こうぶ》地《ち》を、水路の整備と栽培技術の革新によりコメの二期作地帯へ転換することに成功したことと、一期作から二期作へ、二期作から三期作へと土地の集約的利用が可能となったことが主要な原因であった。

２０００年代以降、両デルタではさらなる人為的改変が進行した。紅河デルタでは水路や農地のインフラ整備の進行はさらなる商品作物栽培への地域的な特化を促した。農村経済における非農業部門への移行により、農村での労働力不足が起き、１９９３年から２０１３年にかけて段階的に実施・調整された土地制度の改革では、農地の分散錯圃が解消された。メコンデルタでも人為的改変が進行した。省・県レベルでの堤防建設が進み、かつて水稲作が卓越したカンボジア国境付近の地域でも、多様な商品作物栽培が可能となった。

（柳澤　雅之）

11

紅河デルタ集落

★過密な人口を支える輪中地帯の形成★

ベトナム北部には、雲南から流れ込む紅河、タインホア省のマー川やゲアン・ハティン省のラム川の下流域などに大きな平野が広がっている。紅河デルタの場合、面積は約1万5000平方キロメートルあり、1931年時点ですでに、650万人の人口を擁し、人口密度は430人／平方キロメートルに達している。その人口のほとんどが農民であることに、フランス人文地理学者グルーは素直な驚きを表明している。現在ではフンイエン、ナムディン、タイビン、ハイズオンといった紅河デルタ下流域の各省では軒並み人口密度が1000人／平方キロメートルを軽く超え、1200人にまで達しているところがある。ちなみに、日本と比較すると、過密都市を多く抱えた千葉県に匹敵する。同県の人口密度は1124人／平方キロメートルで、全国第6位である（2022年現在）。

集落もまばらなタイのチャオプラヤデルタやベトナムとカンボジアにまたがるメコンデルタと比較すると、稠密な人口を村ごとに抱えたベトナム北部デルタの際だった特異性が浮かんでくる。もう1つの特徴は、集落（村や都市）から一歩外へ出ると、ほぼ一面が水田という光景が延々と続くことである。海岸線間

左はバックザン省カウ川沿いの提外地集落トーハー、右はナムディン省ナムディン川沿いの堤内地集落バックコックの遠景。周囲環境は異なれど、家が集住する特徴はよく似ている

際まで行かないとデルタの眼前に海があるということなど想像できない。当地域で定住生活が行われるようになったのは、農業を生業基盤の1つとした後期新石器時代からと考えられ、約4000年の居住史がある。その長い居住史は紅河デルタの自然環境を、人工的に改変した完全な人文環境に変化させている。これは北部平原域が現在、完全な輪中《わじゅう》地帯となっていることに象徴されている。日本の濃尾平野の輪中地帯や広東の珠江下流域の囲堤地帯と似たような風景なのだが、輪中1つひとつの規模が大きいため、空からでもながめないと輪中地帯であることは容易には理解できない。

この稠密な人口を抱える輪中地帯はどのようにして成立したのであろうか。その核心は水稲耕作の水利や治水への歴史的対応にある。

例えば、紅河デルタの場合、その面積の3分の2以上が標高5メートル以下の低平な沖積地で占められており、水稲耕作においても人力による簡易な水利施設で、灌漑を行うことができた。

その反面、雨季の増水や高潮時の水位上昇などにより、低地はしばしば洪水を被り、水はけの悪いところでは浸水のため、夏季の水稲耕作が行えない。しかし、北部ベトナムでは乾燥となる冬季に植え付け可能な品種（冬春稲）を開発し、低湿地での乾期稲作を可能とした。冬と夏に分けた作付け選択の歴史は少なくともドンソン時代（紀元前3世紀頃）までさかのぼると考えられる。この作付け選択や雒田《らくでん》農法（潮汐を利用した水田灌漑）が、限りなく海岸に近い低湿地までを水田風景に変え、ひいては高密度の居住人口を支えた基本要因であろう。低平な平野の地形特性は、治水や水利管理に影響を与えているだけでなく、集落（ムラ）の形成にも決定的影響を及ぼしている。

陳《チャン》朝期（13～14世紀）には紅河沿いなどに、朝廷が大堤防を築かせているが、それらは下流方向に口を開けた馬蹄形の非締め切りタイプの輪中堤防であったようだ。増水時には水が輪中内低地に侵入してくることもしばしばであったと想像される。したがって、基本的に低地には居住人口は少なく、集落の分布密度もまばらであったと考えてよい。必然的に限られた面積である自然堤防や残丘などの高みに、何度も繰り返し家を建てて居住することになり、1000年以上の歴史を持つムラなど珍しくないということにもなる。

この集落風景の変容が17世紀以降に訪れる。17世紀頃から、輪中堤のような完全締め切り型堤防が形成されはじめたことが、集落の考古学調査などでわかりはじめている。締め切り型堤防は水門により、排水と灌漑を行うもので、水門締め切りにより、輪中内は外からの水の侵入を防ぐことが可能となる。これにより輪中内低地も農耕地として開発が行えるようになったと考えられる。ただし、1つ問題なのは、雨季に輪中内にたまった水（悪水）の排水が困難なことにある。そのため、輪中内低地

空から見た紅河平野の集落風景。夏なので雨季による増水で、低地が水に浸かっているのがよくわかる

では悪水に対応して、居住面を盛り土により高くすることが過去に行われていた。現在でも、集落の形が整然とした方形を呈し、家々の間に池が分布している集落が、紅河平原の下流域などにみられる。これは比較的新しい時期に形成された集落のタイプである。居住面のかさ上げのため盛り土を採土したところが、逆に池となっている。

輪中内低地の水はけが改良されたのは、フランス植民地時代に動力ポンプが導入されてからのようで、さらに1960年代末から70年代初頭の堤防かさ上げ工事で、洪水の危険率が劇的に減少したようだ。

ところで、バッチャンのようなハノイ近郊集落のなかを歩くと、レンガ道の両脇にレンガ造りの家々が、中世ヨーロッパの迷路的街路のように密集している光景にしばしば出くわす。土と水以外の自然資源に限界のある平野部では、木材資源の枯渇は切実な問題で、材木は鉄より高いといわれ、現在、家々の建築材は赤レンガとセメントや漆喰が主となっている。これは、ここ100年ぐらいの現象である。

輪中地帯、密集型集落ともに人間の生活空間を仕切るものとなっているが、現在の北部ベトナム人の社会習慣や気質と決して無関係ではなかろう。社会的関係において内と外を分ける意識、外圧に対してみせる団結力などはその典型例かもしれない。

低平な土地をいかに可耕地や居住地として利用可能になるように奮闘してきたかというのが、北部ベトナム、あるいはキン族の歴史のようだ。山地など高地は彼らの眼中にはなかったかのようだ。そして、その歴史的適応は、空心菜などの水辺の野菜や淡水魚などへの食の指向性、船による河川交通の優先、池などで行う水上人形劇など、生活、文化の隅々にまで影響を及ぼしているようだ。

（西村　昌也）

12

メコンデルタの村落

★生態環境がつくりだす混淆性と流動性★

チベット高原を源流とするメコン川は、東南アジア各地を経由してカンボジアに至るとバサック（ベトナム語でハウ）川に分かれる。２つの河川は、なだらかな平野が続く下流域のベトナム南部で、さらにいくつかの支流に分かれ、メコンデルタとして知られる広大な低湿地帯を形成する。

マングローブが群生する茶色く濁った河川に、小舟に乗った菅笠姿の女性が手際よく櫂《かい》を漕ぐ。このようなメコンデルタの一場面を、旅行雑誌などで目にしたことのある読者もいるのではないだろうか。このデルタ地帯は、雨季にはメコン川水系の氾濫、乾季は南シナ海から押し寄せる海水によって土地が浸食され、農業に向かない酸性、塩害土壌が各地に広がる。カンボジア国境地域の「葦《あし》の平原（ドンタップムオイ）」と呼ばれる氾濫原や、最南端カマウ半島のウーミンの森は、現在でもしばしば水没する低湿地帯であり、20世紀後半になってようやく本格的に開発の手が入りはじめた。

一定の数の人間が集住、定住できる環境はかつて、比較的浸水しにくい微高地などに限られた。バサック川流域には、数百年前に建立されたと推定されるクメール（カンボジア）系上座部仏教寺院が微高地上に多くあり、そこには古くから人間が住んでいたと考えられている。

こうした生態環境をもつメコンデルタの特徴の1つは、複数のものが相互に入り混じった、混淆性だ。社会における混淆性は、現在でも、民族、宗教、言語においてみられる。私が調査を進めてきたバサック川流域、ソクチャン省のある村落は、農村部と市場町が隣接し、異なる民族的、宗教的、言語的背景を持った人々が混住する。その村落社会において、1人の人間の属性、信仰対象、話す言葉を、「○○人」、「○○教」、「○○語」とはっきり分類するのは難しい。様々な要素が相互に重なり合いながら、グラデーションのように連なっているといったイメージだ。

人々の日常に河川は欠かせない(農村と接する市場町)

この村落に暮らす人々の多数は、カンボジアのマジョリティと同様、自分たちをクメール、上座部仏教徒であると認識していた。だが、そこには、華人やキン(別名ベト)が移住し、民族間の通婚や文化的混淆が進んできた歴史がある。例えば、ある人物Aは、自身の民族的ルーツを「華人とクメールのラーイ(lai混じり)」と表現し、上座部仏教寺院、ベトナム系大乗仏教寺院、華人廟のいずれにも通い、クメール語とベトナム語両方を流暢に話す。Aについて他の人物Bに聞くと「Aはベトだよ。Aの父親はベトだったからね」という。このような自己と他者の属性をめぐる認識のずれや宗教、言語の複数性は、私のような外部の観察者をひどく混乱させるものであったが、この社会の複雑な混淆性をよく示している。もちろん、「メコンデルタの社会」といっても一様ではなく、地域によって大きな違いがある。混淆性がみえやすい地域もあれば、みえにくい地域もあるだろう。

一方で国家は、メコンデルタの村落に暮らす人々を一様に、社会なき孤立した個々人であり、役に立たない存在であるかのようにみてきた。例えば、植民地期の政策論者、研究者たちは、メコンデルタの農民を、すぐに他地域へ移動してしまい開拓への忍耐力がないと認識していた。独立後のベトナム共和国政府の関係者も、人々が分散して暮らす傾向のあるメコンデルタ村落の農民を「僻地で孤独と困窮のなかで暮らしている」と捉えていた。このようなネガティヴなまなざしを持って、政策に関わる人々は、より結束力の強いと言われる北部紅河デルタの農民を入植させるなどして、メコンデルタの開発を進めようとした。

他方、メコンデルタの農民を一見ポジティヴに捉えようとしたのは、ベトナム戦争の当事者アメリカの政策立案者らであった。かれらは、あたかもメコンデルタの農民を、利益極大化を目指す経済合理的な思考を持った自律的な個人と捉えようとした。それは、農民を共産主義者から引きはがし、親米のベトナム共和国側へ引き寄せるため、理解しがたい複雑な社会のありようを意図的に単純化し、農民の行動を数量的に把握して、予測しようとするためであった。

もっとも、これらネガティヴ、ポジティヴな見方いずれも、メコンデルタに複雑な人間関係から成り立つ社会など存在しないかのように描く点では、表裏一体だ。国家や政策に関わる人々にとって、変わりやすい生態環境と社会の混淆性、移動性の高さと散り散りになりやすい居住形態は、より管理しやすい一様的で組織的な形へ再編すべきものなのだ。

この国家のまなざしは、実際のメコンデルタが、捉えにくいことの裏返しである。メコンデルタは、それを捉えようとするものを混乱させるほど、複雑な歴史を歩んできた。背景には、メコンデルタが、国家の支配を部分的にしか経験せず、世界に開かれた状態のまま、植民地化後に徹底的に開発が行われ、人間が激しく流動してきたことがある。

19世紀後半にフランス植民地政府が土地開発を開始するまで、環境が移ろいやすく、定住的な生活や農耕ができる範囲が少なかった。おそらく行政を担う役場や兵士の駐屯地を設置できる場所も限られた。環境的な要因もあり、18世紀頃のメコンデルタ、特にバサック川以西は、通説的にはベトナムの政治勢力の支配下にあったとされているものの、カンボジアやタイも干渉していた。つまり、いずれの国家も完全には掌握できない周縁であった。国家の力が弱く交易に関税がかからないという地の利を活かし、中国や東南アジア各地から船舶で次々と訪れる多くの商人らが活発に交易し、在来のクメール、華人、チャム、キンと関わった。これにより、様々な諸要素が複雑に混ざり合った混淆的な社会が各地で形成されたのである。

19世紀半ば以降、フランスの植民地開発によって近代的な運河が次々と建設され、メコン川の水流はしだいに統御・管理されるようになった。水没する領域は縮小する一方で人が定住、耕作できる領域が広がった。そこが世界的な輸出米生産地へ変貌してゆくとともに、ベトナムの他地域や中国沿岸部、またインドなどから移民が流入し、人口は増加した。植民地期メコンデルタで数百から数千ヘクター

輸出用の籾を運搬する船舶(バサック川)

ルの農地を所有したのは、ごく少数の大地主であり、なかには自家用飛行機を乗り回す大富豪もいた。世界恐慌の波が及んで困窮した大多数の小作農や農業賃労働者は、地主に払う高い小作料や国家の重税に耐えかね、徒党を組んで反乱に加わるか、他地域へ移動するようになっていった。フランスと同様、独立後のベトナム国家も、制御しにくい生態環境や人の移動性、反抗的な行動に翻弄され、戦争激化や社会主義政策失敗の原因を、しばしばメコンデルタ村落社会のあり方に求めてきた。そこは、開発を通じて資本主義経済が浸透してきた一方、長い歴史をかけて世界各地から多くの人々が流出入してきた地域であり、また国家に対する反逆者の土地でもあったのである。

今や輸出米生産だけでなく、エビの養殖や日系工場の進出、国外労働市場、観光資源としても、知られるメコンデルタ。多くのメディアを通して平和でゆったりとしたイメージが喚起されるが、そこは、歴史的には社会の混淆性と流動性、近代性が複雑にからみあい、時に国家そのものを脅かす大きな時代のうねりをつくりだしてきた地域なのである。

(下條　尚志)

13

東南アジアにおける越僑社会の拡大

★往還する人びとの生存戦略★

越僑という言葉を見聞きしたことがあるだろうか？　越僑は知らなくとも華僑、あるいは印僑を見聞きしたことがあるだろう。華僑は在外中国人、印僑は在外インド人、そして越僑は在外ベトナム人である。華は中華、印は印度、越は越南とそれぞれの出身地を表す旧漢字名、僑は僑寓という仮住を意味する。すなわち、華僑、印僑、越僑は、いずれも出身地とその境遇を表している。現在これら華僑、印僑、越僑とも、アメリカ・オーストラリア・フランスなど世界中に居住している。

このように、越僑が世界中に拡大した契機は、言うまでもなく１９４５～１９７５年インドシナ戦争が生み出した難民に起因するが、東南アジア大陸部においては３００年以上にわたる長い歴史をもっている。

17世紀末、シモン・ド・ラ・ロベールが伝えるタイ・アユタヤ王都の地図にはすでにベトナム人居住地が記されている。しかし、その動向がベトナム・タイ史料から裏付けられるのは18世紀末以降、西山阮《タイソングエン》氏に追われた広南《クアンナム》阮氏勢力の一部がタイに亡命した事件からである。19世紀阮朝期においてカンボジアをめぐるベトナム－タイ間の緊張関係が続く中で、政治亡命・

ベトナム・カンボジア国境で生きる
カンボジア生まれ越僑

戦争捕虜によってタイ・カンボジア国内に越僑社会の萌芽と言うべきものが形成されていった。とりわけ、4代嗣徳《トゥドゥック》帝期に激化したキリスト教徒迫害を避けてベトナム南部から多くのベトナム人が亡命した。

１８８７年フランス領インドシナ連邦が成立し、ベトナム・カンボジア・ラオスの国境がなくなると、越僑は、急速に東南アジア大陸部へ拡大・定住した。カンボジア・ラオスでは、官吏・教師などフランス植民地体制を支える現地雇いとして、また新たに開発された農園・鉱山や道路・都市建設の労働者として、安価で勤勉なベトナム人が重宝された。

19世紀末～20世紀前半にかけて、人口圧を抱えるベトナム北・中部からベトナム南部やラオス・カンボジアへ、そして近代アジア市場の物資集散地として発展するタイ・バンコクへと、不断の人口移動が続いていく。しかしながら、１９４６年インドシナ戦争が勃発すると、ラオス・カンボジアに在住していた越僑は戦火に追われてメコン川対岸のタイへ避難、あるいは故国ベトナムへ帰国した。

カンボジア国境沿いに、カンボジアで生まれベトナムに帰国した越僑が住む村がある。彼らは、１９７０年ロンノルのクーデターに追われて、命からがら故国に帰国した。その出自と経歴は様々である。老爺たちは、カンボジアでの幼児期について、両親とも南部アンザン省出身のカトリック教徒だったので、教会の日曜学校に通ってフランス語を少し覚えた、または、父がプノンペン在住の華人だったので漢字を知っていると、口々に語る。彼らは、越僑同士で結婚し家庭を築いていたが、まもなくカンボジアを追われ、自転車を押して徒歩でタイニン省の国境を越えまっすぐカオダイ教本山に行った。国境を渡河して旧サイゴン政権の難民キャンプに身を寄せてからビエンホア省のカトリック教区に移ったあと、故国で帰属する宗教教団の保護を頼り暮らした。一方で、若い時にプノンペンの工場で働いて日本で技術研修を受けたことがあると漏らした老爺は、戦時中遊撃隊員として国境地帯で従軍していた。出自も信条も政治的立場も異にする彼らは、1975年戦争終結を間近にして、親族・知人の伝手を頼って、または退役した地で、相前後してこの村に入植した。1979年クメール・ルージュの侵攻によって避難を余儀なくされたが、まもなくこの村に戻ってきた。村は、一面の焼け野原となり地雷が埋まっていたが、以後開墾を続け今日に至る。

この村は、彼らがかつて生まれ育ったカンボジア側の地にも近く、また内戦からわずかに生き残っていた、また戦後再び戻っていったカンボジア在住の親族とも往来しやすい。ベトナム語とカンボジア語を使いこなし、両国境間を往来する物資を扱う商売もしやすい。

2000年代以降ベトナム・カンボジア間の政情が安定し、ベトナム側の経済発展が公共インフラ投資・農業市場の活況としてこの国境の村にも波及してくると、カンボジアから新たな越僑が労働者として住み着くようになった。

本来であれば、越僑は故国ベトナムに帰国した途端に、その属性から外れてベトナム人マジョリティの中に同化するはずであるが、実際には往々にしてマイノリティとして異化される。その出自や在外居住による後天的な影響によるトランスナショナルな存在として、ベトナム国民の同質性を求める故国において異化され析出されるからである。越僑の出自は、両親のどちらかがキン族ではなく華人や移住先のタイ人・カンボジア人である例も多く、ベトナムにおいても在外の地においても〈浮いた〉

存在となりやすい。

言語・服装のような識別しやすい差異は差別を誘発する。北部ベトナムに帰国したインドシナ難民を調査したタンニャティップ・シーパーナーは、男女ともパンツ姿の多い母国において、タイ生まれ越僑女性がスカートを好んで身につけたため周囲から浮いてしまった例を報告している。越僑には、教育機会を逸し識字率が低いため読み書きができない、困難な時代に祖国を捨てて逃げた等々、難民であったが故の様々な言説がつきまとう。

母国と移住先の国々との国際関係の緊張は、越僑に対する様々な政治的圧力となる。例えば、1960年代タイで越僑は、共産化をもたらすものとして警察の監視下におかれ移動制限を受けていた。1970年代カンボジアでは華僑とともに敵視され迫害の対象となり、1980年代ベトナム国境地帯においては、帰属先が曖昧な警戒すべき存在として扱われた。

越僑が母国においても移住先の地においても異分子としての存在から解かれるには、1995年ベトナムのASEAN加盟によるベトナムとほかの東南アジア諸国との交流復活を待たねばならなかった。

第一次インドシナ戦争期におけるタイ－ベトナム関係を研究したクリストファー・E・ゴーシャは、東北タイでインドシナ戦争を支援した在タイ越僑の墓が90年代初めにバンコクのベトナム大使館によって戦没兵士の墓として顕彰されたことを報告している。タンニャティップもまた、東北タイで行われたタイ国家行事に越僑女性がアオザイを身につけて参加した例を挙げている。

ラオス・タイでは、すでにベトナム語を知らない越僑2世・3世の世代を迎え、言語・意識の面で移住先に同化しつつも、衣装や食事などにわずかにベトナムの痕跡を残すのみとなっている。

タイの首都バンコクに、タイ名ワット・サマナナム・ボリハン、ベトナム名カインフォック（景福）寺という大乗仏教寺院がある。その境内には、越僑1世と思しき人々の漢字やクオックグーの墓碑群が残っている。上座部仏教国との印象が強いタイであるが、大乗仏教として華僑が奉じる華宗と越僑が奉じる越宗の2派がある。同国の大乗仏教は、18世紀末に越僑が建立したベトナム仏教寺院を起源とする。

ベトナム仏教寺院は、オーストラリア、アメリカなど世界各地の越僑居住地に散在する。日本国内においても、東日本大震災やコロナ禍で困窮するベトナム人を救済する活動でにわかにベトナム仏教寺院が注目されているが、在外の地においてベトナム仏教だけではなく、カトリック・プロテスタントのキリスト教各派や、ベトナムで発祥したカオダイ教・ホアハオ教もそれぞれ信仰組織を形成している。これらの教会や寺社は、流寓先において故国の言葉や文物を偲び、同胞間の情報交換・相互扶助を行う越僑コミュニティの中核として機能している。

タイ・バンコクのベトナム寺院に残る越僑墓碑群

越僑は、社会・文化・経済と様々な側面で母国ベトナムにとって国際社会との窓口・外来文化の輸入先となってきた。例えば、80年代ベトナムが国際社会から孤立し経済困難な時代において、国内経済を支えたのは在外越僑から送金されるアンダーグラウンドマネーであった。1990年代初めに農村でコンクリートブロック造り新築家屋を見かけると、それは在外親族から海外送金があることを示す指標だった。90年代のベトナム音楽界を席巻したのは、在米越僑が歌うリズム感にあふれた新しい感覚のベトナムポップスであった。

２０１５年ＡＳＥＡＮ諸国の経済統合が進展する中で、欧米や日本よりもローコストローリターンなＡＳＥＡＮ労働市場へ向かうベトナム人労働移民が増加している。結果として、タイ国内では、ベトナム仏教寺院がバンコクを中心に１９１７年７寺、１９７９年11寺であったが、２０２１年22寺とタイ全土で増加している。ラオス・マレーシアにもベトナム仏教寺院が新しく建立されている。越僑社会は、東南アジアで新たに拡大していく時代を迎えている。

（大野　美紀子）

14

山間盆地での暮らし

★ターーイ村落の「電気」以前と以降★

２０１５年のことだが、ずっと世話になってきたターイの村で、24歳の若者ソンにフェイスブックのアドレスをきかれた。その方がやりとりしやすいからだ。

だが、あいにくフェイスブックはしていない。それを伝えると、

「マジかよ、おじさん。ベトナム人はみんなやってるよ」

と軽くバカにされた。苦笑して

「なに言ってんだ。おまえが10歳くらいまで村に電気さえなかったじゃねえかよ」

と心の中でつぶやき、その一方で、移り変わりの激しい世の流れに適応している彼にたくましさも感じていた。

村に公共の電気がきたのは２００４年である。まったく個人的で身勝手な回想として、いや、それゆえにか、電気がない頃の村は楽しかった。生活はもっとシンプルで、つねに人と人の直接の関わり合いのなかで、傷つけあい、いたわりあって生きていた。

米は田で、野菜は家庭菜園で、陸稲やイモは焼畑で、ブタ、ニワトリ、アヒル、スイギュウなどを飼育して自給自足し、余剰の生産物や薪は町まで売りに行って現金に換えた。

山間部の貧困村ゆえに、子どもは2人までという産児制限の縛りを免れていたから、どの家も子だくさんだった。また進学や就職などで村をでていく人も少なかったから、老若男女が村にいてにぎやかだった。電気はなくとも、夜は月明かりがあれば外でみんな遊んだし、水路で自家発電した電気で点く白黒テレビを見に、村の幹部の家に人が集まった。

だが、電気がくると村の景色が一変した。

最初に買う家電は、冷蔵庫でも洗濯機でも炊飯器でもない。テレビだった。家事労働の軽減より、娯楽優先だったわけだ。

テレビが村に普及すると、村人がよその家を訪ね歩くことが減った。それまでは家族以外の者が家にいるのはふつうだった。しかし、自分の家でテレビを楽しめるようになると、家ごとの独立性と閉鎖性が強くなった。

また、テレビはすべてベトナム語である。それまでベトナム語は町や学校のことばであり、村でのことばはターイ語というタイ系言語だったのに、村でもベトナム語化が急速に進んだ。

物心つく前からテレビを見て育った10代までの若い人たちが話すベトナム語に、ターイ語なまりはない。しかも遠く離れた都会や外国の情報をいつも浴びているから、自分たちがどれほどの田舎で暮らしているか、またどれくらい豊かでないかも知らされる。都会への憧れは否が応でも強くなる。

電気がきたのとほぼ同時に、それまで都会的な生活の象徴だったケータイ電話も村に普及した。子どもや若者にとっては付属のゲーム機能も魅力的だったし、メッセージ機能は安価で便利だった。しかも、会わなくてもケータイで個別にやりとりできるようになると、内緒話もしやすい。個人の独立性は強くなり、プライバシーの観念も芽生えた。

さらに、これもちょうど時期が重なって、中国製の安いバイクが町で売られはじめた。すると村のほとんどの家族がバイクをもった。おかげでどこに何をしに行くのも便利になり、行動範囲が広がった。

上記のような変化が、実はターイの村のみならず、周辺のモンやコムーなど少数民族すべての村で生じていた。すると、民族の垣根を越えたご近所の村同士の物々交換は廃れた。どの民族のどの村の人も、売買のためにはバイクで一目散に町の市場を目指すようになったからである。

つまりテレビ、ケータイ、バイクは、村における情報、通信、交通・運搬の環境を劇的に変えた。しかも、これらは村人の貨幣経済への依存に拍車をかけた。2010年頃からは冷蔵庫、炊飯器も各家庭で普及している。

ここまで「電気」以降の村落生活における物質面の変化を述べてきたが、ソフト面での顕著な変化についても指摘しておこう。1つは貨幣経済への依存の進展であり、2つめとして少子化および、それに伴う高学歴志向である。これらは次のような影響を村の生活にもたらした。

家電製品、ガソリンなどを買うには当然現金が要る。そのため町の建設現場や遠く離れた都会へと出稼ぎに行くのが、村でふつうになった。

「電気」以前の子どもたちは労働力として家計を助け、また幼い家族や親族の世話や高齢の家族の介助なども手伝った。一方で、少子化は子どもたちに対する教育熱を高め、高校以上への進学も一般化させた。この高学歴志向により、子どもたちの生活は学業優先になり、薪取り、農作業などにあまり協力しなくなった。当然、母から娘へ、あるいは父から息子へと継承されていた、染織作業、組み物作り、大工仕事など、世代間の手仕事の継承も断絶した。

これらソフト面の変化は、例えば家の建築にも影響を及ぼした。「電気」以前は親族や近隣同士の助け合い、手作業で家が建った。子どもたちは現場に群れて遊びながら、道具の使い方や作業の手順を勝手に覚えた。だが、今はそこに子どもたちの姿はない。村の内外から専門の大工を雇って、電動ノコギリも使って家を建てるのである。

森林伐採の取り締まりが厳しく木材の値段も高騰したので、家は木造からセメント製になり、屋根も瓦葺きからトタン葺きになった。

家の構造も変わった。「電気」以前は、高床家屋の床下で家畜を飼い、農具などを収納した。しかし2010年代になると家畜小屋や倉庫は別棟になった。

床下が居住空間に変わり、2階建てになったターイ家屋（ディエンビエン省、2019年）

すると台所も変化した。「電気」以前は杭上の露台で水仕事をし、隣接する囲炉裏で調理した。今は電話一本で町からプロパンガスが届けられる。上水道も整備されて、台所と水場が土間へと下りた。

また床下空間が板壁で囲い込まれ、台所の隣にリビングが、さらには個室もつくられた。高床家屋が2階建て家屋へと変貌したのである。

今は、進学や出稼ぎで村にいない人も多いし、バイク移動が主になったから村の中を出歩いている人も少ない。そのため、その辺に放されているブタやニワトリが誰かの菜園をあらしても気づきにくくなったから、村の取り決めで家畜の放し飼いも禁止になった。

つまりここで指摘した2つのソフト面の変化は相互に関連しあっていて、のみならずそれらはハード面の変化とも結びつき、村の景色は変わっていったのである。

最後に、冒頭で紹介したソンの話に戻ろう。

その頃彼は床下の個室で起臥していて、そこにパソコンもあった。村に戻ったのは、実家の農業を助けるためではない。大学卒業後、地方幹部になろうとしたものの、そのためのコネを得るのに必要なお金を工面できず、とりあえず村に戻って、頼まれれば町でコンピュータ関連のバイトをこなすなどしながら、就職先を探しているのだった。だが結局、彼は約20キロ離れた村出身のターイの女性と結婚した。今は妻の実家の近所で個人商店を営んでいる。

(樫永　真佐夫)

15

人と海の関わり

★海からみたベトナムの歴史★

ベトナム料理になくてはならない調味料がヌォック・マムである。このヌォック・マムはインドアイノコイワシ類を原料とする魚醤であるが、日本の醤油のように様々な料理に使われる。また、２０２０年度の水産養殖を除く漁獲高は世界第７位の３４２万トンに達している。こうしたベトナムを地図で確認してみると、国土が南シナ海に向かって弓形に形成されていることがわかる。海岸線の長さは３２６０キロメートルに及び、中国と国境を接するクアンニン省からカマウ省までは南シナ海、カマウ省からキエンザン省にかけてはシャム湾に面している。地図だけをみても海を無視してベトナムを考えることはできそうにない。そして事実、ベトナムという国は海と切っても切れない関係にある。

ベトナムが現在のような国土になるのは阮《グエン》朝初代皇帝となる阮福暎《グエンフックアイン》（嘉隆《ザーロン》帝）が西山《タイソン》の乱を平定して南北統一を果たした１８０２年に遡る。阮福暎は中部ベトナムのフエを拠点とした広南阮氏の王族だった。広南阮氏は黎《レ》朝の廷臣であった阮《グエン》潢《ホアン》がライバルであった鄭《チン》氏から身を守るため１５５８年にクアンナム地方の長官として赴任したことに始まる。農業に適し

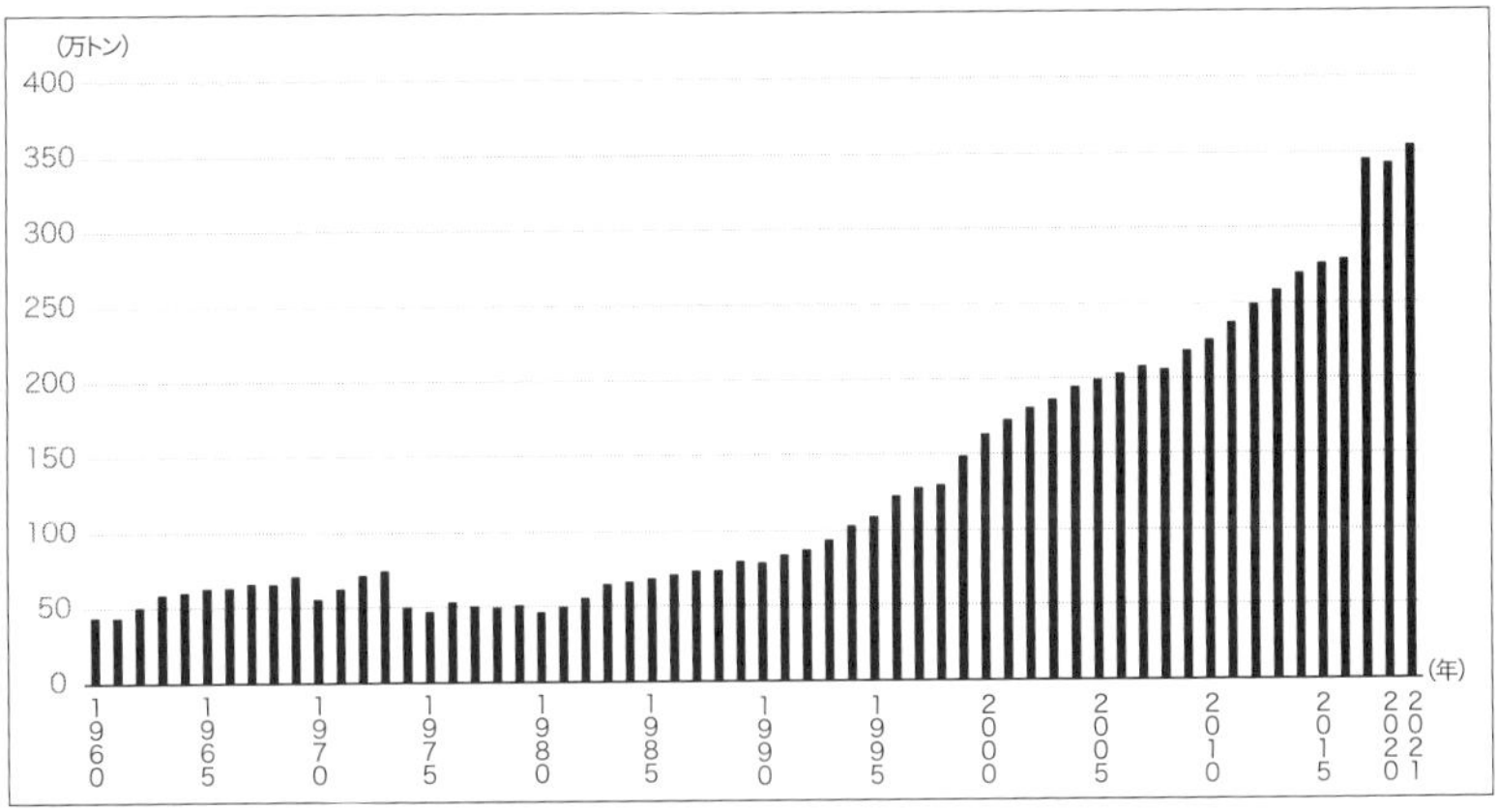

図1　ベトナムの捕獲漁業生産量
注:1960-1975年のデータはベトナム共和国とベトナム民主共和国のデータを合わせた漁獲量
出典:GraphToChart.

た紅江デルタを有する北部ベトナムとは異なり、広南阮氏が拠点とした中部ベトナムの農業生産性は低かった。北部の鄭氏に対抗し、地方政権としての安定をえるため広南阮氏がよりどころとしたのが交易だった。17世紀のホイアンには日本人街が形成されていたことで有名だが、1604年から1635年にかけて71艘の朱印船が広南阮氏の港で取引を行っていた。こうした外国船には出入港税が課され、それらは広南阮氏の財政基盤となっていた。

外国船に開かれたホイアンには思わぬ来訪者もやってきた。1679年、台湾を拠点に清朝と戦っていた明の遺臣と称する華人逃亡兵3000人が50艘の軍船に乗って亡命を願い出たのである。彼らの処遇に困った広南阮氏は、自らの影響力をメコンデルタに拡大させる先兵として彼らを入植させることとした。華人たちはメコンデルタの河川や海で軍事的、経済的な影響力を行使し、広南阮氏がメコンデルタに進出する足掛かりとなった。

1771年、中部ベトナムで西山の乱が起こり、それに乗じて北部の鄭氏がフエに進軍すると、広南阮氏の王族はメコンデルタに避難した。しかし、1777年に西山軍の攻撃を受け、主だった王族はことごとく殺害された。唯一、15歳の阮福暎だけが難を逃れてシャム湾に逃亡した。その後、彼はメコンデルタを拠点に25年に及ぶ西山党との戦いに身を投じることになるが、この戦いにおいて彼が重視したのが海だった。フランス人の海軍士官をリクルートして西洋式の軍船を建造し、1788年から始まる中部を主戦場とする西山軍との戦闘では、6月から7月に南西から吹くモンスーンを利用して海から物資や兵員の輸送を行った。また、注目すべきは彼が自ら交易船をアジア各地に派遣して積極的な貿易を展開したことだった。

1802年に仇敵の西山党を滅ぼしてベトナム統一を果たした阮福暎は広南阮氏の旧都だったフエを再び首都と定めた。中部に首都を置いたことで阮朝ベトナムは南北の穀倉地帯から穀物を輸送する巨大な海の物流機構を構築することになった。また、阮福暎が始めた官営貿易も継続された。国内の海上輸送や海外交易で運搬される積荷には海産物も含まれていた。阮朝の基本的税収は米であったが、中南部やメコンデルタの沿海域では魚醤や乾蝦、乾魚といった海産物が「雑賦」として租税の対象になった。また、阮朝政府が地方の物産を直接買い付ける「官買」という制度が設けられ、それらの中にも海産物が含まれていた。海産物の官買で興味深いのは、雑賦同様に、中南部とメコンデルタの沿海域が買付先となっていることだった。一方、北部の海は中国人の漁場となった。阮朝の法令集『欽定大南会典事例』には「清漁戸」という納税者単位が設けられているが、これは中国に隣接する広安省（現在のクアンニン省）に拠点を設けて漁業に従事する「清人（中国人）」漁民を指していた。彼らはトンキン湾で船舶を用いた漁撈に従事していたが、阮朝はそれらの船籍を登録し、船の大きさに応じて税を課していた。

こうした状態はベトナムがフランスの植民地になっても変わらなかった。それは、漁業に対する植民地政庁の関心が農業や林業と比較して低かったことに起因していた。1890年代から1900年代にかけて植民地政庁は農・林業に関する行政・研究組織を整備した。だが、漁業に関する組織的調査が行われるようになったのは、1922年にニャチャンでインドシナ海洋研究所が設立されてからだった。同研究所では魚類の分類、海流や大陸棚、漁場の調査、食品加工の研究などが行われたが、大恐慌や第二次世界大戦など1930～40年代の混乱の中で近代漁業の普及にまでは着手することができなかった。

ベトナムの近代漁業は、ベトナム戦争中にアメリカがベトナム共和国（南ベトナム政権）に漁業支援を行ったことで始まった。1956年に水産局が設立され、アメリカの支援のもと、冷凍加工場や漁港の整備、漁船の機械化などが図られた。同じ頃、ベトナム民主共和国（北ベトナム政権）は南ベトナムで闘争を続ける南ベトナム解放民族戦線に海を使った軍事物資の補給を始めた。それが海のホーチミンルートと呼ばれる海上輸送航路だった。輸送部隊は天文航海術という伝統的航法を用いて位置を把握し、北ベトナムから中国の領海に入った後シンガポールやタイに向かう航路を使って南ベトナムに物資を輸送した。1971年からは南ベトナムで合法的に操業している漁船や船舶も用いられた。皮肉にもアメリカの漁業支援が敵である北ベトナムの海上輸送をサポートしたことになる。

ベトナム戦争が終結すると、南北ベトナムは共産主義政権のもと統一されたが、1990年代に入

フーコック島の市場で売られる乾物

るまで漁獲高は向上しなかった。1975年のサイゴン陥落以降、旧南ベトナムでは共産主義政権下での弾圧を恐れた人々が難民となって国外に逃れた。とりわけ1979年に中越戦争が勃発すると、旧南ベトナムの多くの華人が漁船に乗って海外への脱出を図った。こうした難民をボートピープルと呼ぶが、それに伴う漁船の海外流出は1980年代のベトナムの漁業に深刻な影響を与えた。

1990年代に入ると、小型の原動付き漁船の数が増加して沿岸漁業の漁獲高が急増する。だが、これが沿岸部の漁業資源の枯渇をもたらした。そこで政府は1997年に「沖合漁業開発計画」を採択し、沿岸資源の管理強化と沖合漁業へのシフトを奨励する政策を導入した。これにともない、南シナ海の中央域でカツオ・マグロ漁が拡大した。ただし、政府が進める沖合漁業開発には国際政治的な意味合いも含まれている。南シナ海ではベトナムと中国が排他的経済水域として主張する海域の多くが重複しており、政府による沖合漁船団増強の背景にはこうした領有権問題も横たわっているのだ。

このように、海はベトナムという国と深く関わってきた。そしてこれからも海はベトナムと深く関わり続けることになるだろう。

（鈴木伸二）

16

ハノイ

★成長する郊外・空洞化する都心★

２０２１年11月6日、ついにハノイメトロ（２A線）が開業した。カットリン駅からイェンギア駅までの13・5キロメートル、市街西部に延々と続く高架鉄道は、工事開始から10年余りの歳月を経て、ようやく市民を迎え入れることとなった。その長い準備期間はトラブルの連続であった。工事中は毎年事故を起こし続け、請負の中国企業の問題もあり、完成は当初予定の２０１５年から何度も延期された。完成後も安全審査のためとしてなかなか開業の目途が立たず、うら寂しく立つ高架橋は、足元のバイクの騒音の中に埋もれていくような無聊の様をみせていた。それが一旦開業すると、物見高い人々が堰を切って乗車し、最初の1カ月で62万人が訪れて1日平均の乗車人数は2万人を超えた。市民の関心の高さを伺わせる一方で、この期間にはお試し期間としての15日間の無料期間も含まれていたため、本当の価値が測れるのはまだこれからである。

都市インフラ建設が相次ぐ近年のハノイでも、このハノイメトロは時代を象徴し、かつ、その画期を示すものであった。ここでみられるのは、激しさを増す都心と郊外の対比である。このプロジェクトは、始発のカットリン駅も中心部を外れてお

ハノイメトロ・カットリン駅（小田なら撮影）

り、すべて郊外の出来事であった。都心からはまさに視界の外となるその場所で、郊外問題はどんどん深刻化していた。通勤のバイクの渋滞はとうに道路のキャパシティを超えており、ぎっしりと隙間ないバイクの群れは、この都市の名物となってすでに長いが、通勤にかかる時間は延びる一方であった。この対策の切り札として出されたのがメトロ計画であった。全10路線、さらに各本線からは枝線も盛り込まれ、完成すれば総延長100キロメートルを超える都市鉄道ネットワークとなる。政府によるハノイの都市インフラ計画は、これに留まらない。今後建設されるメトロは地下鉄区間があるため、これに合わせて都心部の地下空間の開発計画が承認され、地下街ショッピングセンターや駐車場が予定されている。また、ハノイの母たる紅河には、新たに6本の架橋が計画されている。大型開発は、都市の郊外へ、上空へ、地下へと当分はその槌音もやみそうにない。

ところが、現状の都市問題は深刻化する一方である。渋滞のひどさは、とてもメトロの完成を待つほどの余裕はない。一向に解決されない、この深刻な都市問題について、いよいよ政府は荒療治の手を下すようだ。郊外から都心へ向かう道路にゲート87カ所を設置、市中心部への車両乗り入れに通行料金を課すロードプライシングが発表された。さらに厳しい案として、ハノイ市人民委員会は、２０２５年から中心部へのバイクの乗り入れを禁止する方針を打ち出した。２０２５年以降に環状３号線、国道５号線、チュオンサ通り、ホアンサ通りに囲まれた各区でバイクの通行を禁止するという。公共交通機関の整備もまだ不十分なのに、バイクにも乗れなくなったらどうすればいいのか、と急進的な政府案に対して、市民からは疑問が投げかけられている。

ハノイメトロの車内（小田なら撮影）

対策が必要なのは、もはや交通問題だけではない。車両の群れが吐き出す排気ガスは、暖房などの排出ガスとも相まって、深刻な大気汚染を引き起こしている。２０２２年度には、スイスの環境団体によって、ハノイは世界で３番目に大気汚染が深刻な都市である、というありがたくない評価を頂戴することともなった。この面からの対策として、電気バスの導入が進められている。交通事業大手のビングループが、市内6路線の電気バスの運行を開始した。とはいえ、これも市内の100を超えるバス路線から見れば、アドバルーン程度の意味合いしかないであろう。

郊外の大混雑とうってかわって、都心の方はいつも通りの賑わいをみせる。かつては騒々しい街に思えた旧市街も、郊外を経てたどり着くと穏やかにさえ見えてしまう。ただし、その旧市街においても変化は着実に進展している。古都の歴史を体現したような趣きの町並みの裏側で、住民の流出が止まらないのだ。人々の生活を支えてきた日用品店や食堂などが、どんどんホテルへと変わっていく。気ままな増改築が繰り返された町屋は、居住環境としては劣悪であり、一方で地価は観光化のせいもあってどんどん上がっていく。店主の世代交代を機に、店は他人に任せて郊外に居を構える世帯が増加している。ここでも郊外化による空洞化が着実に進んでいる。その代償として建設されるホテルは、書き割りのような伝統的意匠や擬似フランス建築など、一過性の装いを見せるのみだ。観光化によるリジェネレーション（再開発）が、この都市でも進行中である。

王朝時代以来の細街路の町並みは、自動車交通とは相いれない。そこを逆手にとって、旧市街で始まったのが歩行者天国である。現在では市内で4カ所（ホアンキエム湖周辺、旧市街地、チンコンソン通り、ソンタイ古城）に設定され、新たにゴックカイン湖周辺にも設定されることが発表された。ハンダオ通りに初めて開設されたときは、歩行者よりも屋台が主役のような、商売のための催しの様相を呈していたが、フラワーロードやスポーツガーデンなど、都市に潤いを持たせるための方策として、進化を遂げているようである。

第16章
ハノイ

このような郊外と都心との著しい対比は、ハノイの持つ都市構造に由来している。千年の歴史を持つこの都市は、王宮地区、旧市街、フランス人地区と、その時々で新しく市街地を付け足しながら成長してきた。共産主義となった独立以降、植民地時代までの既存市街地の外側に、団地地区が造成された。これは当時の都市計画理論に則って、商業センターを中心に集合住宅を並べるＫＴＴ（Khu tập thể集住地区）というもので、いわば団地の群れが都市周縁に立ち上がっていった。その一方で、共産主義は都市を資本主義にまみれた悪所とみなし、「農村が都市を包囲する」という掛け声の下、中心市街地の開発を凍結するような方策をとった。こうして、都心と郊外が分断される根元が形成された。ドイモイ以降でも、市域の拡張に合わせて郊外住宅区はどんどん拡張されていったのに比して、中心部の細街路は更新も進まず、両者のコントラストはエスカレートする一方となった。都心対郊外という、どこにでもありそうな都市問題も、ここではこの都市が歩んできた歴史の結果として存在しているのである。

この間にも、この都市は着実に成長してきている。情報産業も発展し、ＩＴ企業が集まるカウザイ地区などは、ハノイのシリコンバレーとの呼び声も高い。東南アジア最大のショッピングセンター、３００メートル級の超高層ビルなど、ベトナムのプライドをかけたプロジェクトが続くのも、首都ハノイならではである。そうしてできた高層ビルのシルエット、また観光客の視線に合わせた雛形的町並みをもって、よくある既視感にまみれたメトロポリスになっていくのか。これから、この都市はどこへ向かうのだろうか。

（大田　省一）

17

サイゴン・ホーチミン市

★移住者たちが作り上げた国際商工業都市★

統一鉄道の始発駅、ハノイ駅を22時15分に出発した急行列車SE1は南へ南へと走り、翌々日の6時32分にようやく終点のサイゴン駅に到着する。走行距離は総計1726キロメートル。いまや飛行機に乗れば2時間強で移動できるとはいえ、遠く離れたこの2つの都市は、相当に異なる歴史を歩んできた。

ホーチミン市は現在の都市名で、ベトナムの行政区画上は省と同格の中央直轄市である。約2061平方キロメートルの市域に約922万人（2020年時点）が居住しており、ベトナムのすべての省と中央直轄市のうち最大人口をほこる。市域には農村部も含まれるため、市の総人口＝都市人口という図式は成り立たない。とはいえビンズオン省の省都トゥザウモット市やドンナイ省の省都ビエンホア市など、同市中心部に周辺都市を加えた都市圏は、まさにメガシティという名がふさわしい規模である。

同市を理解するための最大のキーワードは「移住」だ。南部はもともとカンボジアの勢力圏で、先住民族はクメール族であった。中部高原・カンボジア・メコンデルタの三地域を結ぶ交通の要所に位置する同市中心部は古くからクメール語で「プレイ・ノコー（森の都）」と呼ばれるクメール族の商業拠点であった。

ところがベトナムの多数民族キン族の「南進」によって、同市中心部はしだいにキン族のメコンデルタ進出の拠点と化した。まず１６９８年には、中部に基盤を置く広南阮《グエン》氏政権によって、キン族にとっては新開地であった同市とその周辺を管轄する行政区画「嘉定府《ザーディン》」が設置された。その後、１７７７年から１７８２年と１７８８年から１８０２年の間、阮福暎《グエンフックアイン》（後の阮朝の初代皇帝嘉隆帝《ザーロン》）が同市中心部を拠点に独自政体を作り上げた。１７９０年には、現在の同市第1区のサイゴン大教会（聖母マリア教会）や同市中央郵便局、各国総領事館が建ついわば山の手地域に、外周約2・6キロメートルのヴォーバン様式の城が築かれた。嘉定城と総称される、この城とその北東の角に規模を縮小して再建された城は、阮朝初期には南部統治と国際交易の拠点となり、周囲には市街が発達した。阮福暎はタイ人や華人、フランス人などの勢力に支援されたこともあり、キン族が主体とはいえ、この嘉定城を中心とした地区は、国際的・商業的な性格が強い地区だった。

クメール族、キン族と並んで同市の歴史に重要な役割を果たしたのは華人である。「嘉定府」設置よりも20年ほど前、明の遺臣と称する集団など中国人のベトナム入植が増加し、現在のビエンホア市やティエンザン省の省都ミトー市などに華人の商業拠点が出現した。１７７８年、ビエンホアから華人が大挙して現在のホーチミン市第5区に移住し、当初は「サイゴン」、フランス植民地期には「チョロン（大きな市場の意味）」と呼ばれる華人街（チャイナタウン）が形成された。このように、植民地期以前のホーチミン市中心部は、キン族の行政・商業拠点（嘉定城地区）―華人の商業拠点（チョロン地区）という、約5キロメートル離れた2つの都市核に分かれていた。

ホーチミン市中央郵便局の壁面を飾る1892年の古地図（画面中央右がサイゴン地区、画面左下がチョロン地区）

国際都市、商業都市という特徴は、植民地期に強化された。フランスは1859年にスペインとともに嘉定城を破壊・占領し、1867年までにはベトナム南部全域を占領した。そして南部に直轄植民地コーチシナを作り上げ、「サイゴン」と呼ばれるようになった旧嘉定城地区をその首府「サイゴン市」とした。サイゴン市にはフランス人の軍人・官吏や入植者、フランス人以外のヨーロッパ人商人、インド人の官吏や商人、華人商人など多様な人々が移住してきた。またサイゴン地区はフランス的な地区として整備され、郵便・電信局（1886年着工・現ホーチミン市中央郵便局）、サイゴン市庁舎（1898年着工・現ホーチミン市人民委員会庁舎）などのフランス建築が多く建てられた。「極東の真珠」と称えられた植民地期の街並みの面影は今も同市の景観の中に見出せるし、当時インド人によって創建されたヒンドゥー教寺院やモスクは現在も人々の信仰を集めている。

植民地期にはメコンデルタで輸出用コメ生産が拡大した。華人商人はコメの流通を握り、チョロン地区には精米工場が次々と建てられ、商機や雇用を求めた多くの人々が中国から渡来した。1999年段階でも、ホーチミン市第1区の総人口の1割弱、華人街チョロンが位置する第5区と第11区の総人口の5割弱が華人であった。ホーチミン市で出会った人から「実は華人の血を引いているのだ」と打ち明けられるのは決して珍しいことではない。

人の移住はホーチミン市の現代史においても重要な問題だった。１９４５年の八月革命時にはサイゴン地区でもベトミン（ベトナム独立同盟）が主導権を握る政権が生まれたが、この政権は短命に終わった。その後、双子都市のサイゴン地区・チョロン地区はベトナム国（１９４９～55年）の「首都サイゴン地区・チョロン」、ベトナム共和国（１９５５～75年、南ベトナム）の「首都サイゴン」となった。

ホーチミン市人民委員会庁舎とホー・チ・ミン像（2019年）

親仏・親米政権の首都は相対的に安全であったから、１９４５年から１９７５年にかけて、メコンデルタや中部の各省からは、土地改革を恐れた地主、戦争によって住む村が破壊された人々、革命勢力側の活動家など、様々な事情を抱える人々が移住してきた。その結果、労働力需要やインフラ整備段階に比して過大な数の人々が流入する「過剰都市化」が社会問題化した。一方、北部各省からも大量の人々がホーチミン市中心部やその周囲に移住してきた。１９５４年のジュネーブ協定は、フランス軍とベトナム国軍が北緯17度の軍事境界線の南に集結し、ベトミン軍が軍事境界線の北に集結することを定めた。この結果、ベトナム国の軍人とその家族、官吏に一般民衆も加えた総計100万人近い人々がアメリカ、フランスなどの援助により南ベトナム側に移動したが、多くはキン族（一部少数民族）で、8割弱が農民、8割強がカトリック教徒だった。南部方言を話し、「南部人」的なふるまいをするサイゴンっ子でも、その両親の出身地が北部や中部であることが少なくないのは、この歴史的背景によるところが大きい。

1975年の「サイゴン解放」（ベトナム戦争終結）後は、南ベトナム政権関係者や華人を中心とする人々が数多く難民として出国し、第5区を筆頭に同市都市部各区の人口は一時的に減少した。ベトナム共産党は1982年の段階で、同市の世帯の3分の1が常に外国の親類縁者から物資を受け取っていると見ていた。現在も同市の住民には在外ベトナム人を親類縁者に持つ人が多く、また同市に帰郷する在外ベトナム人も多い。

早くも1992年には輸出加工区が造成されるなど工業化がベトナム全土に先駆けて進み、所得水準の高い同市は、南部のみならず中部や北部の諸省からも多くの出稼ぎ労働者を受け入れてきた。しかし2021年に、新型コロナウイルス感染症拡大にともない工場が操業停止すると、ホーチミン都市圏に出稼ぎにきていた多くの人々が失業してしまい、バイクで帰省するといった混乱も生じた。今後も経済発展と都市拡大が見込まれる同市では、現在、中心部と郊外を結ぶ都市鉄道の建設や新都心エリアの建設が進んでいる。

（澁谷　由紀）

18

フエ

★東洋と西洋のハイブリッド★

19世紀ベトナムでは最初にして最後の統一王朝が成立した。フエはその都であった。それより以前、広南阮《グエン》氏がフエに都を置いて以降、中南部ベトナム（ダンチョン）の中心として発展してきた。ベトナムの伝統的文化をもとに様々な国や民族との交流のなかで新たな文化を作り上げた。

フエは南北に長いベトナムのほぼ中央に位置し、西側にはチュオンソン山脈がそびえ、国境を接するラオスまで南西に直線距離でわずか60キロメートルほどである。

チュオンソン山脈を源として流れるフエの大河フオン川（香江）は、かつてのフエ都城の南面そして東側を囲むかたちで流れ、ボー川との間にデルタを作り、海の手前でタムザンラグーンへと注がれる。また、フオン川はフエ都城のあった旧市街とフランスにより開発された新市街とを分けてきた。

フエは山、河川、沖積平野、デルタ、ラグーン、海と多様な地理的特徴を有する。だが16世紀に編纂されたフエ地域の地誌『烏州近録』や18世紀に著された『越南開国志伝』に悪地であることが記されている。昔も今も農業や港市として十分な経済的利益を得られる地ではない。また南西の風を受ける厳しい乾季と大洪水を引き起こす台風を伴う雨季、今でも大雨や台風による被害が毎年のように発生している。そしてここはベトナムの領土になる以前、長く南海交易の一大中心地であったチャンパ王国の領土であった。

フエのキン族の歴史は、１３０６年ベトナム陳朝の皇女をチャンパ国王に嫁がせた代償として、烏里州《ウリク》を陳朝ベトナムに割譲するという出来事により幕をあける。なかでも１５５８年広南阮氏阮潢《グエンホアン》の順化《トゥアンホア》（現クアンビン、クアンチ、トゥアティエン・フエ各省）への入府を画期として大きく発展をしていく。そして北部黎《レ》朝・鄭《チン》氏政権との長い戦争による分断のなかで中南部ベトナム、ダンチョンが出現する。

このダンチョンの文化は、北部の伝統的な民族文化を継承・発展させつつ、チャム人やクメール人など少数民族の文化を包摂し、キリスト教の布教を自由化し、新しく多様な文化的特徴を形成していった。特にフエではチャム人の信仰や生活文化など様々に取り入れていった。また17世紀後半、明の滅亡により中国、特に福建や広東から明の遺臣や華人商人などがダンチョンに移入し、フエにも中国人町が作られた。それとともにその当時の中国の文化も受容していった。

阮朝成立後、第2代皇帝明命《ミンマン》帝は初代嘉隆《ザーロン》帝の政策を転換し、儒教を重視し清国の制度を模した中央集権的な専制体制を確立する。明命帝以降続いた西洋文化とくにキリスト教の布教禁止・弾圧はフランスに侵略の口実を与え、１８８３年、84年、第一次、第二次フエ条約により阮朝はフランスの保護王朝となった。アンナン保護国のフランス理事長官府が置かれ、フォン川右岸はフランスによる整備、開発が進められていった。フエは植民地支配をとおして近代西洋文化に接することとなった。

第18章
フエ

フエ王宮

　東洋と西洋がハイブリッドされたフエの街をみていこう。今も修復作業が続くフエ王宮は、中国の伝統的都城をモデルとした宮城（紫禁城）―皇城―京城の三郭構成で皇城は儒教や陰陽思想をもとにした配置をとる一方で、城壁は近代的な西洋式築城術、ヴォーバン式と呼ばれる鋸歯《きょし》状の稜堡《りょうほ》を取り入れている。またユネスコの無形文化遺産の代表一覧表に記載されたフエの宮廷音楽は、北部ベトナムに起源をもち、広南阮氏、阮朝のなかで発展していったものである。

　フエ郊外に周囲の自然環境と調和して建てられている阮朝歴代皇帝の7つの帝陵は、中国の明・清時代の陵制に倣う一方でそれぞれの皇帝の価値観や時代が反映された独創性をもつ。なかでも第12代皇帝啓定《カイディン》帝陵はバロック様式、ベトナムや東洋の様式も取り入れたユニークなデザインで築かれている。

　チャンパの影響を受けた建造物として阮朝時代に建てられた虎園がある。象と虎との決闘はチャム人の闘象、闘虎の習慣を受けたものである。ベトナム全土から祭礼に訪れるホンチェン殿はチャム人の女神が祀られていた神殿である。現在、ポーナガール女神は天依阿那聖母という名に変わりフオン川の神とホンチェン殿の山の神の三位で祀られている。また聖母道（第36章「民間信仰」参照）の神々の1人柳杏聖母も祀られている。

フオン川右岸、新市街にはフランス領時代に建設されたホテルや教会、駅、旧フランス理事長官官邸、現フエ文化博物館、ホーチミン主席も通ったクオックホック（国学）校などコロニアル様式、ベトナムと西洋の折衷建築様式の建物が残っている。

フオン川左岸、旧市街には都城周辺に阮朝時代の官僚や貴族が住んでいた美しい景観の庭をもつフエの伝統的建築様式の邸宅が点在する。都城の北、フオン川沿いの集落バオヴィンは19世紀に華人商人たちにより賑わいをみせた港町であり、家屋や船着場にその名残をみることができる。また伝統的にザーホイと呼ばれてきた地区（現チーラン通り）には福建会館や廣肇会館など中国人会館が並ぶ。

民家にもフランスや中国の影響がみられる。伝統的な平家造りのフエの家屋にフランス風の柱の装飾が施された家がある。中国の風水思想は農村の家にも取り入れられ、門の先には屏風《ビンフォン》と呼ばれる沖縄でいうヒンプンが建てられた家がある。またフエの民家は台所空間に特徴があり、主屋からみて左（＝東）に連続して付属屋が建てられ、そこは台所であり女性の空間だといわれている。

フエは1年をとおして儀礼が多い。フエの特徴的な儀礼もある。陰暦12月23日ベトナムの竈神儀礼の日、人びとは竈神が描かれた版画を燃やし、土製の小さな竈神像を木の下などに置いて見送り儀礼をする。古くは北部でも行われていたが、今はフエとその周辺地域でのみ行われている。この竈神の神像と版画はフエの村で手工業生産され、版画には王宮の影響と思われる構成やモチーフがみられる。

陰暦5月23日儀礼

フエでは2月または8月に家の敷地内で行う土神儀礼がある。土地に関わる神霊・霊魂など全てを祀るが、3つ（または2つ）の机に供物を並べるなか特別にチャム人への供物を用意する。今でもフエの人びとは自分たちがチャンパの土地の上に暮らしていることを意識し、何か災いがあるとチャム人の怒りではないかと恐れているのである。そのため、フエには「設供占城祈安」と書かれたチャム人に対する疏文（儀礼の際に各種の神霊に対して読み上げられる公文形式の文書）もある。

王宮、民間それぞれで行う儀礼もある。1885年陰暦5月23日はフランス侵攻によるフエ陥落（失守京都）の日であり、それに伴う死者を祀る儀礼が陰暦5月23日から約1週間のあいだに行われる。各家では門の前や歩道に祭壇を置き、孤魂の鎮魂のために供物を供える。フエ京城内に建てられた陰魂廟では、フエ省管轄のフエ遺跡保存センターによって全ての死者に対する追悼儀礼が行われている。

フエは北部の伝統的な文化を継承しながら歴史をとおして東洋、西洋の外来の文化要素を取り入れ新たなベトナム文化を創造し、また厳しい自然と対峙するなかでフエ独自の精神性を育んできた。それらは今も人びとのくらしに豊かに息づいている。

（鍋田　尚子）

ホイアンの日本町の今昔

コラム3

ファン・ハイ・リン

ホイアン市はトゥーボン川の河口部の左岸に位置している。この地域では早くから人々が居住していた。ホイアンで出土したサーフィン文化（紀元前1千年紀～紀元後2世紀）の遺跡で、中国、インド、西アジアなどの遺物があることから、当時の住民が多くの地域と交流関係を有したことが判明される。その後成立した林邑国家の「林邑浦」、そして7世紀から建国したチャンパ王国の「国港」が築かれ、東西交易が発展した。10～15世紀に、ホイアンがヴィジャヤ国都に近接しながら、チャンパ王国の北にある重要な国際港として活発になった。

ヴィジャヤ滅亡の1471年以降、この地域は大越国の監視の支配下に属するようになった。1558年に阮潢《グエンホアン》（1524～1613年）がフエに拠点を移し、ダンチョンと呼ばれる現在のクァンビン省にあるザン川以南の地域を開拓するために南進した。阮氏は、国内の農業強固、工業開拓、手工業、商業の発展とともに、外国との貿易の拡大に力を入れていた。以前のチャム港は、ダンチョンの貿易開発一帯の港システムの重点であり、「フェイフォー」として外国の商人の間で有名となった。また、アジア交易の重要な国際貿易港の1つともみなされた。16世紀～17世紀に、アジア諸国のみならず、ポルトガル、スペイン、オランダ、イギリスのようなヨーロッパの貿易大国の商人もホイアンに商売に訪れた。阮氏は日本や中国の商人に日本町、唐人町を設立することだけでなく、町の自主管理や頭領を自ら選出することをも許可した。1633～1672年に6人の頭領が日本町を管理していた。商人たちは、アジア、ヨーロッパの商品をもたらすとともに、ホイアンから生糸、絹織物、陶器、象牙、胡椒、角、鹿革、貴重な木材、森林資源、銀、銅、錫などを買い取っていた。それにより、ホイアンが中心となった海岸から高地、中部から北部に至る交易ネットワークが組織された。この頃、ホイアンを舞台にして、チャム人や現地の少数民族とキン族、そして、中国、日本などの外国との接触をきっかけに、文化交流が積極的に行われた。

18世紀後半から河川の変流や阮朝の制限政策、内戦などにより、ホイアンは貿易港の役割を失った。フランス植民地時代（19世紀後半～20世紀後半）に、ダナンはフランス直轄地となったが、クアンナム省がフランスの保護制度に置かれた。ホイアンにはフランスの公使が派遣された。フランスやヨーロッパの文化要素が多くみられた。

ベトナム戦争終結後、ホイアンは当時のクアンナム・ダナン省に直属していた。１９９６年からダナン市はクアンナム省から分離され中央直轄市に昇級したが、ホイアンはクアンナム省内に残り、２００８年に中央政府から人口10万人以上の規模を示す3級都市に認定された。

現在、ホイアン全市には19寺、43廟、23集会場、38祠堂、5会館、11井戸、1橋、44墓地と１０００以上の古い民家など、合わせて１３００以上の遺跡もある。１９９９年にホイアン旧市街地の60平方キロメートルを占める町並みは世界遺産としてＵＮＥＳＣＯに認められた。町並みは東西方向に細長く、南側はトゥー

伽羅線香の専門店

ボン川で、北側は1930年代に造られたファンチューチン通りである。街並みの真ん中にあるチャンフー通りは18世紀に建てられ始め、その東には華僑の会館や関公廟があり、西には日本橋でグエンティミンカイ通りと交わる。南にあるバクダン通り（1878年）とグエンタイホック通り（1840年）はフランス植民地時代に開発された。チャンフー通りの北部、日本橋の周辺とグエンティミンカイ通りは17世紀ごろに建設され始めた。

日本橋は屋根付き橋で、「橋」と「寺」の両機能を兼ねる世界に1つしかない形式であると思われる。橋は日本町時代に建造されたと伝えられるが、18世紀初頭に阮氏により「来遠橋」と命名された。2021年に3年間の保存修理工事が開始された。町並みで日本橋以外、約400軒の古い町家もあり、木造平屋で、前屋と後屋の間に橋屋と中庭が設けられた特徴がみられる。

レロイ通り

ホイアンには住民の記憶や信仰、農業、漁業、町人生活に関わる祭り、伝統芸能、伝統手工業など、多くの無形文化遺産も保存されている。2019年にホイアンを含む中部の古い伝統音楽ゲームの「バイチョイ」がUNESCOに無形文化遺産として認められた。ホイアンの周辺にあるキムボン村の大工、タンハー村の陶器、フォックキェウ村の青銅鋳造なども有名である。町人は川や海、森林、農村から集まった素材を生かし、ベトナム、中華、ヨーロッパの調味法を合わせて豊富な食文化をクリエイトしている。バレー井戸の水で作ったカウラウ麺、中部の辛味の鳥ご飯以外、米で作った中国風のホワイトローズや揚げワンタン、茶飯、西洋風のプリン、フランスパンなどはホイアン特有の料理である。

　ホイアンは生きている遺産であるが、その保存と生活環境改善や地域の経済開発を実施することは簡単ではない。観光の圧力で町の景観や人々の生活が変容している。２００８年にホイアンの観光客向け店舗のおよそ80％がテナントであり、その借主や従業員の約85％は旧市街地出身者でも在住者でもないのである。このような傾向により、ホイアンはフェイクタイプの建物やお土産が増加し、特有の文化価値とその伝統継承を失う危機に直面している。また、２０１９年にホイアンで迎えられた観光客数は２５０万人だったが、２０２０年と２０２１年はコロナ禍で80％も減少した。今後、コロナ後の対策や、生きている町の保存と開発を両立するために、ホイアン市が遺産の本来の価値と魅力を正確に認識し、適切な開発政策を行うべきである。

コラム4

エコツーリズム

伊能まゆ

ベトナムは南北に長く、気候風土も多様で、豊かな生物多様性を持つ。また、54の民族が暮らす多民族国家であり、地域ごとに豊かな文化を育んできた。世界的に見ても観光資源にあふれた魅力的な国といえよう。

ベトナムは1986年にドイモイ政策を実施して以来、対外的に門戸を開き、外国からも多くの観光客を受け入れてきた。また、近年の経済発展に伴い、ベトナムの人々が国内旅行を楽しむようになった。筆者がハノイに住みはじめた1997年頃、ベトナムの多くの人々は、経済的に海外はおろか国内を旅行することすらままならなかった。2000年代に入るとベトナムの人々も近場の景勝地や寺院、ビーチに遊びに行くようになり、2010年代にはタイなどの東南アジア諸国へ団体ツアーに出かけるようになった。この頃、ダナンやニャチャン、フーコック島などで外国人観光客やベトナムの富裕層向けに高級リゾートホテルの建設が進んだ。ベトナム観光総局によれば、コロナ禍が生じる前の2019年には海外からの観光客数の延べ数は約1800万人だったのに対し、国内の観光客の延べ数は約8500万人であった。この数字はベトナムの人々が国内観光を日常的に楽しんでいることを裏付けていると言えよう。しかし、近年団体ツアーに飽きた人々や環境問題に関心がある若者の関心は次第にエコツーリズムや農村観光など体験型の観光へ移っている。

筆者が体験したエコツーリズムとして、例えば、ベトナム北部ニンビン省のクックフォン国

コラム４
エコツーリズム

立公園、ベトナム南部ドンタップ省のチャムチム国立公園、アンザン省チャースー景観保護区などがある。いずれもハイキングやボートに乗るなどして原生林やメコン川流域の貴重な生態系を観賞できるプログラムがある。また、近年、民間企業や家族経営による地域の文化や風習を体験できる農村観光が急速に発展している。例えば、筆者が学生時代、農村調査でお世話になったベトナム北部のカオバン省フックセン村では、村人による文化体験型の観光が運営されている。村内にある宿泊施設に泊まり、伝統的な生業である刃物や鉄製の農具づくりの様子を見学したり、郷土料理を堪能したりできる。花《か》き栽培で有名なベトナム南部ドンタップ省サデック市でも竹など自然素材でできた建物に泊まり、花き栽培の様子を見学したり、釣りが体験できる施設が複数、営業している。この他、筆者とともに有機農業に取り組んでいる農家グループがハノイ市、ホイアン、ベンチェ省などで有機菜園での経験交流や収穫体験を実施している。

アンザン省チャースー景観保護区の様子

　２０２０年に出された「２０３０年までのベトナム観光発展戦略」に関するベトナム首相決定によれば、観光を経済発展の中心に位置付け、環境保全、文化の保存と発展を目指すことが記載されている。今後、ベトナム政府として各地域の環境や文化を守り、経済を活性化させていく手段として観光開発に力を入れようとしていることが読み取れる。しかし、各地域でエコツーリズムや農村観光を実施していくことは容易ではない。

例えば、筆者が長年、地域づくりに取り組んできたホアビン省では、村の青年たちが自分の故郷の魅力を再発見し、その魅力を外部に伝えることで収入を得られるようにするエコツーリズムのプログラムづくりを支援した。青年や子どもたちと村の自然資源や生態系について調べて資料化し、紹介できるように村に小さな展示場を作った。また、村の高齢者に在来種や薬草について聞き取りを行い資料化し、伝統的なムオン族の食事を紹介するメニューを作る際に活用したり、美しい村の景色を楽しむためのハイキングコースを考えた。さらに、青年たちが村の魅力を伝えるためにフェイスブックでの情報発信やパンフレットづくりに取り組んだ。しかし、受け入れ体制を整えている矢先、工業団地へ働きに出る若者が急増し、実施までには至らなかった。また、エコツーリズムを謳っている施設においても、その施設の隣では農薬が大量

日本の高校生と村の里山を歩き、植物の種類と使い方についてまとめている様子

ホアビン省の風景

に散布されているところや、施設内の汚水やゴミの処理について十分に配慮されていないところが多い。さらに、地域の文化を発信するというよりは他地域の観光地を模している施設も少なからずみられる。

冒頭で述べたように、ベトナムは豊かな観光資源に恵まれている。ベトナム政府も環境や文化に配慮した観光を推進しており、農村の新たな産業としてエコツーリズムや農村観光を発展させるチャンスが到来している。今後、エコツーリズムや農村観光を発展させていくためには、まず管理・運営を担える人材の育成とエコツーリズムや地域文化の意味するところをしっかりと地域の人々が認識し、本来の地域の魅力を伝えていけるようなプログラムづくりと環境に配慮した施設の建設が必要である。近い将来、ベトナム国内で各地域の自然環境や文化の魅力を十分に伝えるエコツーリズムや農村観光が発展し、ベトナムの魅力がさらに高まることを期待している。

III

多層化・多元化する社会

結婚記念撮影のひとコマ（カントー市）

Ⅲ

多層化・多元化する社会

19

父系親族

★北中部のゾンホ・祖先祭祀★

現在のベトナムの人口の約9割を占めるキン族の社会には、ゾンホと呼ばれる父系親族集団が広範に分布しており、基本的にはほぼ全ての人々がいずれかのゾンホに属しているといってよい。現代のベトナム人の姓名は基本的に姓／ミドルネーム／名の3つからなるが、日本人と同様に姓は父親から継承される。ただし中国や朝鮮半島などと同様、女性が結婚後に夫方に改姓するといったことはない。またベトナム人は姓のバラエティが少なく、主要な10姓のみで人口の8割以上に達し、なかでも最も多い姓である「グエン（阮）」は全人口の約4割を占める。もっとも、姓が同じだからと言って、全ての同姓の人々を「同族」であると認識しているわけではない。この点は、日本人に多い「佐藤」や「鈴木」といった名字の人々が、たまたま同姓の人と会っても特に同族意識を抱かないのと同じである。一方で、姓のバリエーションの低さから、当然ながら同姓のゾンホが乱立することになる。このため、例えば「阮文《グエンヴァン》族」や「阮廷《グエンディン》族」といったように、姓にテンデムと呼ばれるミドルネームを付加して他族との区別を明瞭にすることも多い。

一般的にベトナム人の場合、明確に「同族」であると認識される範囲、つまりゾンホの規模はおおむね集落内に収まる傾向が強い。ただし進学や出稼ぎのために都市部に出ている人々はこの限りではない。このような人々は旧正月などの折に原貫地（本貫地に相当）へと里帰りすることになるが、これらの人々をあわせると、おおむね数十〜百世帯くらいが、一般的なゾンホの規模である。これは他集落や遠隔地に移住した世帯が、その地で5〜6世代を経過すると独立して別個のゾンホとなる傾向が強いこと、また同一集落内に居住している場合であっても一部の支派が、儒教の同姓不婚原則を回避するためにテンデムのみを変えて、形式上は別のゾンホというこ とにして互いの通婚を可能にするといったことが行われてきたためである。これらの場合、最初の移住者や支派祖が改めて新しいゾンホの「始祖」とされるのが一般的である。これらの結果、同じく儒教を基礎とした父系親族集団である中国や朝鮮の宗族などに比べると比較的規模が小さい傾向がある。

このようなベトナムのゾンホが、いつ頃どのように成立したのかは実はあまりはっきりしていない。古代の段階では徴《チュン》姉妹の反乱（40〜43年）や趙嫗《バーチウ》の反乱（248年）などに代表されるように、女性の反乱指導者がしばしば現れることから当時のベトナムは母系社会ないし明瞭な系譜観念を持たない無系社会であったとする説が有力である。中華王朝の支配から脱して独立を達成したのちも、李《リー》朝・陳《チャン》朝期の社会は仏教色が強く、庶民レベルに儒教的観念が浸透していたかはなはだ疑わしい。現存の家譜（族譜）をみると、しばしば李朝・陳朝期の人物を「始祖」としている家譜も見受けられるが、その編纂時期は16世紀以降である。庶民レベルへ儒教の浸透が始まるのは早くとも儒教を統治イデオロギーとする黎朝期以降であると考えられる。一部の有力な武人や官僚を輩出するような名族は別として、一般庶民レベルに至るまで儒教が大衆化するのは家礼書（儒教的儀礼マニュアル）の出版が始ま

族祠堂の外観。中部では宮廷文化の影響を受けて豪華な装飾をつける場合が多い（トゥアティエン・フエ省フオックイエン集落ホアン・ヴァン族祠堂）

る17世紀以降と推測される。なかでも『寿梅家礼』は単なる家礼書ではなく村々の祭神の祭祀についての執行規定が附録とされるなど、村々の実際の需要に応える工夫がなされており、時としてその通俗性を批判されながらも普及していった。裏を返せば、厳格な儒教的知識人からの反発や議論を引き起こすほどの影響力が『寿梅家礼』にはあったということであり、それだけの社会的需要が17世紀以降のベトナム社会にはあったということである。

ただ実際、17〜18世紀の村々の族祠堂（宗廟）でどこまで儒教的に「正しい」儀礼が執り行われていたかははなはだ疑わしい。ベトナム中部のフエの事例では、実際の宗教実践では儒教・仏教・道教の三教が混淆した状態にあったことが史料的に確認されており、厳格な儒教的知識人からしてみれば、「低俗」「卑俗」と非難されても仕方がないものであったと推測される。しかし、一般庶民からしてみれば必ずしも完璧なまでに儒教的である必要はない。むしろ自分たちの実際的需要を満たしつつ、同時に儒教的にも「そこそこ正しい」マニュアルの方が重宝されたであろうことは想像に難くない。一部の貴族・知識階級に限定されていた儒教が、ある種の文化的ファッションとして民間に普及する過程において、『寿梅家礼』はそのような社会的需要に合致していたのであろう。

上記の結果、様々なローカライズを伴いつつ、儒教を基礎とした父系親族集団が形成されていったと考えられるが、これはキン族の家族構造にいかなる変化をもたらしたのであろうか。15世紀成立とされる『黎朝刑律』では遺言なくして死亡した場合は男女均分相続することが定められており、これは儒教の大衆化以前のキン族社会における女性の社会的地位の高さを示しているとされる。おそらく、この段階では、農村部では東南アジアの主要民族に多くみられる「屋敷地共住集団」と呼ばれる形態が一般的であり、父系／母系親族を明瞭に区別しないまま、複数世帯が集まって1つの世帯集団を構成していたと考えられる。一方で管見の限りでは、18世紀以降の遺言書や土地台帳をみると、明らかに男性優位の傾向が強い。恐らく儒教の浸透により夫方居住婚が一般化したことにより、共住集団が次第に父系親族集団化していったものと推測される。既述のように、キン族の父系親族集団は中国や朝鮮と同じく儒教を基礎しつつも、相対的に地縁性が強く規模が小さいといった異なる特徴がある。これはおそらくベトナムの父系親族集団が、東南アジア的な屋敷地共住集団という基層文化の上に、中国由来の儒教文化が覆いかぶさるという文化的二層構造になっていることに起因しているのであろう。

（上田　新也）

族祠堂の祭壇（旧ハタイ省フオンバン集落グエン・スアン族祠堂）

20

母系・双系親族

★ベトナム中南部のチャムとカウ★

この章では、ベトナム中南部の先住民であるチャムの事例を通して、ベトナムにおける母系社会を紹介する。母から子という単系的な系譜関係を基盤として出自集団を形成し、それが社会的に一定の機能をもっている母系社会、あるいは母系的な社会は、ベトナムではチャムの他に中部高原に暮らすエデ、ラグライ、チュルーなどオーストロネシア語系の民族においてみられる。いずれも農業を主な生業とし、民族内婚が一般的である。中南部のチャムは歴史的にヒンドゥーやイスラームの影響を段階的に受けてきたためいくつかの異なる宗教的な集団が認められるが、宗教的な違いにかかわらず現在もほとんどが母系制を維持している。

「礼服とターバンで婿入りし、鋤ひとつで実家に戻る」。これは筆者がビントゥアン省やニントゥアン省にあるチャムの村を訪れた時、何度か聞かされたことわざだ。母から子という母系の系譜関係が重視される母系親族集団に属し、結婚後の妻方居住婚を行うチャムの男は、どんなに尽くしても、親からも嫁ぎ先からも財産が分与されないことを表す言葉だそうである。最初の「礼服とターバン」は、チャムの男性があらゆる儀礼の時に身に着ける白い貫頭衣と頭巾の礼服のセットのことで、結婚後は妻方の家に居住し生涯を送ることになる息子のために実家の親が用意する、唯一の「婿入り道具」。「鋤ひとつで実家に戻る」というのは、結婚した男が離婚して実家に戻る時や、あの世に召されて母方の親族集団の墓地へと戻る時、分与される財は使い古した農具だけ、ということのようだ。

このことわざが伝えるように、チャムの社会では財は親から息子ではなく、娘へと相続される。息子の場合とは対照的に、娘が結婚する時、親は新郎新婦が暮らす家屋、田畑、家畜などの財を与える。新郎新婦の家屋は、親が暮らす屋敷地（ムンガウォン）が広い場合には母屋のそばに別棟を新築するか、あるいは寝室を増築するが、そうした空間がなければ同じ村に新たに土地を購入して家を建て、娘夫婦を住まわせる。親の家には未婚の子どもや末娘の家族が生計を共にしながら暮らし、母屋や母屋にある祭祀用具などの継承、年老いた親や祖父母の介護なども末娘が担うことになっている。そのため、末娘は他の姉妹よりも財を多めに分与される傾向にあるようだ。

屋敷地に親の世帯と末娘以外の娘の数世帯が暮らす「屋敷地共住」は、現在でも多くの村にみられる居住形態ではあるが、まれに傍系も含む「母系拡大家族」が1つの世帯を構成している例もある。近隣の屋敷地も母系的につながりのある親族が暮らしている場合が多い。

屋敷地を意味するムンガウォンは、文献には母系出自集団の総称として記されることもあるが、今日の人々の間ではそうした集団は一般的にカウ、あるいはカウハチャンと呼ばれている。パレイと呼ばれる村には複数のカウが存在し、例えば筆者が博士論文を書くために調査をした人口およそ３８００人の村には30以上のカウが確認できた。今日の社会でカウがどのように機能しているかはま

グルと呼ばれる共同墓地に参拝するチャム族バニの人々。白い貫頭服と赤い飾りがついた頭巾は、チャムの男性の儀礼服である

だよくわからないことも多いが、次にみるように、少なくとも儀礼単位としては機能しているようだ。

カウは外婚的な集団であり、「同じカウの人とは結婚できない」という考えが人々の間で広く認知されている。外婚制という婚姻規制を伴うカウの母系制を反映するのは、グルと呼ばれる共同墓地や、クッと呼ばれる墓である。一般的にチャムの人々はカウの族譜を記録したり祠堂を建てたりはしないが、共同墓地や墓への参拝を伴う祖先祭祀を定期的に行うなど死者儀礼を重視している。カウのメンバーが顔を合わせる機会となる死者儀礼に幼い頃から参加し、母や上の世代の人々から伝え聞くことで、人々は自分がどの墓地に集団に属すのか、同じ墓地に入る人は誰なのかを経験的に認識していく。とはいえ、カウの中で何世代にもわたる具体的な系譜関係が広く共有されているわけではない。祖先祭祀に長年携わってきた60歳以上の女性であれば7、8世代くらい前までの祖先は覚えているようだが、定期的に行われる祖先祭祀は系譜的に遠い人も含めたカウのメンバーが1カ所に集う盛大なものではないし、供養の対象となる祖霊は母方と父方の双方を対象にしていることの方が多いため、若いメンバーはカウの境界の認識が曖昧である。そのため、交際当初は知らなかったがよく調べると同じカウのメンバー同士で、結婚寸前に泣く泣く別れる羽目になった、という事態がまれに生じるらしい。

共同墓地や墓以外に、カウの祖先と特別な関わりがあるとされている神（ヤーン）も集団の象徴の1つである。カウの神は通常、カウの末娘の系統の女性の家に祀られているが、メンバーの中に「カウの神のお告げをえた」という女性が現れると、この女性の家で祀られる。人々は原因不明の病に見舞われた時など、状況に応じて規模の異なるリジャと呼ばれる儀礼を行い、この神を供養する。大規模なリジャ儀礼であればカウのメンバーが多く集う機会になるが、そうしたリジャは滅多に行われない。そればかりか、リジャ儀礼には南北統一後の政府が撲滅の対象としてきた『迷信異端』とみなされる要素もある。これらの事情が重なったためか、２００３年頃の時点では、自分のカウの神について知らない人や関心を持たない人も少なくなかった。

ところで、妻方居住という住まい方を女性の視点から眺めてみると、母や姉妹の近くに暮らすことができ、外での仕事や農作業と家事、育児・介護の両立もしやすく、気兼ねなく過ごせる環境にあるといえるが、男性にとってはどうだろうか。筆者が滞在した村では、多くの男性が妻の両親や姉妹の家族に囲まれて暮らしていたが、どちらかというと妻は甲斐甲斐しく家事をこなし、夫のためにきちんと食事を用意し、常に夫に気を配っている印象を受けた。聞けば、女手一つで農業はできないので、大黒柱である夫にはできる限り居心地良く暮らしてもらおうと気を配る女性は多いそうである。夫の方は、農作業はもちろん、妻の家で儀礼が行われるときは儀礼小屋を立て、供物となる動物を屠り、力が必要な仕事をこなすが、わりと気軽に自宅と生家を行き来していた。同じように、妻の兄弟が実家に戻って農作業を手伝ったり、お茶を飲んでくつろいだりする様子もしばしばみられた。

冒頭のことわざで見たように、財産の相続という観点からみればチャムの男性の地位は確かに女性よりも低いと言えるが、社会的な権威は一般に男性に継承される。カウのメンバーが主体的に行う儀礼の日取りの取り決めや宗教職能者との接触などは年長の男性メンバーが中心となって行うし、若者は結婚したい相手がいれば両親だけでなく母方のオジの意見も聞く。つまり「婿入り」した男性は、家族・親族関係においては「夫」、「父」、「婿」の他にカウの「母方オジ」という役割も担っているので、実家の様子を見に帰ることも彼らの役割の1つなのだろう。

男女の役割を伝えるよく知られたチャムの伝承は、女の本分は子を産み育てて家を守ることにあると伝える一方で、男の本分は戦いや文字・知識の継承にあると伝える。実際、村の運営に携わる人や知識人のほとんどは男性である。母系社会といえども、社会的に権威を発揮するのは一般には男性なのである。

中南部より南のベトナム南部の社会は、東アジア的な特徴を持つ北部平野の社会に比べると一般に緩やかで、東南アジア平野部に広くみられる双系社会といわれる。メコンデルタには、父系親族集団ゾンホの紐帯が重視されるキン族でさえ、父系という単系的な系譜関係にこだわらない、父と母の双方の親族とのつながりを重んじる人々が暮らす地域や、結婚後に親と同居する子どもは長男ではなく末子が一般的、という地域は珍しくないようだ。こうした双系的な社会は、双系社会を形成してきたクメールや母系社会を形成してきたチャムなど、中部、南部の先住民の社会に華人やキン族が加わり、文化的な背景の異なる人々が混住し、通婚することによって形成されてきたのであろう。（吉本　康子）

21

家族関係

――★主に北中部のキン族の家族関係に焦点を当てて★――

「もう2人目は生みたくないわ」

育児に追われながら都会で働く女性達は、自身のキャリアと家族との間で揺れている。ハノイやホーチミン市など大都市に林立する新築の分譲マンションに居住する30代若夫婦は、主に大学進学とともに地方の田舎から上京し、都会で自活することに慣れている。高い生活費や教育費は夫婦共働きであっても、家計を圧迫する。双方の親は遠くに離れて住むため、子ども夫婦の育児サポートをすることはできない。また都会の住宅事情は農村部と異なり、狭いスペースに大家族で同居するには不向きである。

しかし、現実的には、特に1人目が娘であれば、息子を求める夫や義父母の強い要望をかわすのは容易なことではない。ある妻は、「革命に熱心に協力しないと外でつくるぞ！」と夫に脅され、やむなく2人目を望む夫の意向に同意したとため息をつく。

人口抑制政策によりベトナムの合計特殊出生率（TFR、1人の女性が一生に産む子どもの数）は1960年代末の6・5人弱をピークに1970年代後半から1990年代にかけて急激に低下し、2000年代前半は2人を下回ったものの、近年は2人強で推移している。すなわち、女性1人が産む子どもの数は、約50年間で3分の1に縮小したことになる。これは、中国の1人っ子政策と同様、当時食糧不足を解決するために人口抑制政策が取られた結果である。違反すると、昇級や昇進の停止などペナルティを課された。しかし、21世紀に入り、「ふたりっ子」政策は緩和されたにもかかわらず、TFRは低いままである。これは、少なく産み、1人ひとりの子どもへの教育投資に集中させる親が増加したためである。

一方で、出生比が近年大きく男性に偏りつつある。とりわけ開拓の歴史が古く人口稠密な紅河デルタ地域における男女の出生比（SRB、女児100人当たりの男児の出産数）の偏りが最も大きい（第23章「ジェンダー」参照）。父系親族システムをとるベトナム（キン族）社会において、少子化と男児選好が同時進行していることを示している。この理由として、まず親の老後の介護に責任を負うのは息子たちの重要な役割とみられていること、さらに伝統的に父系親族の系譜を継続させる役割を負い、共通の祖先祭祀を継承していくために息子を欲することが挙げられる。それとは対照的に、SRBギャップが最も低い地域は、チャムやエデなど母系制社会の少数民族が多く居住する中部高原や、先住のクメール人口が多く、華人やキンなども居住するマルチエスニックな社会で、開拓移住の歴史が比較的新しいメコンデルタである。このように、北中部は父系血族が強い集団性を示すが、南部はより緩やかで双系的なネットワークの関係性の累積がみてとれる。

夫方居住をとるベトナムの居住形態は、主に親と息子家族との親子同居が選択される。2019年に実施されたベトナムの高齢者ケアの実態調査の結果をまとめた東アジア・アセアン経済研究センター（ERIA）の報告書によれば、高齢者の66％が成人した子と同居している。隣・近居を含めば8割に達する。ベトナムに限らず、新興国において多世代同居が多い理由として、年金やヘルスケアなど公的社会保障が十分でないことから、親の生活が楽になるよう孝養を尽くすことが親孝行だと考えられていることが挙げられる。

ベトナムの親子同居は、日本の一般的家庭にみられるような長子（主に長男）夫婦との長期な親子同居と異なり、息子たちの結婚サイクルに応じて親子が数年間同居することが多い。同居には主に2つの段階がある。第1段階は、同居・共食する完全同居で、家計を共にする。次の第2段階は、同居・別食の半同居で、家計は別である。この段階では、息子夫婦は自分たちだけの調理道具を購入し、共用の台所では親世帯と子世帯で時間をずらして別々のメニューの料理をすることが多い。独立する準備が整えば、最終段階として、息子夫婦は親の屋敷地内に別棟を建てて別居する。このパターンを息子の数だけ繰り返す。つまり、親子同居は必ずしも特定の一子ではなく複数の息子たちが順番に親と住まいを共有する慣行の結果なのである。その後、親世帯と複数の既婚息子世帯の隣・近居による緩やかな父系の屋敷地共住集団が形成される。

親と同居別食する息子家族専用の部屋（ナムディン省バックコック村、2016年12月）

ローテーション・ケア（ナムディン省バックコック村、2016年12月）

また、もう1つの親子同居のユニークな形態として、独立した複数の息子家族の家に親自身が一定期間身を寄せる同居パターンがある。筆者は紅河デルタのある農村で、90歳近い高齢の女性が、近所に住む複数の息子たちの家をめぐって食事や身の回りの世話を受けるローテーション型の「同居」に遭遇したことがある。寡婦である女性は6人の息子がおり、近隣に住む4人の息子の家庭を気ままに移動していた（写真は、ちょうど次男家族のところに身を寄せていた）。彼女を受け入れる各家庭では、咀嚼に困難のある彼女のために、柔らかく炊いた飯米を個別に用意するという。また、家族の祭壇は長男の家に備え付けられ、夫の命日祭祀もここで執り行われ、費用は息子たちが均等に支出する。このローテーション型「同居」は先のERIAレポートでも「最も好ましい居住形態」と高齢者に認識され、高齢者の精神的幸福感を高めることに役立っていると報告されている。

以上みてきたように、ベトナムの父系家族・親族関係は緊密で、多世代に及んで範囲も広い。その文化規範の重みを女性の視点から捉えるのに最適なのが、ズオン・トゥー・フオンの『虚構の楽園』（1988年）である。この小説はある母と娘、そして父方の伯母を中心に、血縁関係、地縁関係など、1950年代半ばの土地改革期から現代までのベトナム北部農村の閉塞した社会関係を描く。同書に登場する男たちは家庭を顧みず共産主義イデオロギーの大義を振りかざす一方で、身内にカネの無心をする情けない存在である。他方、女たちは困窮した生活を再建し、家族関係をつなぎ、世代を継承する存在として描かれる。つまり、自分を犠牲にして他者（ここでは男性）の要求や期待に応える献身的な女性が描かれているのである。

作者は、家父長制に苦しむ犠牲者であるはずの女性たちが個人の解放に向かわずに、むしろ家族・親族の幻想にしがみつき、その存続に躍起になる姿を娘のタムの視点からシニカルに描いている。家長が不在の中、性別役割意識に基づくジェンダー序列が炙り出されている点で、同書は大変興味深い。社会主義革命以前の伝統的文化規範は見事に生き延び、ドイモイ以降は再び息を吹き返したようにみえる。父系親族の結びつきが強く（第24章「セクシュアリティとLGBTQ＋」参照）、その繁栄を担う男子は「家宝」であり、父母にとって自分たちの死後も世代を超えて供養・祭祀してくれる貴重な存在なのである。

共産党批判を含むこの作品でズオン・トゥー・フオンはベトナムの作家連盟を除名され、現在でも彼女のすべての作品は禁書扱いされている。２００６年に国際文学会議に招かれてフランスに渡って以来、彼女はフランスに在住している。

（岩井　美佐紀）

22

社会移動

★ローカル・ナショナル・グローバル★

市場経済化による経済発展が本格化して以降、ベトナムでは急ピッチで都市開発が進む。首都ハノイや商都ホーチミン市の中心部はベトナムの経済発展を象徴するように、先進国並みのきらびやかなショッピングモールが林立し、街行く人たちのファッションも垢ぬけて高価なスマートフォンを手にしている。人びとの交通手段もバイクから自家用車へと変わりつつある。街の郊外には大手デベロッパーが手掛ける美しい街路樹で植栽されたアスファルトの直線道路沿いに白亜の分譲住宅が立ち並び、ゲートで守られる集住区がのどかな農村風景を一変させた。

首都ハノイは、ハノイ1とハノイ2と区別されて呼ばれることがあるが、これは正式な行政区分ではない。2008年に、周辺地域がハノイ市に合併され、面積は3・6倍に拡大した。都市開発により近郊に住む農民は土地を手放し、農業を離れ、生活スタイルを一新させた。ハノイ2の住民の大半はこのような生業を変えた地元の人びとか、新興住宅街に転居してきたニューカマーである。城下町を中心に発展してきた市街地ハノイ1と周縁のハノイ2は、ちょうど京都の洛中を中心に洛外、さらに外延の市町村へと広がるのと同様社会空間の格差を示す

ハノイ郊外のマンション群（2019年8月）

表現なのである。

ここに面白い社会階層に関する調査結果がある。博報堂がASEAN5カ国でそれぞれ500人を対象に行った階層意識に関する調査（2015年）によると、ベトナムは収入で規定される中間層の割合（55％）と「中間層」を自認する人びとの割合（96％）とのギャップが5カ国中最大であった。同報告では、後者を「継ぎ目のない中間層（seamless middle）」と定義している。このような潜在的中間層は、インドネシアに関する研究書では「疑似中間層」と呼ばれる。彼らは収入では中間層の基準を下回るにもかかわらず、中間層並みに旺盛な消費行動を示す。例えば、自身の給与の数倍もする最新のスマホを20代の若者が競って購入する。欲しければどんなに高くても、親や友人に借金をしてでも手に入れる。30代以上になると、より高額な資産、住宅とか自家用車など、自身のステータスや希望の生活を手に入れるためにせっせと倹約に励む。明るい未来に向かって楽観的に生きる、まさに継ぎ目のない「気分は中間層」が今日の消費ブームを支え、経済成長を牽引している。

ハノイ2に住む「気分は中間層」の大半は、高等教育を大都市で受け、農村で農業や零細自営業を営んできた親世代よりもはるかに高い学歴をもち、都会で定職を得ることによって自身の職業階層の上昇を経験している。

自身と家族の生活水準の向上への飽くなき希求こそが、社会移動の大きなモチベーションとなる。

近年、加速する人口流入に様々な都市機能が追い付かない状況が続いている。その最たるものが、戸籍制度（hộ khẩu）問題である。戸籍制度はそもそも家族世帯に基づく人口管理方法である。ドイモイ以前の配給制度下では、全ての食料や生活物資は国家に一元管理・配給されていたため、戸籍は市民生活を営む生活の基として死活問題であった。そのため、都市への人口流入を防ぐために、特に農村の住民は移住など行動の自由を制限され、物理的な制約を課された。

ドイモイ以降、この厳しい移動制限も段階的に緩和されてきた。ベトナム政府は、2006年に改正された「居住法」第3条項で居住の自由を保障し、続く2017年10月には戸籍台帳（用紙）の配布手続きを正式に廃止し、個人単位のマイナンバーによる住民管理システムに移行しようとしている。このような移住に関する規制緩和は、これまで厳然とあった都市と農村の境界をなくし、「継ぎ目のない」都市化を拡大させている。

一方、都市でインフォーマル経済に従事する出稼ぎ労働者が被る様々な機会の喪失は極めて大きい。ホーチミン市では約270万人もの住民が戸籍を持たないといわれている。戸籍がないと、健康・福祉サービスを受けたり、子どもを就学させたりできず、求職の際にも書類不備で受け付けてもらえないので、都会で安定した職に就くことは難しい。そもそも出稼ぎなどで農村から移住してくる人びとは、とりたてて専門知識もスキルも持っていない。したがってベトナムで戸籍を移すことは容易なことではない。ただし、戸籍を持たない出稼ぎ者が全て「不法居住者」というわけではなく、ある手続きをすれば一定の身分は保証される。それは、地元の人民委員会に「一時不在」（tạm vắng）を申請し、受け取った書類を都会の移住先の公安に「仮寓」（tạm trú）登録するという方法である。ただし、定期的に期間延長の手続きを取り続けなければ、不法滞在で処罰の対象となる。

ベトナム人の国際移動は、かなり以前からすでに始まり、在外ベトナム人が定住するコミュニティも世界各地にみられる。さらに近年、グローバル化に伴う労働力移動が顕在化し、「移民の女性化」と呼ばれるように、その主要なアクターは、農村の貧しい家庭出身の結婚移民や家事・ケア労働者たちである。これは、主に東アジアの先進国における少子高齢化や女性の社会進出など、急激な社会変化に伴って引き起こされてきた共通の現象である。その特徴は、途上国のローカル（農村）と先進国のローカル（農村）がダイレクトにつながることで、社会階層は上昇せずとも生活水準が向上することを意味するグローバル・ハイパガミーと定義される国際結婚に端的にみられる。

台湾や韓国では、農村在住者や都市の零細自営業者の間で深刻な「嫁不足」に悩まされ、そのニーズを満たすために国際結婚を斡旋する「ブローカー婚」が１９９０年代後半から急増した。ベトナムは最も多くの結婚移民を輩出している。２０２１年現在で台湾では11万人以上、韓国では約８万人ものベトナム人花嫁が嫁いでいる。彼女たちの大半は結婚後、働いた稼ぎを郷里の実家に仕送りすることで、豊かさを分かち合う。また、グローバルなケア労働市場の需要拡大により、ベトナムの農村から「おしん」と呼ばれる家事・介護労働者が台湾など東アジアをはじめ、中東諸国にも出稼ぎに行く。その大半は既婚女性たちである。専門的な技能や資格を持たない彼女たちにとって、海外就労で得られる収入をベトナム国内で稼ぐことは極めて難しい。したがって、ここでもケア労働の国際移動は階層の上昇を伴わない経済的上昇が可能となる。

韓国に嫁いだ娘からの仕送りで建てた新築の家（ハウザン省ヴィタン村、2017年8月）

外国に嫁ぐ娘や出稼ぎに行く母親たちの定期的な仕送りのおかげで、郷里の実家はピカピカなタイル貼りのカラフルな2階建て「御殿」を新築し、趣向を凝らした調度品や家電製品で屋内を飾るなど、都市中間層の生活様式を存分に享受する。学齢期のきょうだい・子どもたちの学費を捻出することも可能となる。学歴をつけた次世代はホワイトカラーになり、階層を上げることも可能となる。この「成功」物語は、近所に住む女性たちへの圧力となり、継続的な越境移動の動力となる。

このように、ドイモイ以降のベトナム社会はグローバル化を貪欲に取り込みつつ、階層の「継ぎ目」も国境も軽々と超えながら、ローカルの人びとの社会移動を促進し続けている。

（岩井　美佐紀）

23

ジェンダー

★公的領域と私的領域のあいだ★

毎年末に世界経済フォーラムから公表されるジェンダーギャップ指数の順位で日本は120位（2021年）と、常に低迷している。お隣の韓国は102位で、ここ数年で順位を上げているものの、兵役がある男性側から「逆差別」と反発を招いている。ベトナムは87位で、東南アジア内でも5位に位置し、いわば優等生である。具体的に日本とベトナムを比較してみると、日本の場合、教育と健康面では高い水準にあるにもかかわらず、女性の政治参加と経済活動（賃金比率）においてはジェンダー格差が大きい。ベトナムの場合、女性は結婚後も働くのが当たり前という風潮のなか、労働力率（15歳以上）が7割を大きく超え（2020年データで第17位）、相対的に男女間の賃金格差は世界の水準からみればそれほど大差はない。幼い子どもの面倒を見てくれる同居や隣・近居する祖母や親族たちの協力を得て、バリバリ働きながら子育てするたくましい女性像が浮かび上がる。ただ、職種や待遇などでみると、零細な自営業や事務職のパートに従事する女性も多く、正規雇用の機会は男性よりも少ない。

加えて、正規雇用においても、女性たちのキャリア形成を

ハイズオン省党委員会書記当時のグエン・ティ・キム・ガン氏（ハイズオン省、2005年）

制約する要因の1つに退職年齢の不平等がある。ベトナムの労働法によれば、公務員や国有企業従業員である女性の退職年齢は男性の退職年齢60歳よりも5歳早く設定され、55歳と規定されている。しかし、近年ベトナムの平均寿命も長くなり、高学歴をつけて社会進出を果たす女性たちが増えてくると、女性の定年を男性と同じ年齢に引き上げることを求める声が高まってきた。労働・傷病兵・社会省は２０１９年に労働法を改正し、２０２１年から女性の退職年齢を段階的に引き上げ、２０３５年には60歳定年を達成することを目標としている。女性の定年引き上げは、彼女たちのキャリア開発や地位向上のための長期的な戦略として肯定的に捉えられている。今後専門職や管理職を目指す女性たちが増えることで、女性の働く環境の改善を求める動きがさらに加速していくように思われる。

一方で、男女格差の是正が最も遅れているのが政治分野である。２０１３年の改正憲法で「政治分野のジェンダー平等を目指す規定」が明記された。近年、国連ＳＤＧｓのジェンダー平等を意識した具体的な目標値全体の約3割程度もその規定に定められているが、実際に「男性主導」の世界を切り崩すのは極めて難しい。とりわけ、共産党内の要職に占める女性幹部の比率は極端に小さく、狭き門である。２０２０年時点で省レベルの女性党書記は全国で3名、全国で5％に過ぎない。さかのぼること十数年前の２００５年、筆者は幸運にも当時ベトナム北部ハイズオン省トップの党委員会書記だったグエン・ティ・キム・ガン氏に面会することができた。彼女は南部ベンチェ省出身だが、「我々の意見に耳を傾け、良いと思ったことはすぐ実行してくれる」と、この北部の農村で新風を巻き起こす大変評判の良い政治家だった。実際に会ってみると、想像とは逆に彼女は物静かで、「高校生の息子をハノイに置いて単身赴任しているの」と寂しそうに語っていたのが印象的だった。２００７年、彼女は労働・傷病兵・社会問題省大臣に任命され、２０１３年には政治局員に選出された後、ベトナム初の女性国会議長になるなど（在任２０１６〜２０２１年）、華々しく権力の階段を駆け上っていった。

他方、選挙によって有権者の洗礼を受ける国会・地方議会議員の女性比率は共産党の要職者の比率よりも比較的高く、２０２１年に選出された国会議員の女性比率は30・26％であった。ただ、地方議会の副議長は20％に対し、議長となると６％に大きく低下する。同様に行政職では、人民委員会の部局長職で10％前後、主席となると２〜３％となる。地方の父系的親族関係や地縁組織のローカル色が強くなるほど女性の進出が阻まれる結果となっている。

さて、家庭内でのジェンダーギャップはどうだろう。就労するのは当たり前、家庭内の仕事も妻が負担して当たり前、というダブルバインド状況はドイモイ以前から続いてきた。このことから、ベトナムの社会主義は家庭内のジェンダー平等よりも、女性たちに対し母として、妻として、嫁としての性的役割を担わせることが強調されてきた。連綿と続く抗米戦争期に展開された「３つの担当」というキャンペーンは、国防と生産など公的領域に加え、家庭という私的領域も国家動員システムに組み込むことで、戦争を銃後社会で支えた。女性史家のレ・ティ・ニャム・トゥエットは著書で「慈愛の心はベトナム女性の核心である」と母性を強調し、「世代を超えて英雄的兵士を産み育てた南北の母親たちに感謝している」というホー・チ・ミンの賞賛の言葉を紹介している。戦後20年近く経って、国は従軍した夫や息子を亡くした高齢の女性たちに「英雄的ベトナムの母」の称号を与え、毎月生活手当を支給し、死亡後は葬式費用も面倒をみる。

この性役割規範はドイモイ以降、ベトナムが豊かになるにつれ、むしろ強まっている。それは、男児選好の傾向がより鮮明に表れていることからも見てとれる。例えば、男女の出生比（SRB、女児100人当たりの男児の出産数）に顕著な違いがみられる。性別識別を可能にする超音波技術により、出生前の性別診断が可能となった。その結果、性別選択的中絶が増えている。このような出生比の不均

英雄的ベトナムの母のモニュメント（クアンナム省、2018年）

「英雄的ベトナムの母」たちの写真と彼女たちを訪ね肖像画を描いた画家ダン・アイ・ヴィエット（Đặng Ái Việt）が乗っていたバイク（ハノイのベトナム女性博物館、2016年）

衡は将来的に深刻な人口の男女比の不均衡を引き起こす。急速に少子化が進む中で、男性人口の余剰は将来的に、現代の中国のように、成人した男性の結婚難を解消するために若い女性たちを誘拐したりだましたりして連れ去る人身売買を助長する要因となる可能性もある。

特に男児選好が顕在化したのは2005年以降のことで、ピークは2013年と言われている。地域別にみると、北部ベトナムが相対的に高く、とりわけ紅河デルタ地域が最も高い。同地域の2010年から2014年までのSRBは117・4で、なかでも、経済発展が著しいハノイ近隣の複数の省では125にまで達している。また、社会経済レベルで比べると、比較的学歴の高い富裕層のSRBが最も高く、貧困・最貧困層に比べるとその数値の差は歴然としている。ただし、これらの階層も豊かになるにつれてSRBの数値は上がり、男児選好の傾向を強めている。このように、最先端の技術をより多くの層が利用できるようになった結果、男児選好の傾向が加速したということである。とりわけ富裕層にとって、保有資産を分散させないための方法は、伝統的な父系社会の慣行に則り、息子たちに相続させることであるという心理が強く反映されていると思われる。

「公的領域」におけるジェンダー不平等は今後大きく是正されていく可能性は高いが、むしろ深刻なのは、可視化されずに拡大する「私的領域」のジェンダー不平等かもしれない。将来、「公的領域」と「私的領域」のギャップを抑えつつ、いかに包摂的な共生社会を構築していくかが問われている。

（岩井　美佐紀）

24

セクシュアリティと LGBTQ+

★権利擁護運動で変わる政治と価値観★

2013年秋。ハノイ中心部で「トイ・ドンイー」(私は同意します)と声を合わせる若者たちの姿があった。これは、憲法改正を前に同性婚の合法化を訴える署名運動の一コマである。集会の自由が保障されていないこの国で、性的マイノリティの権利擁護運動が広がったことは、英語圏や日本でも広く報道された。運動に押され、政治家からも同性婚の合法化を推進する発言が出るようになっていた。

こうした運動は、前年からうねりを見せはじめていた。2012年にはベトナムで初めての「プライド・パレード」(性的マイノリティの誇りや尊厳を称揚し訴えるパレード)がハノイで、翌年にはホーチミン市で開催された。ただしハノイでは当局との調整の結果、路上でのパレードは実現せず、代わりに参加者は自転車で中心部をまわったという。イベントの様子はSNSで拡散され、ベトナム各地で若い世代の当事者・支援者を中心に「プライド」が少しずつ広がっていった。

一方ベトナムにおいては、異性婚の夫婦と子から成る家族規範や、さらにその前提として人間は男女のどちらかの性別に分けられるという社会的規範が強固にあった。そこから外れた性的指向・性自認をもつ人々は、しばしば犯罪や麻薬といった社会的悪と関連付けられ、あるいはＨＩＶエイズ感染症と結びついたものとして病理化されてきた。筆者が当事者（１９８０年代後半生まれ）に聞いた話によると、高齢であればあるほど、自らの性的指向・性自認を表に出さずに「一般的な」家庭を築き、人生をやり過ごす人が多かったという。

ベトナムの性的マイノリティをスティグマ化してきた歴史的背景については、いくつかの説明がある。異性装で儀礼を行う宗教者の存在や異性装を好んだ王族の記録、皇帝の両性愛指向の逸話などから、ベトナムでは多様な性的指向・性自認のあり方が受け入れられてきたが、フランス植民地期にフランス人らが同性愛的行為・異性装を非道徳化したとする説。逆に、植民地化以後、ヨーロッパからの男性がベトナムの若い青年と性的関係を結んだことによって同性愛的行為が広まったとみるものもある。このように、同性愛の非道徳性を外来のものと結びつけて位置付ける説明は、

ハノイ・プライドのシクロ・自転車パレード（2022年9月24日）

2018年の「ハノイ・プライド」では、各地で集まった参加者の写真が展示されていた。この写真は、北部のナムディン省での様子（2018年9月17日）

例えばゲイ男性やトランスジェンダー女性（しばしばこれらを混同する人も多い）を指して呼ぶ俗語「ペー・デー」の語源を、フランス語の「男色」を意味する pédérastie に求める説明とも符合する。

この言葉は現代において嘲笑的に使われることも多く、それは性的マイノリティへの世間のまなざしを反映している。当事者・支援者団体の社会経済環境研究所（iSEE）による2016年に公表された調査によれば、63の省・中央政府直轄市の2363人の性的マイノリティのうち、約3割が性的マイノリティであることを理由に就職を断られ（トランスジェンダーの場合は約6割に上る）、約4割が否定的な言葉や卑劣な行動に遭ったと答えている。性的マイノリティを指す俗語に「ボン」（「影」の意味）が用いられるのも、このような社会の多数派《マジョリティ》による否定的なイメージに起因しているのだろう。

こうした状況を受けて、2000年代の後半から、性的マイノリティの平等な権利獲得を目的とした団体が相次いで設立された。かれらは当事者の支援運動とともに政府や政策立案者、メディアに対する性的マイノリティが直面している問題の理解を促す啓発運動を展開しながら、時に欧米や東南アジアのNGO・啓発団体とも連携してきた。

これらの団体が共通して求めてきたことの1つが、冒頭で紹介した同性婚合法化である。2012年当時、同性どうしで結婚式を挙げたカップルに対して罰金刑が科された事例が国内メディアで報道され、多くの人の関心を集めていた。それに対し、団体は「愛は公平」で誰もが人を愛する権利を等しくもっているとし、積極的なロビー活動の結果、司法省や保健省は好意的な見解を発表するに至った。結果として、同性どうしの結婚式を開催しても罰金は科されなくなり、挙式に公権力が介入する根拠はなくなった。しかし保守的な意見も根強く、結局は同性婚そのものが制度上の婚姻として認められる法改正には至っていない。

同性婚容認と並行して期待されていたのが、性別の変更をめぐる法整備である。登録上の性別を変更できないことはもちろん、外科的手術を施して希望する性別に近づける性別再適合手術が違法とされてきたことで、性自認に悩む人々は、タイなどの国外で手術を受けるか、それが経済的に叶わない場合には、闇ルートで入手したホルモン剤を自己投与するしかなく、多くの健康被害が出ていた。

同性婚の問題に比べて、性別変更の制度化は円滑に進んだとみられている。2015年には性別再適合手術が違法ではなくなり、手術を受けた後であれば戸籍上の性別・名前の変更を可能とすることが決まった。しかし2022年3月の時点でも、手術や性別変更を進める具体的な手続きは定められておらず、実際に性別変更の規定が運用されているとはいいがたい。また、性別の変更に外科的な手術を必須とするのは人権の観点から問題だという批判もある。

このような問題点を含みながらも、同性婚と異なり、戸籍上の性別変更については国会で多くの議員が賛成した。また、世論も賛成が多いとされる。これはなぜか。長らく性的マイノリティの健康問題について支援活動に関わってきた医師によれば、多数派《マジョリティ》の人は、概して、戸籍上の性別変更を、当事者自らが希望する性別に一致するよう「治す」こととして捉えているからだという。言い換えれば、多くの人々は、生後あてがわれた性別と自覚している性別の不一致をある種の「病」と見なしている。このような認識のもとでは、性別変更は「治療」として必要なものと考えられるのだ。

同性婚容認と性別変更の法的整備。これらを求める人々はもちろん、それぞれ属性が異なる。英語圏で生まれた言葉「ＬＧＢＴＱ＋」は性的マイノリティとしてひとくくりにされがちだが、それぞれの頭文字が表すものは性的指向か性自認か、違った意味をもつ。ベトナムではこれまで、当事者の間に違いがありつつも、連帯し、声を上げてきた結果、国際的に注目される運動に結実し、限定的ではあれども一定の政治的成果を上げるに至ったのである。

第1回ハノイ・プライドから10年後の2022年、COVID－19の感染拡大後3年ぶりにプライド週間が催された。最終日には、シクロと自転車で市内をまわる企画のほか、週末の歩行者天国を歩く「パレード」があった（国連や欧米の大使館関係者も後援・参加していた）。休日を楽しむ人々にまぎれて移動する形式は、ベトナムの性的マイノリティの権利擁護運動が、10年前と変わらず政府と良好な関係を保てるよう、戦略的にならざるをえない様相を象徴している。

とはいえ、こうした運動から社会の多数派もたしかに影響を受けている。行政機関のなかでも、特に保健省が当事者からの働きかけに積極的に応じている。2022年8月、保健省はレズビアン、ゲイ、バイセクシュアル、トランスジェンダーを精神障害と見なしてはならないと明記した公文書を出した。中央・地方レベルの医療行政・医療機関向けに公式見解を発したという点で、非常に画期的だ。

また、社会へのインパクトにおいては、文化・芸術による影響も見過ごせない。当事者・支援者の現代芸術作家や映像作家の活躍により、性的マイノリティがからかいの対象としてではなく、そのありのままの姿が描かれる作品が次々とみられるようになった。ベトナムの性的マイノリティを通してみるベトナムの社会は、今、大きく、急激に変わっている。

（小田　なら）

25

高齢化とケア

★助けあいと自立のはざまで★

ハノイから南に500キロメートルほど行ったところにある中部地方のハティン省で、私は長いあいだ文化人類学の調査を続けている。2019年にハティン市にある革命功労者療養・社会養護センター（以下、センター）を訪問する機会があった。

このセンターはもともとベトナム戦争などで功績のあった高齢者の保養施設としてつくられたもので、労働・傷病兵・社会問題省の管轄のもと、全国各省に同様のものが設置されている。実際には、革命功労者以外にも、身寄りのない高齢者や、家族がケアしきれない障害者などが入居している。近年では、私費での短期・長期滞在も受け入れている。

ハティン省は人口が約150万人で、60歳以上の高齢者の割合は約13％である。しかし、高齢者養護施設の数は少なく、このセンターのほか、キリスト教系団体が運営する小規模な養老院（trại dưỡng lão）が2つあるだけである。ハティン省に限らず、全国的に高齢者養護施設の数はまだ少ない。

当時、センターには約100人が入居していた。元気な高齢者は相部屋に入居し、日中は中庭でトランプをしたり、自分で歩行訓練をしたり、静かにベンチに座ったりしていた。自主的に庭の畑の手入れをしている人もいた。食事は食堂に集まってみなで食べる。日本の高齢者施設のようなきっちりした日課はないようだ。一方、移動が極度に困難な入居者や精神疾患を抱えた入居者は鉄格子で隔離された住居棟に収容されており、食事も自室に配膳される。入浴や排せつを自力で行うことが困難な入居者のためのケア設備はまだ整っておらず、排水口のあるステンレス製のベッドに寝かされ、スタッフが定期的に体を洗ったりしてケアを行っていた。センターには入居中に亡くなった方を祀る祠堂も設置されており、身寄りのない高齢者の死を国家が看取る姿勢が象徴されているようであった。

ある国の高齢化について考える場合、単に人口学的な高齢者数の増加だけではなく、高齢化の中核となる世代の時代経験がどのようなものであったか、また、高齢化が起きた時期にその国の政治・経済状況がどのようなものであったかといったことが重要になる。ベトナムの場合、急速に進む高齢化の中核となっている世代は国土の南北分断、ベトナム戦争、そして再統一という激動の時代を経験した人々であり、また、彼らが高齢者になっていった時代は、国民生活を国家が丸抱えで保障することが建前となっていた配給制度から、自由主義と市場経済を取り込んだ新しい政治・経済システムへと社会が大きく変動していった時期であった。また、経済成長のなかで多くの人々が農村から都市へと移動していくなか、家族や親族が近くに住んでお互いに助けあうことがだんだんと難しくなっていった時期でもあった。

革命功労者としてセンターに入居していたある女性は、戦争に動員され中国国境に近い西北（タイバック）地方で活動しているときに、南部出身の男性と出会って結婚し、南北統一後は夫の地元に移り住んで暮らしていたそうだ。夫が亡くなったあと、夫の親族は彼女を引き留めてそのまま村で暮らすように言ってくれたものの、結局、1人で郷里のハティン省に戻り、その後、このセンターに入るようになったのだという。別の男性は、南北統一後にハティン省から南部に移動し、そこからさらに妻子を置いて単身でカナダに移住して、レストランなどで働きながら財産を築き、帰国後はカナダ政府の年金を受給しながら、私費でセンターに入居しているという。

こうしてみると、入居者の激動の人生がわかるとともに、センターに入居している人たちのなかには、まったく身寄りのない高齢者や重度の障害のために家族ではケアしきれない高齢者たちだけでなく、いざとなれば頼れる身寄りがいるにもかかわらず、あえて施設での暮らしを選んだ人たちもいることがわかる。

ベトナムでは、一般に高齢者のケアは家族が行うべきだと考えられている。ここには儒教的な「孝」の観念が大きく影響しているといえるだろう。老親のケアは息子たちとその妻、婚出した娘たちや未婚の娘たち、さらには孫世代などが分担して担うべきものだと考えられている。他方、高齢者の側からすると、そういった関わりあいへの依存を負担に感じ、できるかぎり自立していたいという想いを持つ人も多い。現地で調査をしていると、しっかりと親の面倒をみる子どもでありたいとする子ども世代と、できるだけ自由に独立して暮らしたいと思う親たちのあいだがしっくりいっていないケースに出会うことも多い。

２００９年に制定された高齢者法では、高齢者扶養の義務と権利が子どもや孫にあることが明記されている。ここには家族を高齢者ケアの主要アクターに据えたいという国家の方針が反映されているといえるだろう。他方、同法では高齢者の移動の自由を保障したり、高齢者の経済的自立を促進する施策を実施するよう規定するなどしている。このことは、高齢者の主体性を尊重するという理念の反映であると同時に、自由主義的な市場経済システムがますます重視されるようになるなか、高齢者にも自立した経済主体として自分のケアに責任を持ってもらいたいという思惑が透けて見える。

近年、ヘルプ・エイジなどの国際NGOの支援のもと「多世代相互扶助クラブ」運動がハティン省を含む全国各地で展開している。これは高齢者、女性、貧困層などを含む多様なアクターによるコミュニティ・ベースの相互扶助を実現するための取り組みである。そのなかでも、高齢者の健康増進運動や、見守りボランティア活動などとあわせて、高齢者自身の経済活動を支援する小規模貸付制度が重視されている。かつてのベトナムにおける高齢者イメージといえば、生産の一線からは退き、負担の少ない労働に従事しつつ、冠婚葬祭などの準備では全体に目を配り、宴会では上席で尊重され、また、家族や近所のもめごとがあればご意見番として仲裁する、といったような姿が思い描かれてきた。それに比べると、現在のベトナムでは、より自立的でアクティブな高齢者像が理想とされるようになってきているといえるだろう。

とはいえ、実際には本人の望まないかたちで孤立や自立を余儀なくされている高齢者は農村にも都市にも数多く存在する。本章で紹介したセンターのような施設がそのような現状に十分に対応しているとはまだいえない。多様な願いを抱えた高齢者への国家や社会の支援は喫緊の課題だといえる。政府は国民皆年金・皆保険に向け動きだしている。しかし、そのためには給与体系や税制の改革が必要であり、まだその道のりは長いように思われる。

（加藤　敦典）

26

福祉

★生きることを支える★

家族、親戚、隣人、友人、国家、社会組織……。互いに助け合い、活用できるものは活用しながら、ベトナムの人たちは生きている。多くの場合、その中心には家族がある。

そして、現在のベトナムで人々の生活を支える社会保障制度の柱は、公的社会保険網・社会扶助策・革命功労者補償策である（関連法については表1参照）。この中核に位置する公的社会保険網は、社会保険・失業保険・医療保険からなる。対象国民のすべてが、これらの保険に加入し、その傘の下で国民に最低限度の生活レベルを保障することを目指している。2020年末現在、それぞれの加入率は以下の通りである。社会保険は労働人口の約32・6％（約1610万人）、失業保険は労働人口の約27・0％（約1330万人）、そして医療保険は、人口の約90・9％（約8800万人）。

社会保険・失業保険の加入率が低いレベルに止まっている要因としては、以下のことが考えられる。（1）農林漁業労働者が多いこと、（2）非公式セクターの労働者が多いこと、（3）企業の大半が小規模であり、保険料の支払いを足枷として経営者が認識する傾向があること、などである。ちなみに、

表1　主なベトナムにおける福祉関連法

名称	制定、施行日
社会保険法	2014年11月20日制定、2016年1月1日施行
医療保険法	2008年11月14日制定、2009年7月1日施行 2014年6月13日に改正、2015日1月1日施行
労働法	2019年11月20日制定、2021年1月1日施行
雇用法	2013年11月16日制定、2015年1月1日施行
子ども法	2016年4月5日制定、2017年6月1日施行
高齢者法	2009年11月23日制定、2010年7月1日施行
障害者法	2010年6月17日制定、2011年1月1日施行
革命功労者優遇法令	2020年12月9日制定、2021年7月1日施行

出典：上記法律に基づき、筆者作成
注：以上は、本章執筆時における情報である

表2　社会保険・失業保険の目標加入率

	2021年	2025年	2030年
社会保険加入率	約35%	約45%	約60%
失業保険加入率	約28%	約35%	約45%
定年後年休受給率	約45%	約55%	約60%

出典：第12期党決議28号(2018年5月23日）に基づき、筆者作成
注：2021年段階におけるベトナムの定年退職年齢は、女性55歳、男性60歳。女性の退職年齢は2035年まで段階的に引き上げられて60歳、男性については2028年まで段階的に引き上げられて62歳となる予定である（政府議定135号、2020年11月18日）

２０３０年までの社会保険・失業保険の加入率目標は、表2のように定められている。ベトナムの人口に占める65歳以上の人口は、２０１１年に７％を超えた。世界保健機構（ＷＨＯ）の基準によれば、本書発行現在、ベトナムは「高齢化社会」に該当する。そして２０３６年には人口の14％を超え、「高齢社会」の段階に入るとの予測がある。年金に関わる社会保険加入率を引き上げることができるかどうかは、将来の高齢者福祉のあり方を左右する。これに対し、医療保険が高い加入率を達成している要因としては、⑴貧困世帯に属する者・重度以上の障害者・80歳以上の高齢者・６歳未満児、また傷病兵などの革命功労者といった社会政策対象者は、無料で加入できる措置がとられていること、⑵日常的な医療ニーズの高さ、などが考えられる。

ここからは、ベトナム南部のホーチミン市郊外（農村部）で暮らすＡさんの生活を通して考える。

Aさんは視覚障害者である。本章では、主に２０１９年時にうかがったお話に基づいて状況を見ていきたい。

優しい笑顔が印象的なAさんは、一人息子夫妻と孫、母親の5人で暮らしていた。隣家には、弟家族が住む。ご自宅は表通りから少し奥まった所にある。外から家に入る際には階段が数段ある。しかし、屋内の床はきれいにタイルが貼られており、移動に支障はない。高齢者法では60歳以上を高齢者と定めているが、もうすぐその仲間入りをする。Aさんによれば、国の障害者扶助制度に基づき、扶助費76万ドン／月（２０１９年末現在で1円＝約２０３ドン）を受給し、医療保険制度に加入している。社会政策銀行などからの借り入れサポート等も行うベトナム女性連合や、職業訓練支援等も行っているベトナム視覚障害者の会といった社会組織には、参加していなかった。

息子夫妻は、共に仕事を持ち、家計を支えている。彼らは職場で医療保険制度に加入しているとのことだった。母親は、80歳以上高齢者扶助制度に基づき、扶助費を得ており、医療保険制度に加入している。そして、Aさんの心を癒やしてくれる孫は、6歳未満児に対する医療保険制度に参加していた。普段、Aさんは、息子夫婦の出勤後、母親とともに孫の世話をして過ごす。床掃きや洗濯もする。食事は、母親が作る。空いた時間があれば、テレビを聴く。願いをうかがうと、「健康と、経済的に家族を支えることができたら」とAさんは答えた。

糖尿病を患うAさんは、隣町にある県病院（県は、農村部に位置する第2級行政区）に毎月通院する。Aさんは同病院に初診受診登録（ベトナムの医療保険制度では、初診を受ける医療機関を登録する）をしていた。旧病院建物の老朽化により移転、新築された県病院は、10の診療科、３４０床（２０１８年末段階）

ホーチミン市内で見かけた、社会保険、医療保険への加入を呼びかける標語看板

を有する総合病院である。通院には片道30分ほどかかる。息子が出勤前にバイクでAさんを連れて行く（２０１４年の調査時、Aさんの兄弟姉妹が息子のバイク購入費用を捻出したと聞いた）。そのため、料金を納めて、同病院の早朝診療制度を利用している。診療費については、医療保険診療の範囲内は給付率１００％であり、それ以外に薬代３～４万ドンかかる。軽い病気の時は、家の近くの薬局まで息子が薬を買いに行く。東洋医薬は服用に手間暇がかかるため、西洋医薬を選ぶ。

　このように、Aさんの生活は、ご本人のお力に加え、共に暮らす家族の働き・サポートとケア、そばに住む近親からの支援、そして国の扶助制度（扶助費、医療保険）の活用によって主に支えられていた。ベトナムの社会的弱者を対象とする筆者の調査経験に基づけば、組み合わせの種類、関係性の濃淡は様々であるが、多くの人々の生の営みの中心には、Aさんと同じように、周囲を取り巻く様々な主体（特に家族）とのつながりとその働き・作用、そして公的扶助との組み合わせが存在していた。

　Aさんのことで、少し心配がある。もし息子が失業したら、その生活はどうなるのだろう。個人の収入源は扶助費のみ。金額も外食で1日1杯のフーティウ（ベトナムの麺料理）を1カ月間食べられるかどうか。社会保険には加入しておらず、老後の年金も当てにできない。また、もし母親が少し体調を崩しても、生活の形は変更を迫られる。目が不自由なAさん1人で幼い孫の世話をし、食事の準備をすることは、容易でない。

このように、共に暮らす家族との役割分担や関係性は、1つのことで変わってしまう可能性を持つ。そして、少子化の進行など、工業化・現代化に伴う社会変容のなかで、家族に対する人々の基本的な認識の型と想定されてきた役割・機能も、変化するかもしれない。したがって、家族などの主体により担われるいわば「非公的な社会保障」は、ある程度の不確実性、脆弱性を常にはらんでいる。

最後にまとめると、ベトナムの人々にとっての福祉は、以下の3つの基本的課題を抱えていると思われる。1つには、社会保障制度の持続的な普及と充実を図ること。2つには、ジェンダー間の平等の実現に努めつつ、家族の機能など「非公的な社会保障」を守り、育み続けること。最後には、「非公的な社会保障」と社会保障制度との間における役割分担の最適解を、市場の役割・状況も考慮に入れながら、模索し続けること、である。これらの問題に対する取り組みの帰趨が、ベトナムにおける社会福祉の今後のありようを決めていくと考えられる。

（寺本　実）

27

教育制度と学歴社会

★進展する教育のドイモイ★

「10年の利益のためには木を植えよ。100年の利益のためには人を育てよ」。これはホー・チ・ミンが教育の重要性について語った言葉であり、現在でもベトナムの多くの学校ではスローガンとして大々的に掲示されている。この言葉に象徴されるように、ドイモイのもとベトナムでは「工業化」と「現代化」を成し遂げるため教育が一貫して重視されてきた。とりわけ近年、急速に市場化やグローバル化が進む過程では、東南アジア諸国や日本をはじめ広く国際社会で活躍できる有為な人材の育成が焦眉の急となっている。2022年現在、ベトナムでは従来の教育のあり方を「根本的かつ全面的に刷新する」という方針のもと、万般にわたる教育のドイモイが進められている。

ベトナムの教育制度は大きく、就学前教育、普通教育、職業教育、高等教育、生涯教育の5つの体系から構成されている。このうち普通教育段階は5年制の小学校、4年制の中学校、それから3年制の高校からなる5・4・3制をとり、小学校での教育が義務教育とされている。1991年に「初等教育普及法」が制定されて以来、法規や政策を通じて普通教育の量的拡大が目指されてきた。統計総局による調査結果をみると、2016

年の時点で小学校の（粗）就学率は100・2％、中学校では94・1％、そして高校では72・0％である。2001年時点では高校の就学率がおよそ30％に過ぎなかったことにかんがみれば、国民の高い教育熱を反映して、高校教育の急速かつ劇的な拡大が生じている。また、教育の量的な拡大に加えて質的な変容もめざましい。従来ベトナムでは「1つのカリキュラム、1つの教科書」と呼ばれる極めて画一的な教育体制のもと、教員による一方的な知識詰め込み型の教育が行われてきた。2020年度から実施されている新カリキュラムのもとでは、教科書検定制度の導入に伴い教科書は多様化しているし、児童生徒による知識の運用をはじめとして、「創造的能力」や「問題解決能力」など、「何ができるようになるか」という視点がいっそう重視されるようになっている。

ベトナムの高等教育システムにおいても量と質の両面で大きな変動が生じてきている。ドイモイ体制以前の高等教育は社会の一握りの「エリート」のためのものであり、大学は共産党や国家による厳しい管理のもとに置かれていた。しかしドイモイのもとでは、高等教育を国家が丸抱えするのをやめ、公立大学の法人化や運営自主権の拡大、民営セクターの導入が積極的に行われてきている。緩和政策による高等教育の量的拡大は著しく、1986年度では大学・短大の就学者数は10万人程度であったが、2015年度には200万人を超えるまでに拡大した。

こうした高等教育の拡大を支えてきた要因の1つが民営セクターの成長である。そこでは市場化の進展に合わせて民営大学の制度設計がたびたび検討されてきた。1990年代にまずは民立大学と呼ばれる、共産党が理事会と関わって大学を監督するいわば「社会主義的私立大学」の設置が進められ、実験的に高等教育の民営化が図られた。2005年には私立大学の設置が正式に認可され、通信系企

FPT大学本部（FPTグループが設立した私立大学であり、約3割もの卒業生がFPTグループ傘下の企業に就職する）

業のＦＰＴグループが設立したＦＰＴ大学をはじめ、大手ベトナム企業による私立大学の設置が進められている。公共性が重視される日本の私立大学とは異なり、当初ベトナムの私立大学では理事会メンバーがすべて株主によって構成され、株主総会により大学の発展計画や教育研究の方向性が決定される方式がとられていた。しかし私立大学の営利性が問題視されるようになるなかで、現在は私立大学の運営から株主総会の関与を除き、公立大学の運営体制とほぼ同様の方式によって運営することが定められている。とはいえ、ＦＰＴ大学など企業設立型の私立大学は共産党による運営への関与が弱く、母体である企業の理念に基づいた教育を行っている。これがベトナムの私立大学の特徴である。

後期中等教育と高等教育の拡大は、人々の進学意欲の高まりによっても支えられている。現在では高校を卒業したもののうちおよそ3人に1人が大学・短大に進学しているが、その背景にはベトナムの社会全体が学歴社会としての性格を強めてきていることが挙げられる。ドイモイ路線のもと農業社会から産業社会へと移行しているベトナムでは、より高度な専門人材の需要が高まっており、若者にとって相応の高い学歴をもつことが就職において有利になることは論をまたない。また、民間企業や公的機関で働くうえでより高いポジションへと抜けてきされるには、修士号や博士号などの高次の学位を取得することが求められる。このようにベトナムでは、社会的地位の上昇移動においてより高い学歴・学位を有することが必要となっているのである。

ベトナムの共産党や国家にとって国家発展のために重要なのはいち早く優れた人材を見つけ出し、質の高い教育を提供することだが、このことはよりよい教育を求める保護者のニーズとも合致する。近年では各地方省において「高品質学校」と呼ばれる中学校の設置が進められており、都市部を中心に中学受験が激化している。例えば、ハノイ師範大学附属中学校の2020年度の入試では240人の募集定員に対して約4000人の児童が受験しているし、ハノイ国家大学外国語大学附属中学校でも100人の募集定員に対して2019年度は約3000人の児童が受験している。都市近郊の富裕な保護者にとってはその子弟を国内外の有名大学に進学させるべく、まずは高品質中学校に進学させ、それから才能高校をはじめとする名門高校に進学させることが魅力的なルートになりつつある。

ハノイ郊外の中学校における「語文」研究授業の様子（机はコの字型に配置され、寸劇が取り入れられている）

ただし、大学・短大への進学状況には地域間・民族間で大きな格差が存在する。2016年の大学・短大の就学率は全国平均では30・5％であるが、都市部では54・2％であるのに対し、農村部では17・6％である。また、マジョリティのキン族が多く居住する紅河デルタでは同就学率は45・8％である一方、少数民族が多く居住する北部山岳地帯では11・3％、中部高原では9・6％に過ぎない。総じてベトナムの教育熱は高いと言えるが、生まれた場所によって高等教育への就学可能性は大きく規定されてしまうのが現状である。

現在ベトナムは教育変動の真っただ中にある。普通教育では教育の多様化が改革の方針となり、より創造的な教育が志向されているし、高等教育では大学の運営自主権が拡大するなかで「学術の自由」や「大学の自治」について検討するホーチミン市師範大学のような大学も現れてきている。こうした状況に対し、近年、共産党は学校における党末端組織の活動や思想教育を強化し、高等教育段階では大学の党委員会の書記が学長を兼務する「一体化」を通じて共産党組織の活性化を目指している。国家体制の維持という視点からすれば、ドイモイのもとで生じている教育の自由化や価値観の多様化といった動きに加え、共産党にとっては広がりつつある教育の格差にどう対応するのかということも重要な課題である。ベトナムの教育には共産党の領導のもとで国民統合を図る役割もあり、共産党による引き締めを伴いながらも、教育のドイモイは確実に進展しているのである。

（関口　洋平）

ベトナムと台湾の国際結婚

コラム5

ファム・ヴァン・ビック（岩井美佐紀訳）

ここで紹介するのは、台湾人と結婚したベトナム女性、チュエンのささやかな成功物語である。筆者はあるNGOを通じて彼女が家族と住む桃園市中歴区の自宅を訪ねた。久しぶりに聞くベトナム語による質問に、彼女は笑顔で心からリラックスして答えてくれた。居間には2011年に台湾の地方政府から授与された外国人花嫁を表彰する賞状や賞品が誇らしげに並んでいた。他にも、大事にファイルに挟んで保管していた彼女を称える多くの地元紙の記事を見せてくれたり、ベトナムで仕立てた自慢のアオザイの中でもとびきりのお気に入りを見せてくれたりした。彼女は、多様なコンテストの受賞歴があり、その中の1つが中国語で自分の人生を語るスピーチコンテストでの受賞であった。

チュエンは1979年メコンデルタのヴィンロン省で生まれ、高校2年生で中退した。彼女の夫は1962年生まれの機械技師であった。職場は男性が多く身近に女性と知り合うチャンスがなかったこともあり、すでにベトナム人女性と結婚していた夫の同僚の紹介で知り合った。彼女の家族は夫と子どもの核家族で、年に一度旧正月に嘉義の夫の実家を訪ねる。

チュエンは1999年に結婚し、2人の息子に恵まれた。息子を産んだため、男児選好の台湾社会において、彼女が他の女性のようなプレッシャーに耐える必要はなかった。しかし、長男が自閉症であることがわかると、その原因は彼女がベトナムで暮らしていた頃の枯葉剤被害にあったのではないかという周囲の心ない中傷が彼女に向けられた。当時、台湾政府の教育

チュエンさん自慢のアオザイ（2014年、桃園市）

部常務次長が外国人花嫁の出産に対し消極的な発言をしたことが物議を醸しだしていた。その人物が挙げた主要な理由は、彼女たちは貧困層出身であり、学歴も低いだけでなく、中国語も下手であるために、台湾の文化的・社会的価値や常識を十分理解できず、母親として立派に子どもを育て上げる能力に欠けているのではないかということであった。

ベトナム花嫁に限って言えば、当時の台湾の政界やマスコミ関係者たちは、彼女たちが別の意味で台湾市民の質を低下させるのではないかという懸念を抱いていた。つまり、彼女たちがベトナム戦争時にアメリカ軍が使用した枯葉剤被害の悲惨な後遺症を持ち込むのではないかという懸念である。したがって、外国人花嫁は生理学的に子どもを出産することのみ可能でありながら、子どもに台湾文化を継承させるのには適さない劣った存在と見なされていた。ベトナ

チュエンさんが受賞したスピーチコンテストの賞品（2014年、桃園市）

ム人花嫁に至っては枯葉剤の後遺症という別の偏見にも耐えなければならなかった。彼女たちは台湾文化の継承能力が劣っているとともに、健康な子どもを出産する能力にも欠けているということである。

世間の嘲笑や噂に心を痛めつけられて、ある時チュエンは孤独を感じ、絶望のあまり自殺を考えたことがある。しかしながら、結果的に彼女は困難に立ち向かい、自身を肯定する決心をしたのである。彼女が具体的に実践したのは以下の通りである。まず第1に、次男にテコンドーを習わせ、多くの競技会に出場させることで、彼が健康に生まれすこやかに成長していることを示した。つまり、長男の自閉症は単に偶然だっただけで、彼女が枯葉剤被害の遺伝子を持ち込んだせいではないことを証明したのである。第2に、外国人花嫁に対する世間の差別的な扱い方への対応である。チュエンは子どもたちの学校とのやり取りを自分でできるように、一生懸命中国語の勉強をした。台湾で暮らして半年後には、基本的な会話はネイティブと交わすことができたが、読み書きの習得のため夜間小学と中学で学び、台湾の中卒の学歴も手に入れた。彼女の中国語は徐々に上達し、地元で開催されるアオザイショーの司会を任されるまでになった。そして時々、地元の裁判所の通訳ボランティアも引き受けた。夫は彼女の社会活動を大いにサポートし、生前離れて暮らしていた姑も自閉症の孫の養育のために資金援助を惜しまなかった。

このように、チュエンは「文化程度が低い」「障害の遺伝子をもつ」母親という、世間のベトナム人花嫁に対する二重のスティグマに打ち勝つことができたのである。障害児である長男を懸命に育てた体験は彼女を大きく成長させ、孤立することなく社会との接点を持ち続けるモチベーションでありつづけたのである。このような弛まない努力の結果が、台湾政府当局からの表彰を受け、彼女の尊厳を高めたといえよう。

　台湾男性と結婚したベトナム人花嫁たちと共通するのは、チュエンが他のベトナム女性の1人として、仲介人を通して夫と知り合い、夫との年齢差もかなり大きいという点である。しかし、他面、彼女たちと異なる点は、彼女の学歴は低くなく、夫は下層ではなく、夫婦は姑と別居していたということである。そのため、彼女が直面した国際結婚の試練は、他の花嫁たちとは大きく異なっている。彼女の場合、プレッシャーは多くの花嫁たちのように夫や姑からではなく、家族の外からもたらされたのである。チュエンの事例が最も際立った点は、彼女が不利な環境に甘んじることなく、むしろ強い意志を持って自己を肯定し、自身の立場を変えることで、ベトナム花嫁に対する台湾社会の世論の偏見を払しょくすることに貢献したことである。

コラム6

日本における継承語教育

安達真弓

一口に「ベトナムにルーツをもつ子ども」と言っても、現在日本には、ベトナム戦争終結後、1970年代後半以降に来日した難民の子や孫（2世・3世）だけでなく、国際結婚の配偶者や留学生、高度専門職人材として最近来日した人の子どもなど、多様な背景をもつ児童・生徒が在住している。そのような子どもたちは、家庭においてベトナム語を話していたとしても、家庭外では主に日本語を用いて生活していることが多い。というのも、（例えば、英語を用いるインターナショナルスクールや、韓国・朝鮮語を用いる民族学校などのように）ベトナム語を用いて教科学習を行う、外国人学校としてのベトナム学校はなく、彼らの多くは公立の学校に通い、マジョリティの児童・生徒たちとともに、日本語のみで授業を受けているからである。では、そのような子どもたちが親から受け継いだ言語としてのベトナム語を学ぶ機会には、どのようなものがあるのだろうか。

日本におけるベトナム語継承語教室の多くは、関東や関西（中でも特に大阪や兵庫）など、難民出身のベトナム系住民が集住している地域に存在する。その中には、公立小学校のクラブ活動や総合的学習の時間における国際理解教育として位置付けられているものや、NPOなど民間の団体によって放課後や休日を利用して運営されているものなどがある。また、東京や千葉で、難民出身者ではなく、就労や留学のために最近ベトナムから来日した保護者が自主的に継承語教室を起ち上げた例もある。これらのベトナム語教室では、ベトナム語の発音・会話や文字の読み書き、読解に加え、ベトナムの歌や獅子舞などの踊り、伝統的な料理、旧正月や中秋節といった年中行事などの文化的知識が教えられている。教鞭を執っているのは、難民出身者や留学生などのベトナム語母語話者、あるいは、多文化教育担当の学校教諭や日本人研究者など、ベトナム事情に明るい様々な人材である。近年、本国ベトナムでも海外在住の子ども向けの継承語学習のための教科書・教材が開発されはじめているが（例：Quê《クエ》 Việt《ベト》〈ベトナムというふるさと〉）、日本国内の継承語教室では、児童・生徒の興味やレベルに合わせてゲーム的要素や絵本の読み聞かせを取り入れたり、自作のワークを準備したりするなど、講師たちが独自のシラバスを工夫して作成しているのが現状である。

　中学生・高校生向けの継承語の授業や教室の数は、小学生向けのものと比較すると少ない。小学校高学年以降、思春期に差しかかった児童・生徒は、継承語学習よりもマジョリティの言語を用いた（日本で言えば、日本語を使った）活動の方に重きを置くようになることは、他の言語のコミュニティでも指摘されており、日本におけるベトナム語の継承語教室でもそのような傾向がみられる。他の日本人の学生と同様に、高校・大学受験のための教科学習やその補習に忙しくする中で、継承語学習のモチベーションを維持するにはかなりの努力が必要となるだろう。

　受験や就職活動を経験した後、自身の将来やルーツについて再考し継承語の学習に（再度）取り組みたいと考えた場合、現時点で継承語教室の代替となる可能性のあるものとして、（主にマジョリティの日本語話者に向けた）外国語としてのベトナム語教育がある。現在、関東や関西のいくつかの高校、大学、専門学校、社会人向け生涯教育講座などで、（多くは選択科目として）ベトナム語の授業が開講されている。例えば、2007年から毎年開催されている神田外語大学（千葉県）主催のベトナム語スピーチコンテストには、「ベトナム人の親を持つ学生」という部門が設けられ、学生がアオザイを着て、大勢の聴衆の前で自らのルーツについてベトナム語で発表する、数少ない機会となっている。さらにベトナム語の学習を深めたい場合、本国ベトナムの大学などに留学し、外国語としてのベトナム語の授業や、ベトナム語を使用して専門科目を履修するという選択肢もある。

コミュニティの祭りの試食コーナー。ベトナム風もつ煮と蒸し餅

継承語学習者がベトナム語を学ぶ目的は、親や親族とのコミュニケーションの円滑化、文化的な興味の伸長や民族的なアイデンティティの保持、将来のキャリアの選択肢を広げること、また、自身と似通った境遇にある仲間とのつながり・居場所づくりなど、多様なものが考えられる。日本に暮らすベトナムにルーツをもつ人々が継承語を学びたいと思った時、それが子どもの時期だけでなく大人になった後だとしても、そこにベトナム語やベトナム文化を学べる環境が整備されていることは、彼らの人生の選択において非常に重要な意味をもつ。そのためには当事者の努力だけでなく、マジョリティの理解と支援が必要なことは言うまでもない。

IV

多民族・多宗教の実相

右上写真から時計回りに、日本のカトリック教会におけるベトナム語ミサ、ムスリム・チャムの結婚式、クメール系上座部仏教寺院での儀礼、カオダイ教寺院で活動する信者たち

28

ベトナムの多民族性

★環境・社会・国家のなかの民族★

ベトナムには多くの民族が暮らす。政府も、自国を54の民族からなる多民族国家と謳っている。２０１９年の政府統計によれば、人口の約85％はキン（別名ベト）、残り約15％は53の少数民族である（巻頭の民族分布図を参照）。

ベトナムが多民族的であることをよりよく理解するために、生態環境が社会のありようをある程度規定してきたことを強調したい。例えば、平地は古くから国家が存在し、中華やヒンドゥーなどの文化的影響を受けてきた。北部紅河デルタに起源を持つとされる前述のキン、またはベトと呼ばれる人々は、漢字で「京《キン》（みやこびと）」、「越《ベト》」と表記する。かれらの越南《ベトナム》という国家は、朝鮮半島や日本と同じく、中華世界の影響を強く受け、儒教や道教、大乗仏教を受容してきた。平地沿岸部には、中国にルーツを持ち、かつてはジャンク船による国際的な海上交易に従事した華人《ホア》が、ホーチミン市などの都市部を中心に暮らす。中南部平野には、かつてヒンドゥーとイスラームの融合した土着の文化を築いたチャンパの末裔、チャムがいる。南部メコンデルタの広大な平野部に目を向けると、メコン川とその支流バサック川に、カンボジアやマレー海域世界との結びつきが強い敬虔なムスリムのチャムや、カンボジアのマジョリティと同様にクメール語を話し、上座部仏教を信仰するクメールが暮らす。

西北部山間の盆地に目を転じると、ラオスやタイ国にまたがって暮らすタイ系民族の1つで古クメール系の文字を継承するターイがおり、かつてはムオンと呼ばれる小国家を築いていた。北部山地には、中国西南部から東南アジア大陸部にかけて分布し、色鮮やかな民族衣装の製作で知られるモン（別名ミャオ）やザオ（別名ヤオ、またはミエン）、また平地のキンと同一系統の言語を話すが、山地という地勢的条件も関係して中華の影響を受けずむしろターイの文化に近いとされるムオンがいる（「ムオン」の語源はターイ語の「ムオン」）。北東部山地には、文化的にベトナム諸王朝や中国諸王朝の狭間で両方の影響を受けてきたものの、タイ系の言語を話すタイーやヌンがいる。

ラオスとカンボジアにまたがる中部高原（別名タイグエン）は、もともと国家の力が及びにくく、人口希薄であった。そこには、広大な森林地帯を利用して焼畑農業や狩猟採集を行う小規模な社会が各地で形成されていた。例えば、カトゥやバナ、コホは、オーストロアジア（モン・クメール）系の言語を話し、東南アジア各地に伝わる伝統的なゴング（銅鑼）演奏を儀礼で行うことで知られる。ジャライ、エデ、ラグライは、平地のチャムと似たオーストロネシア（マレー・ポリネシア）系の言語を話すが、チャムと違ってヒンドゥーやイスラームを受容せず、他方で近隣に暮らすオーストロアジア系の人々と共通した精霊（ヤーン）信仰を重視し、ゴング演奏を儀礼で行う。

このように、ベトナムに暮らす多様な人々は、現在の国境線を越えた範囲で、生態環境に応じ、周辺の社会と接触して相互に影響し合ってきた。このことを理解するには、南北に細長いその地理的領

少数民族政策として、公立学校で使用されるクメール語教科書の挿絵。ベトナムの諸民族が同じ「母なるヒョウタン」から誕生した兄弟とする国民的神話が描かれている

域がいかに形成されてきたのかを概観するとよい。北部紅河デルタに起源を持つベトナム国家は、長い歴史をかけ、勃興、衰退、分裂、滅亡を反復しながら、周辺の異なる文化的社会的背景を持った諸民族や諸国家と抗争、同盟を繰り返し、沿岸に沿って南方に開けた平地へ、その勢力を広げてきた。

ベトナムは、現ラオス、カンボジア側の西方や中国側の北方に広がる山地や盆地にも進出した。だが、湿潤な森林に覆われ、急峻で入り組んだ複雑な地形を持つ山地や盆地を、平地の国家が支配することは容易ではなかった。19世紀以前の山地や盆地は、在地諸民族の首長を介して間接的にベトナム王朝によって支配されていたに過ぎなかった。このような支配の限界は、最南端のメコンデルタにおいても同様であった。国家は、メコンデルタでの度重なるメコン川の氾濫や海水の浸食、そしてこうした生態環境を利用して東南アジア各地を自由に行き交い交易を行う諸民族の動きを簡単には制御できなかった。19世紀以前、このように周縁地域に囲まれたベトナムは、度々抗戦してきた中国と隣接する東北部を除いて、国境という認識が希薄で、国家領域の端がどこからどこまでだったかはっきりしていなかったのである。

山地やメコンデルタが、本格的に中央から派遣された行政官が常駐し、開発によって森林伐採、運河掘削、道路整備が進んだのは、フランスによって植民地化された19世紀後半以降である。定住と集約農業が可能な環境が拡大し、換金作物栽培が奨励され、移民流入により人口が増えはじめた。フランスはベトナム、カンボジア、ラオスを1つのインドシナとして統合し、タイ国（当時はシャム）、英領ビルマ、中国との国境を画定した。他方で、インドシナ三国間に引かれた境界はあくまで行政区画であり、インドシナ内での人の移動や、中国やインド、西欧からの移民が奨励され、活発化した。20世紀半ばの脱植民地化によって、ラオスやカンボジアとの行政区画が国境に変わり、国民国家として成立したベトナムは、新しい国境の内側に多様な背景を持つ人々を抱えることとなったのである。

ベトナムは、フランスと同様、山地やメコンデルタのような周縁地域の開発・移民政策を推進したが、さらに周縁に古くから暮らす様々な諸民族を、ベトナムという国家に忠実な国民にすることをも試みてきた。その試みの一環が、公定民族分類である。

1945年に独立を宣言したベトナム民主共和国（北ベトナム）は、「民族平等」という理念のもと、1950年代に国内の多様な住民を言語や歴史、文化、風俗、習慣、自意識などを基準に公定的に64の民族に分類した（その後、民族確定作業の再検討、南北統一、ベトナム社会主義共和国誕生を経て1979年以降54民族に落ち着く）。それは、国内の多様な人々をベトナム国民として統合しつつ、周縁地域に暮らす少数民族が中央政府への不満を理由に反乱や独立運動を起こさないよう、国家から経済的利益や政治参加、言語教育などの諸権利を少数民族に公平に配分するためであった。とりわけ、1945年独立直後から対外戦争や社会主義という喫緊の問題を抱えたベトナム政府は、政治的立場が曖昧な周縁地域の少数民族を自陣営に引き入れ、かれらに戦争や国家建設への積極的な協力や貢献を促すことに注力した。ひいては、政府にとって国防上重要な国境線近くに位置する周縁地域で効率よくインフラ整備や資源開発を進め、中央集権的な統治を確立する必要があったのである。

こうした公定民族分類は、曖昧さが排除される傾向がある。例えば、中越国境地域のタイーとヌンは、どちらも中国側のチワンと同民族とされる。ベトナム側に移住した時期や中国文化との関係の深さに違いがあるものの、文化や言語は似ており、明確に分類できない。だが国家は、政策上、そうした曖昧さを許容せず、タイーとヌンを異民族として分類し、統治してきた。民族分類による国家からの「名づけ」に対し「名づけ」られた人々が、時間の経過とともにその公定民族名を帰属認識として内面化し、自ら名乗るようになることはある。または少数民族の指導者が自身の属する民族集団に対し国家から利益や権利を誘導するため、積極的に民族政策の制度を利用することもある。

もっとも、公定民族分類と日常における人々の民族自認との間には、齟齬がある。民族分類や民族別人口統計は、民族自認の複数性を捉えられていないのだ。例えば、私が調査してきたメコンデルタ、ソクチャン省では、クメール、華人、キンが混住した状況が広くみられ、民族間通婚が進んできた。人々はベトナム語で「ラーイ（lai 混じり）」という言葉を用い、自身の民族について、例えば「華人とラーイのクメール」と表現することがあった。さらに、この地域で「キン」と呼ばれる公式の民族名称は、日常会話ではめったに使われず、国名と不可分な「ベト」という名称が一般的であった。これは、この地域の人々にとって、ベトナムという国家やその領域に暮らす人々が、それほど遠くない過去に外の世界からやってきたという認識が根強く残っているからではないだろうか。

平地や山地、盆地、あるいは河川や海域など、現在の国境など関係なく広がるその多彩な生態環境に応じて、相互に微妙に異なりながらも複雑にからまりあった文化、社会が各地に生成されてきた。ベトナムの多民族性は、その土地が世界に開かれ、人間が絶えず行き交ってきたことを明確に物語っている。

（下條　尚志）

29

山地世界の生存戦略

★西北地方の過去と現在★

ベトナムの北部山地は自然に恵まれ、のどかな山村が広がる豊かな地域であるが、一方で国内有数の貧困率の高い地域でもある。この地域の貧困に関しては、筆者には忘れられない経験がある。ターイの歴史研究を志してまもない筆者が、初めて西北地方最大の都市ソンラ（ソンラ省省都）を訪れた際に、ソンさんという当時30代前半のキンの男性にお世話になった。彼の父親は学校教師としてこの地に移住した人物（物故）で、筆者がターイの歴史に関心を持っていると知った彼は、父のかつての教え子が村長をしているターイの村に連れて行ってくれた。滞在中ほぼ行動をともにしてくれたソンさんは、筆者のことを実の弟のように接してくれ、筆者も兄のように頼もしく感じていた。その後も、ソンラに立ち寄る際には、彼の家に顔を出すのが通例となっていたのだが、ある年、彼の家を訪れると彼の姿はなく、怪訝に思った筆者に対し母親はだまって祖霊棚に置かれた彼の遺影を指差した。麻薬中毒で亡くなったのだという。仕事が見つからず若い頃にやっていた麻薬に再び手を出してしまったのだそうだ。西北地方はラオスからの麻薬密輸ルートとなっており、ヘロインや合成麻薬が比較的容易に入手できることに加えて、失業率の高さから西北地方（特に都市部や国境地域）では、麻薬中毒者が非常に多く社会問題となっている。実際、のどかな村落に比べ（といっても山奥には文字通りの貧困にあえぐ生活を強いられている村も多く存在する）、西北地方のどの町に行っても活気が少なく鬱屈した雰囲気を感じることが多かった。

現在ソンラを含む多くの市街が分布している西北地方の盆地や河谷平野は、元々はターイやムオンの生活空間である。この地域が実質的にベトナムの一地方となったのは、1954年、ベトミンがディエンビエンフーの戦いにおいてフランス軍を打ち破り、インドシナ連邦を構成していたこの地域を引き継いでからであり、その後、政府の開拓移住政策により紅河デルタから移住してきたキンを中心に現在の市街地が形成された。ソンさんの死は、筆者にとって大変な衝撃であったが、西北地方においては珍しいことではなく、ベトナムという国家において多数派を占めるキンも、貧困に苦しんでいることをあらためて感じさせた出来事だった。

しかし、歴史をさかのぼるとこの地域は決して貧しい地域ではないことがわかる。盆地空間の最初の住民は、盆地縁辺で陸稲耕作を営むオーストロアジア系の山腹民であった。その後、灌漑技術を持ったターイやムオンがやってきて盆地底面を切り開き水田を営み、ムオンと呼ばれるクニを形成し（民族名のムオンもこれに由来する）、山腹民を従属民とした。多くのムオンは山地世界の交易センターとしても発展した。特に18世紀頃、中国商人が山地での商品開発をもくろみ、中国の人口増加で生活にあぶれた人々が労働者として東南アジア山地へ大挙押し寄せると一大商業ブームが起こった。当時の史料は、鉱産資源やシナモンなどの森林産物の開発と貿易で沸き立つ同地の姿を伝えている（東南アジア史ではこの時代を「華人の世紀」と呼ぶ)。さらにはその波に押し流されるように南中国からモン、ザオなどの山地民が移住してきた。後から移住してきた華人や山地民は農業生産性の低い未開発の高地で生活基盤を形成し、後にはアヘンを栽培することとなる。

移住者の増加により切り開かれてきた棚田

キンを除いてもっとも遅くに移住してきた彼らは旧来の盆地の秩序からは自由であり、独自のネットワークをもっており、盆地世界から見れば侵略者でもあった。現在のような高度別の棲み分けに基づく共生関係は、盆地民との間で度重なる衝突の歴史の上に築かれている。現在の北部山地において、国民国家への包摂を強固に拒んでいるように見えるのも彼らである。外国人がベトナム語を話すと非キンを含め驚かれ喜ばれることが多いが、以前、筆者が観光地サパで出会ったモンの女性にベトナム語で話しかけた時には、「外国人なのにどうしてキンの言葉をしゃべるの？　英語で話してちょうだい」とたしなめられた。

このような高地に住む山地民の自律性に注目し、東南アジア大陸山地の歴史を国家による支配を避けるシステムを構築した歴史として描き話題となった書籍がある。ジェームズ・C・スコットの『統治されない技術』(訳題は『ゾミア』)である。スコットは、国家を形成していることがより進んだ状態であり文明的であるという前提そのものに疑義を呈し、かつて未開のシンボルとされた焼畑耕作や非階層性、無文字といった社会の特徴は、いずれも山地民が国家の支配を逃れるために戦略的に選択したものであるとする。

しかし、盆地民を含めた山地民全体の歴史をみた場合、彼らは、対国家だけでなく、様々な時代の変化に対して、自分たちの社会を柔軟に適応させてきたように見える。中国からの移住者の波が押し寄せた18世紀には、中国の技術やネットワークを利用して鉱産資源や森林産物を開発し、世界的にアヘンの商品価値が高まったフランス植民地期には、アヘンを積極的に栽培し、多くの「アヘン王」を輩出した。一方、開発が過剰となり、自然環境の破壊などが問題となると、慣習法による開発規制を行うこともあった(全ての地域でうまくいったわけではもちろんないが)。移住者との間で最終的に棲み分けを成立させたのも柔軟性の証である。植民地政府と結びついてアヘン生産を拡大するなど、国家の支配もそれが自分たちの利益となるときには大いに利用した。

このように柔軟な戦略により自分たちの資源を活用し、「豊かさ」を維持してきた山地世界が、「不自由」になっていったのが、ベトナムという国民国家に統合されて以降の歴史であるともいえる。社会主義経済時代は、前述のキンの入植と同時に、山地民の定住化政策が進められ、計画経済の下、生産する資源も制約された。ドイモイ以降も、省政府の指導に基づき農業振興などがなされており、彼ら自身のイニシアティブは限定されている。そして、何より、政府の国境管理とハノイを中心とした交通インフラ整備によって、山地民が歴史的に担ってきた国境を越える経済交流が制限されてきたことが山地社会の可能性を制限してきた。こうした状況下で、政府は貧困解消を掲げているが、北部山地における貧困家庭の占める割合はいまだ約13・4%で全国平均の3倍に上る（2021年現在）。アヘンを経済資源としていた時期もあった西北山地はいまや一方的に麻薬中毒者を生み出す地域となっている（ミャンマーの山地社会において麻薬王クンサーが20世紀末まで活動していたのと対照的である）。

しかし、新たな変化もみられる。ドイモイ以降、中越戦争で途絶していた中越の国境貿易が解禁され、グローバル化の中で外資や海外の技術導入による商品開発なども進んでいる。特に現在注目されるのは、中国政府の「一帯一路」政策の下、二国間の経済協力が促進されていることである。ベトナム政府は安全保障の観点から留保をつけているため、隣国のラオスのような「中国化」は抑えられているものの、国境を越えた人、モノ、カネの動きは確実に活発になっており、「華人の世紀」と呼ばれた18世紀の状況の再来のようにも見える（明確な国家政策を背景としている点は異なるが）。こうした変化に対し、山地社会はどのような対応を見せるのだろうか。新たな歴史の岐路に立たされている。

（岡田　雅志）

日用品を買いに盆地に下りてきたモンの女性たち

30

中部高原

―★少数民族の生活の変化と儀礼・祭礼★―

ベトナム中部高原はベトナム語で「タイグエン（Tây Nguyên）」と呼ばれる。標高約500～1500メートルの高地で、チュオンソン山脈が南北に連なり、海岸沿いの平野部との間を隔てている。北からコントゥム、ザライ、ダックラック、ダックノン、ラムドンの5省からなり、西側をラオス、カンボジアと国境を接している。オーストロネシア（マレー・ポリネシア）系のジャライ、エデ、ラグライ、オーストロアジア（モン・クメール）系のバナ、セダン、ジエチエンなど多くの先住少数民族が居住する地域である。ただし、20世紀前半から現在まで、国の移住政策や経済的な理由から多数派のキン族や北部の少数民族がこの地に移住した結果、キン族の人口の方が先住少数民族よりも多くなった。

主な産業は農業で、水稲、陸稲、トウモロコシのほか、換金作物としてコーヒー、コショウ、ゴム、カシューナッツ、キャッサバなどが栽培されている。なおベトナムのコーヒー生産量は世界第1位はブラジルに次いで世界第2位、コショウの生産量は世界第1位であるが、その多くが中部高原で作られている。またベトナム戦争の激戦地として知られており、米軍が南ベトナム解放民族戦線の活動を抑え込むために中部高原のジャングルに大量に散布した枯葉剤による土壌汚染、数世代にわたる深刻な健康被害は現在も続いている。ベトナム戦争後、中部高原は政治的な事情から長い間、外国人の入域が禁止されていた。21世紀初頭には中部高原諸都市で反共的なプロテスタントに改宗した先住少数民族を中心とする数万人規模の同時多発暴動が起きるなど、近年まで不安定な情勢が続いていた。こうした背景もあり、ダラット（ラムドン省の省都）、バンメトート（ダックラック省の省都）以外の街については日本語の旅行ガイドには記載されていないことが多い。

私が初めて中部高原を訪れたのは２００６年の頃だった。コントゥム省の省都であるコントゥムは、バイクの往来も少なく、静かでのどかな街だった。市内中心部に多数派のキン族の住居や商店が並び、メコン川の支流であるダクブラ川沿いに少数民族の村落が点在していた。私が滞在していたゲストハウスのすぐ近くにもバナ族の村落があった。街を散策しているうちに、バナ族の若者たちと知り合った。彼/彼女らは当時18、19歳ぐらいで、教員養成系の短大（師範短期大学）に通っていて、寮生活だったため、授業が終わると街中のカフェなどで暇をつぶしていることが多かった。バイクや携帯電話を持っている人も多く、中には英語を話せる人もいた。人懐っこく親しみやすいバナ族の若者を通して距離的には近いがなかなかアクセスが難しいバナ族の村落に遊びに行くようになった。

キン族が居住し、生活する市街地と少数民族の村落は距離的には近く、生活圏を部分的に共有しているが、両者の経済的、社会的な格差は大きい。もちろん個人差はあるものの、キン族の家は小綺麗で、家電製品も一通り揃っているが、少数民族の家は、トタン屋根とレンガ造りの粗末な造りで、電気は通っているもののテレビや扇風機、ＶＣＤプレーヤーなど最小限の家電しかないことが多い。また多くの村落には水道が通っておらず、衛生的なトイレも普及していなかった。現代の生活には現金収入が必須であるが、政府の定住化政策などで土地を失った多くの農民はわずかな田畑で作物を作り、あるいは小作農、工場労働者としてわずかな日銭を稼いで暮らしている。一方、役所や教育機関など公的な職業や商店の経営者は外部から移住してきたキン族が大多数を占めている。

ただし少数民族の中にも欧米風のモダンな家で家電製品も揃っている家があった。子どもが外国人と結婚して海外に居住し、海外から定期的にお金が送金されるのだという。これは私が知る限りこの地域ではかなり例外的な事例である。また私がお世話になっていたジャライ族の家は、ゴム林のプランテーションを経営し、ヤギや豚などの家畜を多数飼育していてかなり余裕のある暮らしぶりだった。その家は、２００６年頃は、伝統的な高床式の家屋に3世帯が同居する形で暮らしていたが、２０１６年頃には家がすっかり改装され、高床式の住居はそのままだが、モダンなキッチンや温水シャワー、衛生的なトイレなども設置されていた。

少数民族の中で比較的に裕福な家に共通しているのは、キン族との結びつきが強いということだ。何らかのビジネスをはじめ、成功させるにはキン族との良好な関係性が不可欠であるからだ。そしてそれはベトナム戦争時に北側、南側のどちらの側についていたかという過去とも無関係ではない。例えば、英語が堪能でベトナム戦争時に米軍の通訳をしていたというあるバナ族の男性は現在も公安から常に監視されていて、実質的に村から出ることができないということも聞いた。このようにベトナム戦争という過去は彼らの現在の生活にも様々な形で影響を及ぼしているのだ。

ところで少数民族村落では1年を通して精霊（ヤーン）信仰と結びついた様々な儀礼・祭礼が行われる。

そこではベトナム語でズオウ・カンと呼ばれる甕酒《かめざけ》（壺酒）とゴングの演奏が欠かせない。甕酒はもち米にキャッサバやヒエなどの雑穀と麹を入れ発酵させて作られる。大きな儀礼の際には村落内の各家が持ち寄った100近い甕酒が一列に並び、その場に集まった人たちが竹のストローで回し飲みをする（写真）。特に他の村落から儀礼に参加する人や私のような外国人はこの甕酒で歓待を受ける。そ

ジャライ族の儀礼の場に並べられた甕酒

バナ族の伝統的な集会場

してこの回し飲み自体がとても大切な儀礼なのだ。共にお酒を飲むことで、私があなた方の敵ではなく、仲間であることを行為で示すことができるからだ。甕酒を飲んでだんだんと酔いが回り、遠くからゴング演奏の音が聞こえてくると、言葉を超えたコミュニケーションがその場に成立する。それは中部高原の本質が感じられるようなかけがえのない時間である。

またバナ族やセダン族の村落にはロンと呼ばれる大きな草葺き屋根を持つ高床式の集会場がある（写真）。古い集会場の建て替えや大きな修復の際に落成式が行われるが、近年、落成式には欠かせない水牛供犠の儀礼が行われなくなり、キン族の司会の下、役人のスピーチやキン族歌手による演奏などが行われる政治的なパフォーマンスの場と化していることがある。さらに少数民族はキン族と同じく学校教育ではベトナム語で授業を受け、ベトナム語のテレビを視聴しており、若者は韓国のドラマや欧米の音楽とその影響を受けたベトナムのポップスに熱中している。こうした結果、少数民族の生活は様々な点でキン族化が進んでおり、若者の中には少数民族の言葉をほとんど使わなくなったり、共同体の団結が必要な儀礼・祭礼自体がほとんど行われなくなったりした村もある。ドイモイ以後、ベトナムが経済的に成長を続ける中で、ゾミア（第29章「山地世界の生存戦略」参照）の一角を成し、国家からの距離が最も遠いと言われる中部高原の少数民族の暮らしも社会全体の大きな流れに巻き込まれながら変化を余儀なくされているのである。

（柳沢　英輔）

31

華 人

★国境をこえて活動する人々★

私は勤務先の業務として、留学生を対象にした大学入試の出願書類をみることがある。ベトナム人留学生の場合、ベトナムで卒業した日本の高等学校にあたる学校の成績証明書が提出される。そこにはその生徒の「民族（dân tộc）」が明記されている。ベトナムでは出生後に「民族」を行政機関に届け出て登録する必要があるからだ。

一方私がベトナムで調査をしているなかで、会った人に「民族」を証明する書類を見せてもらうことはほとんどない。多くの場合、その人との会話のやりとりやその人の外見などから、私が勝手にその人の「民族」を推定している。なかには会話を通じ、その人自身の民族についての説明を聞くこともある。しかし私やその人自身の表明した判断が、その人が実際に登録している「民族」と同じかどうかはまったくわからない。

この問題はベトナムの「民族」一般にあてはまるが、いわゆる日本語の「華人」（現地国籍を持つ中国系住民）に対応する「ホア（Hoa）」の場合には、特に注意が必要である。

ベトナム政府が10年ごとに行っている人口調査をみると、「ホア」の人口は、年を追うごとに減少している（図を参照）。

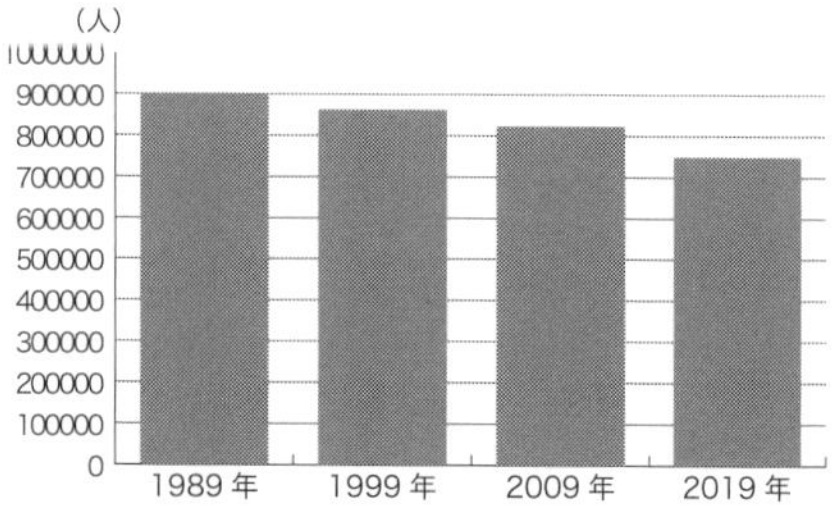

図　人口調査から見たホアの人口

出典：1989年と1999年については、Ramses Amer, "A Demographic Study of the Ethnic Chinese in Vietnam Since 1954," Paper prepared for the Conference: "The Chinese in Vietnam: When Past and Future Converge" organised by Institut de Recherche sur le Sud-est asiatique, Université de Provence Aix-en-Provence, 20-21 October 2006. に基づく。2009年と2019年については、ベトナム政府統計総局のホームページ（https://www.gso.gov.vn/）に基づく

２００９年の人口調査では、ホアの人口は82万３０７１人であり、全人口の０・97%を占めていた。それが２０１９年の人口調査では、74万９４６６人であり、０・78%となっている。実数だけではなく、割合も減ってきている。

しかし私がこの10年のあいだ、ハノイやホーチミン市で見聞きしていることに基づくと、ホアの人口が数を減らしていくのとは反対に、ベトナム社会のなかでの華人のプレゼンスは、むしろ高まっているように思える。その理由はベトナムの経済活動のなかで、外国との関係が益々重要になり、国境をこえる人の動きが活発になっているからだ。

特に近年のベトナムと中国との関係はとても複雑である。２０１４年には中国との外交問題をきっかけに、工業区にある台湾などの外国企業が襲撃される事件も起きている。ベトナム国内で生きていくうえで、中国との関係がマイナスになると判断し、自身が民族として「ホア」だと表明することをやめた人々がいることも容易に理解できる。しかし、やめた本人の自己表明としても、周囲の人々の認識としても、民族としての「ホア」と「華人」とは、完全にイコールではないようだ。

ベトナムの都市は、歴史を通じ、中国から移民してきた華人との関わりで発展してきた。首都ハノイの旧市街には、広東語を話すことのできる人や、周囲から華人と見なされている人が今でもいる。

しかし1978年から79年にかけての中越紛争の時代に、半ば強制的に多くの華人が出国させられたこともあり、今では「ホア」と名乗る人はベトナム北部では少ない。都市部の華人にとって中国の出身地ごとに組織された「会館」がかつては重要であり、ベトナムの中部や南部では「会館」の建築物が国家級の歴史文化遺跡に指定されている。ベトナムの歴代の政権は、中国から来た移民を様々にカテゴリー化して受け入れた。中部のホイアンや南部のホーチミン市には、17世紀の明朝と清朝の交替期以降にベトナムへ来て、「明郷」籍を得て土着化した華人の子孫が住んでおり、今でも新来の「ホア」とは区別された「明郷」としての意識を強く持つ人々がいる。

2018年のある日の朝、私の泊まっているホーチミン市のホテルに、知人のK氏（男性）がバイクで迎えに来てくれた。K氏は前から私に投資の話がしたいと言っていた。

私が連れて行かれたのは、近くのカフェの一室。禁煙のVIPルームである。K氏とコーヒーを飲みながら話をしていると、ホーチミン市に住むマレーシア出身の華人のL氏（男性）と、K氏と同じくベトナム出身の華人のM氏（女性）が来た。

L氏は持ってきたノートブックのパソコンを開き、その画面で資料を私に見せながら、自分の会社の活動について紹介する。インドネシアの各地で、サツマイモ、キャッサバ、コーヒーを栽培したり、ツバメの巣やエビを養殖したり、多角的にプロジェクトを行っている。「社会型企業家」をキーワードに、世界各地で小口の投資家を勧誘し、資本を集めているという。

K氏もM氏もこの会社に投資をしている。私は日頃から華人の知人に、自分はベトナムのことを研究しているだけで、ベトナムで商売をする気はないと伝えてある。しかしベトナムで商売に従事する華人のなかには、私が日本人だということに興味をもって、一緒に商売をしようと持ちかけてくる人が少なくない。

投資話を聞いた日の翌日の晩、私はK氏に誘われて、彼が通うホーチミン市のプロテスタント教会の「華語」（標準中国語）による「交わり（fellowship）」に参加した。M氏も来ていた（ホーチミン市の華人プロテスタント教会については、芹澤知広「ベトナム・ホーチミン市の華人プロテスタント教会――１９６０年代における潮州人教会の設立」『総合研究所所報』（奈良大学）、第20号、31―43頁、２０１２年を参照）。

参加者のなかに、「華語団契」という文字が書かれたTシャツを着ている人がいる。その文字が「繁体字」（香港や台湾で用いられている中国語の漢字）ではなく「簡体字」（現在中国で使われている中国語の漢字）になっている。この教会の中国語文書の多くが繁体字で書かれているのを知っているので、私はなぜTシャツの文字が簡体字なのかをたずねた。中国から来ている人には簡体字のほうがわかりやすいからだという。この「中国から来ている人」とは、ホーチミン市に来て商売をしている「温州人」（中国浙江省温州市出身者）のことである。ちょうどこの日の出席者にも２人の温州人がいて、私は行事が始まる前に紹介された。

私は、K氏、L氏、M氏とは、ホーチミン市の華人のあいだの共通語である広東語で話をしている。そしてK氏とM氏が通うプロテスタント教会では、礼拝で広東語が使われており、家庭でも広東語を話す「広府人」（中国本土の祖籍地が広東省広州市周辺にある人々）が多く通っている。しかし近年、商売に長けたプロテスタント信者として有名な「温州人」がベトナムに進出してきた結果、現在の中華人民共和国の国語である「普通話」（標準中国語）とその表記法である簡体字が、この教会で普及しつつあるようだ。

ホーチミン市の華人のあいだでは、自分たちを指す広東語の言葉に、「唐人（トンヤン）」という語がある。「唐山（トンサーン）」（中国大陸）から来た移民の子孫なので「唐人」になり、唐人が共通に話す広東語が、「唐話（トンワー）」ということになる。この「唐人」の語は、ベトナム語なら、「グオイ・タウ（người Tàu）」という語に対応するであろう。「グオイ・タウ」の「タウ（艚）」とは、船のことなので、この言葉は船に乗って中国大陸から移動してきた人々をもともと指していたのであろう。

中国と地続きでもあるベトナムは、歴史を通じて中国大陸からの移民を多数受け入れてきた。近年においても中国本土、香港、台湾、シンガポール、マレーシアなどからベトナムへ来て商売をする華人が多くいる。またベトナムは歴史を通じて多くの移民を国外へと送り出してもきた。在外ベトナム人には、ベトナムに戻って商売をする人も少なくなく、彼らのなかには多くの華人が含まれている。

私は、「マレーシア出身の華人」、「温州人」、「広府人」などの言葉を使っていたが、彼らが国境をこえて、ともに商業活動や宗教活動に従事していることを考えると、国名や地名をマーカーにして民族集団を分ける必要はないのかもしれない。中国大陸からその域外へと移動した人々とその子孫を「華人」と定義したなら、現在ベトナムで活躍する様々な人たちを同時に視野に収めることができそうだ。

（芹澤　知広）

商業活動に使われた運河に沿って新たに建設された複数車線の道路（ホーチミン市第５区、2018年9月）

32

ベトナムの伝統宗教・信仰を覆う道教

★現実主義のベトナム人★

道教は無為自然を尊ぶ老荘思想や、不老不死の仙人になることを願う神仙思想が中核となり、護符や儀式によって不老長寿や現世における利益の実現を目指す宗教である。ベトナムでは多数民族のキン族をはじめ各地少数民族にも道教が普及している。

道教の原型である神仙思想は、2世紀末に中国から動乱を避けた人々によりベトナムへ伝わった。この2世紀の中国で、張陵《ちょうりょう》（?～177年）が鶴鳴山《かくめいざん》（現、四川省）で修行し、信者に五斗（9～10リットル）の穀物を奉納させた五斗米道《ごとべいどう》という原始道教教団を創始した。五斗米道は、張陵が天師と呼ばれたので天師道《てんしどう》ともいう。この信者である中国の武将の孫恩《そんおん》（?～402年）と、広東地方の大官であった盧循《ろじゅん》（?～411年）が、天師道をベトナムに布教して平地の住民と山地民族に広めた。さらに、天師道が継承発展した正一教《しょういつきょう》本山の龍虎山《りゅうこざん》（現、江西省）に近い現在の福建省から、ベトナムへの移民が継続したことにより道教も常に伝わった。

道教が体系や組織としてベトナムに伝わったことは、信仰拠点の道観《どうかん》が北部を中心にみられることで確認できる。首都ハノ

鎮宅符（左）と蓮派寺（ハノイ市）での鎮宅符印刷（右）

左は真武観（ハノイ市）、右は真武神（真武観蔵）

イ市内にも、中国道教の軍神であり北方の星宿を神格化した真武神《しんぶしん》を祀る真武観《デンクアンタイン》などの道観がある。現在、多くの道観は仏僧が管理する仏教寺院となっている。しかし、仏教寺院で道教の護符鎮宅《ブアチャン》符《チャク》が印刷され、仏僧も道教職能者である道士を兼任することがある。したがって元は道観で仏教寺院になった宗教施設でも、道教の祭祀が行われているのである。

現在、21世紀に入り中国各地の道教聖地で修行したベトナム人が道士《ダオシー》となっている他、旧来の道教職能者としては、男女の霊媒ドン（童）と祈祷師タイークーン（供師）、およびタイークーンの中でも特に優れた見識と技能を持つタイーファップ（法師）が存在する。彼らは『神霄玉格攻文《タンテュウゴッカイックコンヴァン》』という経典に従って、師匠から弟子へと技能や印章などの法具を継承している。また先に述べたように仏教僧も星祭りなどの道教儀礼を行う。その時、仏僧は「正一《チーンニャッ》法師《ファップスー》」と正一教道士の肩書きを名乗るのだ。

現在、ベトナムの多数民族キン族の生活には年中行事を中心として道教の影響がみられる。キン族が最も重視する年中行事はテトと呼ばれる陰暦の正月である。テトの始まりは陰暦12月23日からで、この日に各家庭では台所の神である竈神《オンターオ》を、その乗り物とする生

天光寺（ハノイ市）の星祭り「奉星解厄」祭壇と若いタイークーン

きた鯉を供えて天に送る。天上で竈神は、道教の最高神である玉皇上帝《ゴッホアントゥオンデー》に、人々の旧年中の善悪を報告すると信じられている。竈神は家庭の守り神でもあるので、その不在中の魔除けに桃の花を飾る。桃の板は道教の護符に多用される。竈神が地上に戻る大晦日12月30日には、これも玉皇上帝配下の年神行譴《ハインキエン》の新旧交代が行われる。行譴は恐ろしい疫病神なので、人々は小さな祭壇を家々の前に設けて厄除けを祈願する。テトの最後を飾る行事は、1月15日の星祭りである。太陽・月・木星・火星・土星・金星・水星および月と太陽の公道の交点に想像された計都《ケードー》と羅睺《ラーハウ》の9星が人間の運命を左右し、厄介なことに各星とも大小の凶意があると考えられている。それで寺院や家庭で星々を祀り、身代わりの紙製人形を焼く厄除けの儀式奉星解厄《ザーンサーオザーイハン》が行われるのだ。この星祭りは、「1年中の祭りも、1月15日の祭りには及ばない」という諺があるほど重視されている。このようにテトは道教関連の行事に終始しており、多くのキン族の宗教感が道教の強い影響を受けていることを象徴している。

少数民族に目を向けると北部のザオ族の男性は、10歳以上になると給勅礼《レーカップサック》という成人式を行う。この儀式を行った男性は全てターイターオと呼ばれる道士になり、死後は玉皇上帝のもとへ帰ることができると信じられている。ザオ族のターイターオの法衣には、中国道教の聖山の名前が刺繍されている。左から正一教の本拠地龍虎山、真武神が道を得て昇天した武当山《ぶとうざん》（現、湖北省）、道教神界の最高の聖山玉京山《ぎょくきょうざん》と、それに次ぐ崑崙山《こんろんざん》、右端は五斗米道教祖の張陵が修行した鶴鳴山だ。これらの道教五聖山の名前は、ザオ族のターイターオが正一教の影響下にあることを物語っている。

中国の道教徒は、不老長寿の薬品原料として香木の肉桂《シナモン》を重視して、その優良な原産地のベトナム中部へ採取に訪れた。このように道教は中部ベトナムにも早くから展開し、中部に南下したキン族は、現住チャム族から道教を伝授されたと、クアンチ省のタイークーンの間で伝えられている。現在もチャム族は家屋を建てる前に、道教の風水（土地占い）を駆使するアチャルと呼ばれる祈祷師に地鎮祭を依頼する。アチャルは、自分の左上奥歯に触れた右の人差し指で地面に護符を描く。アチャルは、そこに最も強い霊力が秘められていると信じているからだ。彼らは、それを「ポ：中国人の力《ちから》」と呼ぶが、これも中国道教の影響である。

ザオ族ターイターオの法衣（背部）

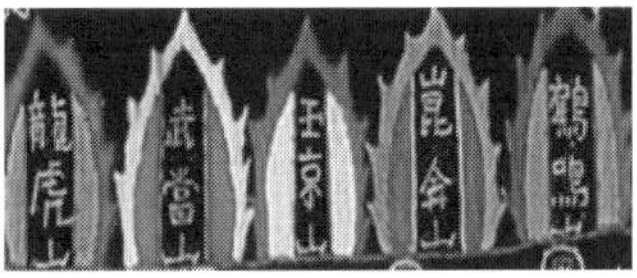

ザオ族ターイターオの法衣に刺繍された中国道教の五聖山

　ホーチミン市在住キン族の手工芸職人は、それぞれの守り神（芸祖《トーゲー》）を持つが、その正体を知る者は少ない。その中で、中国道教の女神で軍神の九天玄女《きゅうてんげんにょ》だけが大工、製材工、造船工、縫製工など多様な職人の明確な共通の守り神となっている。毎年陰暦1月17日と8月16日に、信者たちは1805年に染色工が建立した同市の九天玄女を祀る本署廟《ボント》を参拝する。南部の九天玄女信仰は、中部に割拠して南方の開拓に先鞭を付けたキン人の広南国《クアンナム》（広南阮氏政権、1558～1777年）に淵源がある。この広南国の将兵とその家族が九天玄女を信仰する大集団だった。広南国の軍事組織は水軍主体で、同朝の軍人は木工や製材などの技術を習得した後に初めて、水軍に従事した。戦争と王朝が消滅した後、広南国の将兵は身に付けた技能で生活をはじめてからも、引き続き九天玄女を信仰したのである。

　さらに、九天玄女が木工など材木を扱う手工業者共通の神となった要因には、

本署廟（ホーチミン市）の九天玄女像

樹木への畏怖もある。キン族には樹木に魔物が潜みやすく、これを追い払う必要があるという概念がある。その際に頼るべき神霊の筆頭が、軍神の持つ九天玄女なのである。本署廟を建立した染色工も同様だ。彼らがあつかう染料は、化学薬品がない時代は各種の草木から採取されていたのである。つまり、九天玄女が手工芸職人共通の神となったのは、樹木に対するベトナム人の畏怖心と、職人を兼業する広南国水軍兵士の技能および九天玄女信仰によるものである。

このようにベトナムの道教では、軍神の九天玄女や真武神のような強い性格の神が信仰される。そして、多くのベトナム人が過去や未来をあまり憂えず、現在の生活を最も重視するのは、現実主義の道教信仰が多分に影響している。

（大西　和彦）

33

高齢者の道としての仏教

★ホーチミン市の女性仏教徒★

ベトナムにおいて仏教は2000年以上存在し続けており、その信念や哲学はベトナム文化のなかに深く根付いている。若年時から［上座部］仏教を実践しはじめる近隣の東南アジア諸国とは異なり、［大乗仏教徒が多い］ベトナムでは、ほとんどの仏教の在家（出家者ではない俗人）修行者たちは、むしろ人生におけるある時点でこの宗教に帰依しはじめる。ベトナム南部最大都市ホーチミン市で2013年に調査していたとき、私はほとんどの在家修行者たちが50歳代後半かそれ以上の年齢の女性たちであることに気が付いた。このエッセイでは、人生の後半期になぜ多くの女性たちが仏教に帰依しているのか、そしてかれらにとって仏教の実践と教えが何を意味しているのかについて検討したい。

ベトナムでは、女性は家族のなかで特に重要なケアの従事者である。研究者のルオン・ヴァン・ヒーが2003年の著書で論じたように、ベトナム女性は、収入の獲得に熱心であるにもかかわらず、その最も重要な義務はケアの提供であり、女性の経済的な貢献はケアの提供という課題を遂行するために有益な資源であると認知されている。

家庭の仕事や経済活動に積極的であることもあり、私が調査中に出会った女性仏教徒のほとんどは、家庭内の義務からすでに解放、ないしは部分的に解放されてようやく仏教実践を行う機会をもつ。仏教実践が示すのは、新たな人生のステージ、すなわち子育てをし、収入を得て、家族をケアするという義務をすでに終え、頻繁に仏教寺院に行けるほどの自由をもってからの人生後半のステージである。

多くのベトナム人は、歳を重ねてからが「修身（tu thân）」と「積徳（tích đức）」の時期だと考えている。仏教実践（修身）をすることで、かれらはよき功徳を積み、家族に仏陀の恵みをもたらす。その宗教実践を通じて、祖霊がよき転生を遂げたり、子どもの結婚相手をうまく見つけることができたり、孫の学業が成就したり、家族の病が治癒したり、あるいは縁起の良い日に逝去できるよう末期の家族の延命をすることとさえできると、ベトナムの仏教徒は信じている。

よき功徳を積むことに加え、仏教実践はベトナムの高齢女性にとって重要な意味を持つ。仏教実践とは、彼女たちが成人してから過ごしてきた家庭中心の生活と部分的に切り離された、もう1つの生活の道なのである。

夜6時か7時頃、ホーチミン市の仏教寺院の前を歩くのであれば、灰色の法衣を着た数百人もの在家修行者が寺からぞろぞろと出てきて帰宅する、活力に満ちた光景は見逃せないだろう。その多くは高齢女性だ。そのうちの1人、ホアおばさんについて紹介しよう。彼女はもともと市場の商人であったが、60歳になって仕事を引退してから近所の寺で夜間の読経儀礼に参加するようになった。

彼女は、この寺を頻繁に訪れるようになってから、ベトナムの在家修行者が儀礼の際にまとう灰色の法衣を好んで着るようになり、自宅でも同じ灰色のパジャマを着るほどだ。彼女は、それらの服を、

「途道（ドー・ダオ đồ đạo）の服」と呼び、ベトナムの女性が普段着る色鮮やかで花柄の「世俗（ドー・ドイ đồ đời）の服」とは対照的なものとしている。毎日、ホアおばさんはお寺に通い、経を唱え、僧の教えに耳を傾ける。彼女は、こうした活動を「道を学ぶ（ホック・ダオ học Đạo）」ことという。ホアおばさんは、多くの真言や経典を記憶し、それを暗唱できることを誇りに思っている。

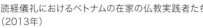

「ダオ（đạo）」は「道」、ないしは「宗教」と翻訳される。ダオは、日常生活において仏教徒が従う仏教の教えや儀礼、倫理規範、実践に言及する。ホアおばさんや多くのベトナムの在家修行者が従う仏教は、日常生活の多くの側面に浸透している。それは、自我の感覚に変化をうながし、身だしなみ、食事、他者や家族に関連する事柄に規律をもたらす。

読経儀礼におけるベトナムの在家の仏教実践者たち（2013年）

道を実践するために人が最初に行うことは、仏名を持つことだ。仏名は一般的に在家修行者の間で用いられ、人が「仏子（仏の弟子 ファットゥ Phật tử）」であることを示す。

熱心な在家修行者たちは、実名よりも仏名を使うのを好む。世俗の生活で彼女たちが用いる名は、たいてい夫方の名に由来しており、夫方の家族の年齢順に応じて決められる。例えば、ホアおばさんは、姪っ子や甥っ子に「5番目の叔母（ジー・サウ）」［ベトナム語で「サウ」は6を意味するが、ベトナム南部では出生の順番を2番目から数える習慣があり、「5番目の叔母」となる］と呼ばれるが、これは彼女の夫が家族のなかで5番目の子であるからだ。夫方の年齢順で呼ばれることで、女性たちは夫方の出自集団のなかで夫方のアイデンティティ、立場、役割を採用し、夫方の家族のなかでの女性の役割に基づいて、他者によって認知されるのだ。

他方で仏名は、女性たちが属する世俗的な親族ネットワークを反映していない。かわりに、彼女たちの家族的なアイデンティティはぼかされ、新たな仏教徒としてのアイデンティティにとってかわられる。かくして、彼女たちは「仏子（仏の弟子）」となったのだ。仏陀は時々在家仏教徒に「父（チャーcha）」と言及される。観音菩薩はしばしば「優しき母（メ・ヒエン Mẹ hiền）」、そして在家仏教徒の仲間たちは「姉妹（チ・エム chị em）」と呼ばれる。

ベトナムにおいて多くの高齢帰依者は、家であれ寺院であれ、あるいはそこから離れて、故郷から巡礼や慈善事業、またはボランティアへと赴く様々な活動に参加するとき、仏教実践に没頭する。彼女たちが毎日通う寺院での夜の読経儀礼のほか、多くの帰依者はまた、在家修行者が寺院で一日一晩、8つの戒律を守る実践に参加する。この実践をしている間、彼女たちは、在家仏教徒が日常生活で守る5つの戒律（殺さない、盗みをしない、性交を行わない、嘘をつかない、酒を飲まない）のみならず、さらに3つの戒律（おしゃれをせず歌舞音曲を見たり聞いたりもしない、高いベッドで寝ない、決められた時間以外は食事をしない）を守る。彼女たちはよく在家仏教徒の読経グループに加わり、ホーチミン市郊外の寺院へ旅行して法華経のような分厚い経典の経を唱えたり、葬儀で読経したりする。

さらに、彼女たちは、仏暦に従って開催される多くの定期的な仏教儀礼や実践に参加する。農村、ひいてはタイ、ミャンマー、インドのような外国の寺院にまで巡礼するのだ。多くの在家修行者は、寺院において満月日の儀礼［陰暦で毎月15日］後の饗宴で調理を引き受けたり、あるいは病院や孤児院、学校、貧しい農村での様々な慈善事業に参加したりするなど、自発的に活動に従事する。

こうした活動に参加することで、高齢女性たちは、寺院の在家コミュニティのなかで少なくとも数時間を過ごす。仲間の在家帰依者と宗教儀礼を行うだけでなく、旅行や慈善活動といった、そのほか多くの信頼に基づく社会活動に一緒に参加する。

公共やコミュニティの高齢者ケア施設が依然として限られているなか、ベトナムの人々は高齢化のステージへと近づきつつある。この状況のなか、精神的、社会的需要を満たす社会的なネットワークや活動を高齢者に提供しているという点で、仏教寺院のようなコミュニティに基盤を置いた宗教グループの役割は重要だ。私の研究が示したのは、ベトナムの女性にとっての宗教的空間やコミュニティの重要性である。仏教寺院や、仏教の儀礼、慈善活動、そして巡礼は、高齢の在家修行者たちに彼女たち自身の家族を越えた社会的ネットワークを広げ、より広いコミュニティに貢献する社会事業を行い、新たな居場所と新たな経験を得る機会を与えるのである。（レ・ホアン・アン・トゥー／下條　尚志訳）

34

キリスト教徒の医療慈善事業

★ハンセン病患者に対する隔離と慈善★

ベトナムにおいてキリスト教宣教団は、医療慈善事業を熱心に行ってきた。19～20世紀、ベトナムのキリスト教宣教団による医療慈善事業の顕著な特徴の1つは、この国で最も差別と偏見の対象となった疾病であるハンセン病に苦しむ人々へのケア事業にみることができよう。

ベトナムにおいてハンセン病は、恐ろしい病であると認知されてきた。1897年、医師のエドゥアール・ジャンセルムは、仏領インドシナの植民地当局に、インドシナのハンセン病に関する調査の実施を委託された。1900年に出版された彼のレポートによると、ベトナムで感染者数は1万2000人から1万5000人と推定され、主に同国で最も人口稠密な地域、紅河デルタとメコンデルタに集中していた。

公共の場や健全なコミュニティからのハンセン病患者の排除はまた、文書に記録されることとなった。1902年、ハンセン病は、植民地当局への申告が必要な18の感染病に関する植民地省のリストに含まれることとなったのである。

1905年に出された指令では、ハンセン病患者は、公共サービスを含む特定の職業から排除されたばかりでなく、路上などの公共の場に存在することを禁じられた。医学検査の結果次第で、ハンセン病患者は隔離された。キリスト教宣教団の経営する私立のハンセン病患者隔離施設のほか、同時に国立の隔離施設の設置計画も打ち出された。その後、1912年12月制定の法律では、ハンセン病患者のコロニーや隔離施設における隔離収容が定められ、この病に苦しむ人々は、自分自身の子どもを養育することすらできなくなった。

植民地化以前のベトナムでの最初のハンセン病隔離施設は、1802年、阮《グエン》朝管理下のハンセン病隔離策の一環として、キリスト教系の諸宣教団による注目に値する支援を受けた嘉隆《ザーロン》帝によって設立された。植民地最初のハンセン病隔離施設は、1903年、ミトー市を一望できるメコン川に浮かぶ「龍の中州（クー・ラオ・ゾン）」に設置された。キリスト教宣教団によって設立されたもののなかで最も古く、現在もなお運営されているハンセン病患者コロニーは、ベトナム北部タイビン省のヴァンモンであり、1900年にペドロ・ムアン・ゴルニ神父によって建てられた。ペドロ神父は、ハンセン病に苦しむ相当数の物乞いが町の表通りをうろついていることに気が付き、ハンセン病患者を隔離する地域の保護施設を設立しなければならないと認識した。

1912年の隔離収容法が実施されて以降、短い期間ですぐにトンキンのハンセン病患者は、北部各地でハンセン病患者のコロニーに閉じ込められることとなった。1939年までにハンセン病患者の大多数は隔離居住地へ移動させられることとなったのである。

1920年代、30年代において、植民地インドシナでハンセン病制御に関わる新たな枠組みが形成されたが、それは3つの主要な目的から構成されていた。具体的には、①より効果的な診断、②感染者の発見、そして③治療処置の発展、特に制限された地域内での収容者の生活環境に関する「人道的な改善」であった。

財政的な問題によりハンセン病へのケアを植民地国家が十分に行えない一方、キリスト教宣教団は率先的にハンセン病患者に支援と処置を与えた。キリスト教宣教団は、ハンセン病へのケアを制度化することに重要な役割を果たし、この病に苦しむ人々への支援提供において、重要な部分で国家権力と責任を分有することとなった。1908年に関して言えば、植民地国家がハンセン病へのケアと処置に対して資源の出費を出し渋っていた一方、ベトナムにおいてキリスト教宣教団は18の隔離収容施設をすでに運営しており、ハンセン病患者に対して絶えず支援の手を差し伸べていた。

注目すべきは、20世紀前半に、複数のキリスト教宣教団が運営するハンセン病患者隔離収容施設が、次々とベトナム北部と中部各地に設立されたことである。ハンセン病患者コロニーは、北部バックニン省では、ヴァンモンに続き1913年にクアカムに、また中部高原では、1920年にコントゥム省ダッキア、続いて1927年にジャン・カッセーニュ師（1895～1973年）によってラムドン省ジーリンに建てられた。さらに同時期、ベトナム中南部の沿岸都市クイニョン市クイホアでも1929年、1人のカトリック神父によって設置された。クイホアは、ハンセン病患者のあいだで崇敬される詩人の1人が親しまれてきたことから、ベトナムのなかで有名なハンセン病患者の村落である。他方でジーリンは後に、創設者ジャン神父がハンセン病患者のケアをして数年後に自身もその病を患い、1973年にまさに自身が創設したコロニーで逝去したことで、とりわけ宗教サークルのなかで有名になった。彼は宗教的殉教者のシンボルとして賞賛された。キリスト教的な奉仕者という自

クイニョン市クイホアのハンセン病村のなかにあるフランシスコ修道会マリー修道院

己犠牲を象徴し、時に、ハワイのハンセン病コロニーで自身がケアしていた収容者から同じ病を引き受け亡くなったダミアン神父のベトナム版ともみなされた。

20世紀後半、数多くの他のハンセン病コロニーは中部、さらには南部のサイゴン（ホーチミン市の旧名）都市中心部周辺、メコンデルタに設立された。ホアヴァンのハンセン病村は、以前は「ハッピー・ヘヴン（Happy Heaven）」ハンセン病コロニーとして知られており、１９６８年にアメリカのプロテスタント宣教団メンバーであるゴードン・スミスと彼の妻によって設立された。サイゴンに隣接するビンズオン省とドンナイ省に、ベンサン、フォックタン、ビンミンのハンセン病コロニーが、それぞれ１９５９年、１９６８年、１９７４年にキリスト教宣教団によって設置された。サイゴン市内にあるハンセン病コロニー、タインビンは、サイゴン郊外の人口が今よりも少なかった１９６７年、キリスト教牧師により設立された。こうした施設に関する概要的なリストを通じて、ベトナムのハンセン病ケアの提供において、キリスト教系の施設が、社会主義時代が始まる直前まで重要であったことがわかる。

キリスト教宣教団は、貧者に支援の手を差し伸べていたことに加え、長い間にわたり、キリスト教の布教において、医療的な慈善行為が潜在的に重要であると認識していた。キリスト教宣教団が経営するハンセン病コロニーでは、患者へのケアは、しばしば福音伝道事業と結びついていた。結果として、キリスト教宣教団経営のハンセン病患者コミュニティに暮らす収容者の大多数は、キリスト教に改宗してきた。

今日、ハンセン病は、多剤併用療法（ＭＤＴ）として知られる治療薬の併用で治療可能な疾病となってきた。ベトナムにおいて新たなハンセン病患者は現在、治療目的で隔離されるということはない。それにもかかわらず、国全体では、依然として1万8000人（2015年）もの人々が「ハンセン病村（lang phong）」に暮らしている。かれらは、深刻な身体的障害を抱え、故郷のコミュニティに戻ることができなくなっている。そうしたコミュニティの住民は教会や国家、そして一般社会から多大な支援を受けている。

新たなハンセン病患者の数が減少し、隔離がもはや不要となった21世紀においても、ベトナムのキリスト教系組織は、病人や貧民のケアをそのミッションとし続けている。今世紀が始まって以降、ベトナムの医療慈善事業は、HIV／AIDS患者に多くの比重を置くようになっており、HIV患者が急増した2000年代初めには、キリスト教の修道女たちの経営するHIV／AIDS患者のためのシェルターが設立された。

2021年後半、ベトナム南部においてCOVID－19の感染がピークに達していたさなか、ベトナムの人々の大部分はまだワクチンを接種しておらず、接触感染を恐れていた。キリスト教の修道女や司祭から構成される650人以上のボランティアが、その他の宗教組織出身のボランティアとともに、2021年7月から12月にかけ重篤患者のケアを支援するため、仮設病院で働いていた。

このように、ベトナムにおけるキリスト教組織は、「不可触民」や差別・偏見を象徴する「ハンセン病患者」へのケアという人道主義的精神を維持してきた。ハンセン病が医療の発展によってかなり克服されてきた今日、ベトナムにおけるキリスト教宣教団は、現代の「不可触民」、すなわちHIV／AIDSのようにしばしば、恐怖心を与え伝染性があり偏見を抱かれてきた病の患者に奉仕し続けている。

（レ・ホアン・ゴック・イエン／下條　尚志訳）

35

新宗教

★カオダイ・ホアハオ★

カオダイ教とホアハオ教は、ともに20世紀のベトナム南部で誕生した新宗教である。最新となる２０１９年の国勢調査によれば、信徒数はそれぞれ55万人と98万人であり、キリスト教と仏教に次ぐ規模とされる。設立時期や発祥地・規模・今日に至るまでの歴史的経緯に共通点が多い両宗教は、政府からも「ベトナム独自の宗教」と称えられ、同国の文化的多様性を象徴する存在となっている。

カオダイ教の起源は、降霊術サークルである。20世紀初頭のベトナム南部では、このようなサークルが複数存在していたが、中でもカオダイ教の母体となったのは、植民地官吏や地主など中産階級による集団であり、彼らは中国民衆宗教の道士たちと合流した後、１９２６年に教団を立ち上げた。この設立経緯が示すように、カオダイ教にはキリスト教や仏教など古今東西の要素が混在しているが、カオダイ教は自らがそれらを超越する存在と位置付けており、高台《カオダイ》という名称も「最も高い位置」という意味を有している。とはいえ実際には道教の影響が強く、主神として祀られているのは玉皇上帝や西王母である上、卜占の一種である扶乩《フーチー》が最重要儀礼として採用されてきた。開教

カオダイ教本殿（タイニン省、2018年）

ホアハオ教説教台（カントー市、2011年）

の翌年より、ベトナム東南部に位置するタイニン省に聖地を構えたカオダイ教であるが、元々は複数のサークルの集合体である。間もなくして、扶乩の解釈をめぐり指導者たちが対立するようになり、教団は設立からわずか数年で分裂することになった。そのため、今日では政府から認められているだけでも11にも上る宗派が存在している。

一方のホアハオ教は、預言者フイン・フー・ソーが創始した仏教系新宗教であり、和好《ホアハオ》の名称はベトナム西南部にあるソーの出身村落名にちなんでいる。幼少期から病弱であったソーは、仏僧の下で心霊治療を受けた後から預言や説教を行うようになり、1939年にはこれを慕う者たちとともにホアハオ教を創設した。ソーの教えは、父母・祖国・三宝・同胞に対する恩の重視と、人々の教化を促すものであったが、これらは19世紀から西南部に浸透していた宝山奇香教と共通する部分が多い。このように既存宗教や民間信仰の諸要素を取り入れたホアハオ教は、仏教思想を重んじながらも組織や儀礼を重視しない、在家主義の集団として勢力を拡大させていった。信者数の増加に伴い、間もなく組織化こそ成されたものの、それは選出された信者が地域代表を務めるにとどまり、聖職者や寺院は存在していない。また、祭祀では既存の仏教寺院や信者宅を活用する一方、通常の儀礼は各自が「南無阿弥陀仏」と念じるだけで良いことも特徴とされる。

設立直後から南部社会で急激な拡大をはじめた両宗教であるが、間もなく民族主義的な主張を強めたことから植民地当局に警戒され、その活動は停滞した。しかし第二次世界大戦後には、フランスとの密約に基づき独自の宗教軍を設立、カオダイ教は東南部に、ホアハオ教は西南部に自治領を形成することが認められた。フランスによるベトナム再支配を支えた両宗教であったが、間もなく内部では複数の軍事指導者が台頭、将軍たちは独自の判断でフランス・アメリカ・ベトミンらと交渉し、時には同じ宗教軍内で対立するなど、複雑な協力・敵対関係を展開するようになっていった。しかし、1954年からベトナムへの関与を強めたアメリカは、宗教団体が自治領や私兵を有する状況を認めず、両宗教団体に対し圧力をかけはじめる。これに対し、両宗教は連合を組み対峙するも敗北し、宗教軍は国軍に編入され、自治領も解体されることになった。もっとも、1965年にはともに法人化されるなど、その後の南ベトナム政権下においても宗教団体としての活動は続けられており、1967年以降は国会議員を輩出するなど政治にも参画していった。

とはいえ、南ベトナム政権下におけるカオダイ教・ホアハオ教は、反共を掲げる宗教団体でもあった。そのため、ベトナム戦争終結後には社会主義政権による報復が行われ、ホアハオ教は75年、カオダイ教は79年に教団組織の解体を余儀なくされる。これは信徒から反発を招くものであったが、83年に両宗教幹部らが関わる武装蜂起計画が露見した後、抵抗運動も徐々に鎮静化していった。最低限の儀礼を除き、ほぼ全ての宗教活動が許可されない状況が続いたが、90年代に入ると規制緩和が始まり、それぞれ90年代後半には公認宗教団体として再興が認められ現在に至っている。

なかでも今日のカオダイ教は、タイニン省にある聖地が観光地として知られているほか、2000年代からは各地で寺院の新規建設が相次いでいる。その極彩色の寺院には、玉皇上帝を象徴する左目が本尊として祀られているだけでなく、多くの宗派ではそれぞれの創始者らが上帝と同様に崇拝対象となっていることも特徴である。また、礼拝時には白いアオザイを着用することが求められることから、1日4回の礼拝時間ともなると、白一色の信者らが寺院に集う姿をみることができる。

一方、在家仏教であるホアハオ教は、地区責任者がいる事務所こそあるものの寺院は存在しておらず、その姿を認めることは難しい。しかし、1947年に死去したソーが今なお崇められている点は変わっておらず、各家庭にある祭壇には必ずその写真が飾られているほか、ソーが記した啓蒙書『讖講《サムザン》』は広く親しまれている。また、信徒宅の庭には天を崇めるための祭壇が設けられていることが多く、本部が位置するアンザン省やその周辺では、かつて説教や読経に用いられていた説教台なる塔の遺構をみることができる。

しかしながら、両宗教と社会主義体制との関係は、必ずしも順風満帆ではない。政府が借用したまま返却の目途が立たない土地は多く残る上に、政府による人事権掌握は、それぞれの宗教内に軋轢をもたらしているからである。ともすると当局批判にもなりかねないこれらの情報発信は、越僑（在外ベトナム人）信者によるＳＮＳが担うところが大きく、近年のベトナム政府は彼らへの対応を迫られている。

（北澤　直宏）

36

民間信仰

★ベトナムの聖母道★

ベトナム人の多数を占めるキン族の民間信仰には、地理や気候などの自然界への畏怖と、それを解消する中国の道教のような外来宗教や信仰が影響している。

「山林からは離れ、海には淡く」というキン族のことわざは、平野部で稲作を行ってきたキン族が抱く、山や海への恐れを象徴している。

しかし、平野部における人口爆発や新しい首都の立地条件などの事情から、キン族が苦手な山地や海洋に進出する必要に応じて、あらたな信仰対象が生み出されてきた。

こうしたベトナムを代表する民間信仰が、聖母道《ダオマウ》である。聖母道は、女神信仰・アニミズム（自然崇拝）・シャーマニズム（神霊や死霊と交信する霊媒が行う儀礼・呪術の信仰体系）を中核にしている。それに、護符や儀礼により不老長生など超人的な能力を目指す外来の中国宗教の道教が多分に、そして仏教が少し融合した信仰体系である。

聖母道の起源は、中国道教の天官・水官・地官という三柱の男神への信仰である。聖母道の神界は府《フー》と呼ばれ、16世紀以前は天《ティエン》・地《ディア》・水《トゥイー》の三府《タームフー》で構成され、主神も起源の道教神と同じく男神であった。17世紀から為政者が推進した北部山地周辺への移民政策の影響で、地府から新たに山林の神界・岳府《ニャクフー》が独立し四府《トゥーフー》となって現在に至っている。新興の岳府は主神で山林の女神上岸聖母とともに、財神として特に信仰を集める。上岸聖母は神殿の主祭壇の他に、独自の山荘《ソーンチャーン》と呼ばれる祭壇や神殿で重ねて祭祀される。霊媒の入信儀式「開府《モーフー》」では、色彩豊かな紙製の山荘を必ず備えなければならない。天府《ティエンフー》・岳府《ニャクフー》・水府《トゥイフー》からなる三府と、天府《ティエンフー》・岳府《ニャクフー》・地府《ディアフー》・水府《トゥイフー》からなる四府《トゥーフー》は並行して信仰され「三府共同、四府万霊」と総称される。各府の諸位《チュヴィ》と総称される多数の神々が信仰される。17世紀頃に盛んになった海外貿易で、ベトナム人女性が資本や外国人との商売を担い、信仰生活にも投資するとともに聖母道の主神も男神から女神に変化していった。

現在では諸位の最上位は、仏教の観音菩薩と、道教の最高神の玉皇上帝が占める。しかし実際上の主神は、四位に属する九重《キューチュン》・上岸《トゥオンガーン》・柳杏《リュウハイン》・水宮《トゥイークーン》の四聖母であり、主神に仕える神々は人格神の朝婆《チェウバー》、大官《クアンロン》、皇子《オンホアン》、若死にした男女の霊である舅《カウ》と姑《コー》である。さらに蛇神《オンロット》、五虎《グーホー》という動物

三府四府の神々（ハンチョン絵画、ハノイ市）

柳杏聖母像（万霊慶寺蔵、クアンニン省チャーコー）

岳府と上岸聖母の神殿「山荘」（西湖府、ハノイ市）

の眷属《けんぞく》神も加わる。

聖母道に使える男女の霊媒は童《ドン》と総称され、男性は翁童《オンドン》、女性は婆童《バードン》・婆骨《バーコット》と呼ばれてきたが、近年では青童《タインドン》が霊媒の総称になっている。青童は、13世紀にベトナムを侵略したモンゴル・元軍を撃退した英雄の陳興道《チャンフンダオ》（１２３１〜１３００年）を信仰する霊媒の呼び名であった。この神を憑依した霊媒は、神威を誇示するため、頬に長い針を刺すなど、激しい所作を行う。

霊媒は憑依する神霊の性格に合わせて衣装を変え、楽団が奏でる神々への賛歌「朝文《チャウヴァン》」を伴奏にして候童《ハウドン》という舞踏を行う。踊る霊媒の持ち物は、軍旗・剣・こん棒など武器が多い。これは17世紀に、北部政権の鄭《チン》氏（１５４５〜１７８７年）と中・南部の政権阮《グエン》氏（１５５８〜１７７７年）が、半世紀近く激戦を繰り返す間（１６２７〜72年）に、両軍将兵が神霊に武運を祈願した名残である。

岳府の女神が憑依した女性霊媒
（第十皇子祠、ゲアン省）

舞踏の後、霊媒は憑依した神々の性格に従い、威張ったり、子どものようにはしゃいだりしながら信者の願いごとに答える。そして、現金を含む信者からの供物を御下がり《ロック（禄）》として分配するが、特に岳府系の神々が大量に供物を振りまく。歌あり踊りあり神託や富の分配を行う候童は、一種の総合舞台娯楽のようである。

１９７６年に社会主義政権によるベトナム統一後、迷信として聖母道信仰は禁止されてきた。しかし、社会の安定と経済の向上とともに、伝統文化の再評価も進められる、１９９０年代前半から聖母道信仰の制限が徐々に緩和されていった。そして遂には、ベトナム政府が聖母道信仰を、ユネスコ無形文化遺産に推薦するまでに至った。この申請により聖母道信仰は、２０１６

年12月1日に世界遺産への登録が承認されている。

ベトナム中部北境ゲアン省クインリュー県のコーン神祠を中心に、四位聖娘《トゥーヴィタインヌウオン》と呼ばれる四柱の女神の信仰も盛んである。この神は、中国の南宋《なんそう》王朝（1128～1279年）の王女たちである。南宋の亡命者たちの造船・航海技術がベトナムで重視されるとともに、この信仰が広まった。この神は元来三柱であったが、15世紀以後は四柱に増加している。これはベトナム人が「三」より「四」を好む数詞概念が影響している。

主に中・南部ベトナムでは、道教の女神で軍神の九天玄女《キューティエンフエンヌー》も万能の神として信仰される。この女神は、大工、船大工、染色工など樹木に関係する職人、歌手・舞台芸人や女性の守護神である。

中南部の大工は、古代中国の春秋時代（前770～前453／前403年）の工匠魯班《ろばん》も祭祀する。しかし、大工たちは魯班より上位の神として九天玄女をより強く信仰している。その信仰を象徴しているのが、彼らが使う正三角形の定規である腋尺《わきじゃく》（トゥオック・ナーック）である。この特殊な定規は、九天玄女が木造建築を人々に教えた時、手を腰に当てて腋にできた三角形で建築の基準を示したことに由来すると信じられている。

中部フエ地域の各家庭では、この女神の誕生日陰暦1月9日に祭礼が行われる。元来、この日は道教の最高神である玉皇上帝の誕生日であるが、この最高神と九天玄女が同格視された、かつての信仰の名残をこの日に留めている。

中部のフエではヒンドゥー教の主神シバの妃ウマーが起源の天依阿那聖母、南部ではタイニン省の霊山聖母とアンジャン省の主処聖母のようなヒンドゥー教に起源を持つ女神が信仰される。

北部起源の三府四府信仰は、中・南部にも広がっている。中部の四位聖娘信仰の中心地コーン神祠では、合祀された三府四府の女神の祭壇が、主神の四位聖娘の祭壇より目立つ。多くの仏教寺院でも、諸位を寺の一間や独立した祠堂に合祀する。合祀がないと、信者が減少し寺院経営が困難になるほどである。さらに諸位が祀られる寺の僧尼は、入信儀式「開府」を行い青童になる必要がある。また仏僧自身が候童を行うこともある。ただ仏僧に憑依するのは観音菩薩など仏教の祭祀対象であり、装束も地味な茶褐色の僧衣や白いレース地のベールなどで、所作も扇で自身を仰ぐなど緩やかである。もともと娯楽性が強かった候童は、近年の政府公認とともに信仰から離れて、宗教施設以外の一般劇場でも行われはじめ、舞台芸術のようになりつつある。

（大西　和彦）

コラム7

トルン――ベトナムの大地と知恵が育んだ美しい竹琴

小栗久美子

竹を陽に干す　太陽の光を受け、竹は赤みを帯びる
竹をかまどにかざす　竹に蜂蜜色の艶がでる
長い時間をかけて竹を組む　音の出る浮き橋
支柱の両頭はじっと弛張を受け止める
心の音色をハンモックのように吊るした楽器

〔フイ・カン作「トルン」より〕

ベトナムの民族楽器〝トルン〟を詠んだ詩の一節である。トルンとは竹で作られた打楽器、言わば竹琴である。音階に並べられた竹筒を縄梯子状につなげて吊し、特殊なバチで演奏する。木琴を縦にしたようなイメージだが、音列の並びは複雑だ。日本ではまだ知る人が少なく、各地の公演へお招きいただく場でも「初めて知った」というお客様がほとんどである。開演前、奏者を待ってひっそりと佇む姿も美しい。ヨットの帆？　恐竜の骨？　美しくしなやかな形状がみる者の想像力を掻き立てる。

長きにわたり中国やフランスの統治下に置かれてきた歴史的な背景から、ベトナムの人々は東西の外来文化を巧みに融合し独自の文化を築いてきた。一方で、多民族国家であるベトナムには、古代より土着の文化を継承してきた少数民族の人々がいる。中部高原（タイグエン）にはジャライ族、エデ族、バナ族、セダン族など多くの少数民族が居住し、独自の文化を育んできた。トルンもその1つだ。トルンの歴史は古く、正確なその起源は定かではないが、同じ地域の地層から石琴が出土したことによって数千

年という単位でさかのぼれるとされている。発見された石の音板は5音音階に調律されており、一時期は現存する世界最古の楽器とも言われた。その音階が現在のトルンにも残されている音列であることから、少なくとも同時期には作られていたと推測できる。もとは田畑に動物を寄せ付けないように竹筒を打ち鳴らす行為から始まったと言われており、木に吊るしながら、または人が持ちながら弾くなど、小型の楽器であった。農作業に疲れた手を休め、トルンを奏でる。音色が疲れを癒し、またその音色は鳥獣から田畑をも守る。時に家族のお祝いごとで、時に親愛を込めたメッセージとして。神々が宿っているとも考えられてきたトルンは、タイグエンの人々にとって日々の生活に寄り添う存在だったようだ。

その後、首都ハノイで都市部の音楽家によって大きく改良され、楽器として一層の発展を遂げた。1960年代以降のことである。タイグエンから北部へ移住してきたジャライ族の演奏家たちと、当時ハノイで活動していた竹笛奏者ドー・ロックとの出会いが、トルンの歴史を大きく動かした。ドー・ロックは初めてみる竹楽器に強く惹かれ、改良研究に取り掛かる。より幅広い演奏を可能にするために音階や音域を広げ、バチにも工夫を凝らした。クエと呼ばれるトルン用のバチは上下に頭を持ち、一度に4つの音を鳴らすことができるユニークなもの。少数民族の演奏から特徴的な響きを捉えてドー・ロックが考案したものである。また音板を支える三脚も、タイグエンの大自然やトルンの素材感に寄り添って創作した。今日の演奏家にとって一般的となっているトルンの形状は、同じく北部の音楽家であるバー・フォーがより弾きやすい音列に並べ替えたものであるが、両氏ともにタイグ

トルンと筆者（©Kumi Watanabe）

エンの原型トルンが奏でる響きを損なわないよう、音階の配列に気を配っている。その上で西洋音階（ドレミ……）も取り入れ、演奏の幅を広げることに成功した。故郷への敬意を込めた両氏の研究によって、より印象的な楽器へと導かれた新しいトルンの音色は、タイグエンの人々にも心地よく受け入れられた。

トルンを演奏していると、その肌触りは実に心地良い。身体とともに伸びやかに駆け上る高音、手に馴染むバチのしなり、心にスッと染み入る柔らかな響き。そこには、長い歴史と大自然が育んできた生命力、ベトナムの人々の知恵と情熱、先祖を思いやる崇高な精神を感じ取ることができる。

現代においても、よりコンパクトに畳める工夫や美しく装飾を施したもの、アルトやバスといったアンサンブル用トルンなど、楽器職人による自由な発想で新しい風が吹き込まれている。その一方で、トルンを学ぶ者も腕の良い職人も減少傾向にあるのが現状だそうだ。筆者も一演奏家として、トルンの新たな可能性や魅力を引き出し、伝えていけたらと願う。冒頭で紹介したフイ・カンの詩は、タイグエンに伝わる歌を引用しながら最後にこう語っている。「トルンはその心を語り、愛を歌う　尽きることのない炎のような慈しみの心を歌う」と。ベトナムの大地と人々の知恵が育んできたこの美しい炎を、絶やしてはならない。

コラム8

神戸のカトリックコミュニティ

野上恵美

　在日ベトナム人の多くは仏教徒であり、カトリック信者は少数者であると言われている。難民としてベトナムから日本に渡ってきた人びとを含む在日ベトナム人コミュニティにおいても同じ傾向がみられ、カトリック信者は少数者である。しかしながら、カトリック信者の存在は、在日ベトナム人コミュニティの内部と外部（日本社会）において大きな影響を与えた。具体的には、カトリック教会を核とする同胞を中心とした社会的ネットワークの拡大と日本社会に在日ベトナム人コミュニティの存在を示したことがあげられる。

　仏教徒より規模の小さいカトリック信者の存在が影響力を持つことができた背景には、カトリックがバチカンをトップとする徹底したヒエラルキーに基づいているからである。ミサの段取りなど様々な宗教的活動が世界共通であり、難民として日本という異国にやってきたベトナム人にとって既存の教会に参入することが容易であったことから、日本社会において可視化されやすかった。一方で規模が大きくても既存の寺に参入することが難しかった仏教徒は、難民として日本に渡ってきた当時、日本社会からその存在は見えにくかったと思われる（近年は全国各地でベトナム寺院が建立されており、在日ベトナム人仏教徒の活動が著しく活発化している）。

　カトリック教会は全国各地にあるが、在日ベトナム人が集うカトリック教会は、難民として渡日したベトナム人が生活基盤を築いている地域と概ね重なっており、関東では神奈川県横浜市や静岡県浜松市、関西の場合は兵庫県神戸市、姫路市があげられる。それらの地域には、難民として渡日したカトリック信者だけでなく仏教徒も集住している傾向がみられる。移民としては規模の小さかった在日ベトナム人にとって、同胞が集まっている地域に生活基盤を構えるということは当然のことだと言えるだろう。

私が神戸市の在日ベトナム人コミュニティで調査をしていた2010年代頃、在日ベトナム人が多く集まるカトリック教会の日曜日に行われるミサに定期的に通っていた。当時、その教会で事務を担っていた女性の話では、教会に集まる信者の半数以上が在日ベトナム人であるということだった。この教会では、在日ベトナム人信者のために、月に一度ベトナム語によるミサが行われていた。在日ベトナム人信者の特徴としては、若い信者が多いだけでなく教会の活動に積極的に関わっている人が多かった。

聖母被昇天の祝日の様子。在日ベトナム人信者が中心となって行う

一方で、日本人信者と在日コリアン信者の特徴としては、高齢信者の姿が目立ち、それゆえに教会の活動に関わることができる人が限られていた。一見すると在日ベトナム人信者と日本人信者、在日コリアン信者の間には様々な差異が存在していたが、日曜日のミサ後はほぼ毎週、在日ベトナム人と日本人の男性信者は教会内の喫茶フロアに集い、コーヒーや時にはビールを片手に語らう姿がみられた。難民として日本にやってきたベトナム人信者は、教会を起点としたネットワークを構築することにより、日本社会への定着を図った。

１９８０年代前半に難民として日本に渡ってきた在日ベトナム人の存在が「再び」日本社会で可視化されたのは、１９９５年の阪神・淡路大震災であった。被災した在日ベトナム人の存在は、「難民経験」と「被災経験」による「二重の喪失者」として頻繁にマスコミに取り上げられた。さらに、当時の行政による復興支援がベトナム人被災者を含む外国人被災者を十分に包括した体制でなかったことから、外国人を対象にした生活支援を行う草の根活動が隆盛するきっかけとなった。また在日ベトナム人信者が多く集まるカトリック教会では、共生社会の実現に向けた社会活動団体がいくつか生まれ、現在も続いている。その中には、在日ベトナム人と日本人が被支援者／支援者という枠組みを越えて、共生社会の実現に取り組んでいる団体がある。教会ではすでに在日ベトナム人信者が日本人信者や在日コリアン信者を支える側になろうとしつつある。これまで在日ベトナム人信者が経験してきた支えられる側の苦労が共有される契機になるかもしれない。このような教会の状況を日本の共生社会に向けた一過程として捉えることができないかと考えている。

私が日曜日に行われるミサにあまり顔を出さなくなってから10年ほどが経過したが、その間で教会の様子は大きく変わった。ミサに参加するベトナム人の数は急増し、聖堂に入れないベトナム人は、聖堂外で神父の声に耳を傾けている。その中にはカトリック信者ではない技能実習生や留学生も含まれている。ミサに参加する理由を尋ねてみると、「ベトナム人と会える、情報交換ができる」、「Wi-Fiを無料で使用することができる」と答えてくれた。教会の様子は大きく変わったが、人びとが出会い、新たなネットワークを構築する場であることは変わりないようだ。

V

文化・スポーツ、芸術・世界遺産

レ・ヴァン・デ《マリ・マドレーヌ》、エリオグラヴュール、10.8×7.5 cm

37

音楽

★西洋から伝来した芸術音楽の展開★

首都ハノイ。観光地として有名なホアンキエム湖から東側にのびるチャンティエン通りをまっすぐ進むと、正面にハノイ大劇場（オペラハウス）が現れる。建物に足を踏み入れると、大理石の床と深紅の絨毯《じゅうたん》が印象的なロビー、こぢんまりとしつつも重厚感に満ちた劇場内、そして天井には淡い青空の絵と中央にきらめく控えめなシャンデリア。まるで別世界に誘われたかのようだ。

ハノイのほか、ホーチミン市（旧サイゴン）とハイフォンにオペラハウスがある。現在もコンサートや舞台芸術、式典などに使用されるこれらの建築物は、いずれもフランス植民地時代に建てられた。植民地政権は軍事的・政治的支配と並び、ヨーロッパから遠く離れたベトナムの地に西洋文化をもちこんだ。音楽

夜のハノイ大劇場（2022年7月、Đặng Vũ Trung Kiên撮影）

も例外ではない。オペラハウスのほか、教会、軍楽隊、学校、喫茶店やホテル、短期間ではあったが開校された音楽院といった場、またレコードやラジオなどを通して、ベトナムの人々は西洋音楽に触れ、吸収していった。

西洋音楽が伝統音楽や民間音楽に影響を与えたことはいうまでもないが、同時に、一部のベトナムの人々は歌曲や歌劇の創作や、指揮や楽器演奏などの音楽活動に参加した。1945年にフランスと日本の支配からの独立を宣言した後も、彼らは西洋音楽を用いて自国の音楽文化をつくっていく。

社会主義を採用するベトナム（分断期の北ベトナムと統一ベトナム）では1950年代後半以降、国立の音楽学校、交響楽団やパフォーマンス団体、音楽家協会などが設立された。音楽家たちの活動は、社会主義リアリズムや民族性を重視する国家のもとで統制され、ソ連や東欧、北朝鮮や中国といった社会主義諸国の支援を受けながら展開された。作曲では、歌曲や小規模な器楽曲から交響曲、オペラ、バレエと多岐にわたるジャンルで、革命や祖国を謳う作品や、戦時には戦意を鼓舞する作品などが創作された。

この時期に生まれ育ち、世界的な快挙を遂げたのが、1958年にハノイに生まれたダン・タイ・ソンである。パリとプラハへの留学経験があるピアニストを母親にもつ彼は、国内の音楽学校でピアノを学び、ベトナム戦争終結後にモスクワへ留学した。そしてそのわずか3年後の1980年に、国際的に権威あるショパン国際ピアノコンクールでアジア出身のピアニストとして初の1位を飾ったのである。

分断期の南ベトナムにも国立の音楽学校があったが、国家統一にあたって共産党政権下で再編された。難民や移民として国を離れた音楽家もおり、カリフォルニアを拠点とする「ベトナミーズ・アメリカン・フィルハーモニック」（1995年設立）など、在外ベトナム人による音楽活動も繰り広げられてきた。

一方ベトナム国内では、ドイモイ期を迎えて外交関係の幅が広がったことにともない、西欧、アメリカ、日本などの西側諸国との文化交流が活発になっていった。

現在ベトナムには、ベトナム国立交響楽団（VNSO: Vietnam National Symphony Orchestra）やベトナム国立音楽舞踊劇場（VNOB: Vietnam National Opera & Ballet）、ホーチミン市交響・音楽舞踊劇場（HBSO: Ho Chi Minh City Ballet Symphony Orchestra and Opera）など、政府傘下のプロの芸術団体がある。これらは主に、ベトナム国家音楽学院（ハノイ）やホーチミン市音楽院の卒業生を団員とし、しばしば諸外国の政府関連機関や企業からサポートを受けて活動している。また2017年には多国籍の演奏家によって構成される企業楽団「サン・シンフォニー・オーケストラ」が結成され、ベトナムの音楽界に新風を吹き込んだ。

教育に関していえば、国内の音楽院や芸術大学のほか、プロの音楽家を目指す若者の欧米諸国への留学も盛んだ。才能ある歌手、演奏家、作曲家が次々に生まれており、国内外での今後の活躍が楽しみである。また、帰国した一部の若手音楽家たちは、ハノイ大劇場や音楽学院のホール、大教会などでのコンサートシリーズ、あるいは小さなカフェでの解説つきコンサートやワークショップなどを主体的に企画運営し、市民に身近な「クラシック音楽」文化を育むことにも精力を注いでいる。

現代ベトナムにおいて「クラシック音楽」は社会に根づいているとはいえないものの、急激な経済発展を背景に、受容層は徐々にひろがっている。富裕・中間層の家庭では、教養としてピアノやヴァイオリンを習う子どもが増えており、私営の音楽教室の人気も高い。さらに、2021年末には証券会社などがスポンサーとなって、若手アマチュアや聴衆の育成を目的とする非営利団体「ベトナム・ユース・ミュージック・インスティテュート」が設立されるなど、ベトナムの大企業も文化への関心をみせている。

このように現代ベトナムの音楽シーンは、政治、経済、そして音楽家たちの実践により日々ダイナミックに変化している。

創作に関しても、ドイモイ以前の面影を残しつつ、形式、内容ともに多様な作品がつくられている。ここでは3つ紹介しよう。

オペラ《赤い葉っぱ》は、ベトナム戦争の激戦地チュオンソンで犠牲になった青年突撃隊の物語を描いており、戦時につくられた歌曲や詩、中部地方の民間音楽の要素がふんだんに盛り込まれている。文化・スポーツ・観光省の委嘱を受けてドー・ホン・クアンが音楽、グエン・ティ・ホン・ガットが脚本を手がけた作品で、2016年の初演以来、ハノイやベトナム戦争にゆかりのある地で上演されてきた。

ダン・ヒュウ・フックの《米太鼓》は、同じタイトルで知られるクアンホ民謡（第38章「文化遺産」参照）に基づき2009年に作曲された、ピアノのソロのための作品で、冒頭から終わりまで次々と表情を変えながら駆け抜けるリズミカルな音をもって聴く人を愉しませる。この作品は、他の民謡も取り入れて小編成のアンサンブルからオーケストラ編成まで様々に編曲され、国内外で演奏されている。

本名徹次の指揮の下で練習するVNSO（2018年7月）

ヴー・ニャット・タンによる「ハノイズ」（ハノイとノイズを組み合わせた造語）というプロジェクトも興味深い。彼はハノイの街の音にインスピレーションを得て、古典と現代、伝統と実験の垣根を越える音楽を目指してきた。一連の作品にはコンピューターを使用するものも多いが、2019年には西洋楽器、伝統楽器、そして演奏者の声を用いた室内楽作品が国立音楽学院の小ホールで披露された。

ところで音楽は、日本とベトナムの親密な関係を支えてきた。それを語るうえで欠かせないのがVNSOだ。1990年代初頭、恒常的な活動が絶たれていたVNSOの再建に取り組んだのは日本人指揮者の福村芳一であり、2000年には中国公演を実現させた。続いて本名徹次がVNSOの音楽顧問（2001～2009年）や音楽監督兼首席指揮者（2009年～）を務め、長年にわたりオーケストラのレベルアップやレパートリーの増加に尽力し、日本公演や団員の日本での研修なども数多く実現させてきた。

2023年には日越外交関係樹立50周年を迎える。この年に向けて、本名徹次を総監督とし、大山大輔の脚本、チャン・マイン・フンの作曲による日越合作オペラ《アニオー姫》の制作が進められている。音楽を通して両国がますますよい関係を築くことが期待される。

（加納　遥香）

38

文化遺産

★有形／自然／無形、観光★

ベトナムは、１９８７年に、ユネスコの「世界の文化遺産および自然遺産の保護に関する条約」を批准した。ドイモイ後、国際社会参入と経済発展を目指す中、世界遺産は、国内外からの観光客誘致に貢献することも期待された。世界遺産が中部に多いのも、当初、経済発展が遅れていた中部の、観光による活性化が意識されたためと指摘される。その狙いは概ね達成された一方、遺産の保護と観光振興の両立が課題となっている。

李《リー》朝（11～13世紀）以降のタンロン城の遺構を中心とする「ハノイのタンロン皇城の中心区域」（２０１０年登録）からは、「千年の都ハノイ」の歴史の一端がわかり、胡《ホー》朝（15世紀）の都タインホアの「胡朝の城塞」（２０１１年登録）からは、当時の石造建築技術の高さがうかがえる。「チャンアン景観群」（２０１４年登録）は、丁《ディン》朝、前黎《レ》朝（10～11世紀）の都ホアルーを含み、渓谷の景観も美しい。いずれも、ベトナム国内では、中国からの「民族独立」を達成した、あるいは守ろうとした王朝の遺産とされ、歴史的、政治的位置付けは明確であった。

対して、中部フエの阮《グエン》朝（１８０２～１９４５年）関連の建造物「フエの建造物群」（１９９３年登録）についてみると、登録前、

表1　ベトナムの世界遺産

登録名	登録年（注1）	所在地	分類
フエの建造物群	1993	中部トゥアティエン・フエ省	文化
ハロン湾	1994（2000）	北部クアンニン省	自然
ホイアンの古い町並み	1999	中部クアンナム省	文化
ミーソン聖域	1999	中部クアンビン省	文化
フォンニャ・ケバン国立公園	2003（2015）	中部クアンビン省	自然
ハノイのタンロン皇城の中心区域	2010	北部ハノイ市	文化
胡城の城塞	2011	北部タインホア省	文化
チャンアン景観群	2014	北部ニンビン省	複合（注2）

注1：括弧内は範囲拡張の年
注2：文化遺産、自然遺産両方の基準に該当する

ベトナム国内では、フランスに「国を売った」「封建的な」王朝という阮朝に対する否定的評価が、完全には払拭されていなかった。その中で王宮等の修復保存、世界遺産登録が進められたのは、フエの観光都市化への期待も大きな理由であると指摘される。

「ミーソン聖域」（1999年登録）は4～13世紀、チャンパ王国の宗教的中心であった場所で、シヴァ神等、ヒンドゥー教の神々を祀った寺院跡が残る（第7章「扶南と林邑（チャンパ）」参照）。2世紀末頃に建国されたチャンパは、阮朝期1835年には完全に滅亡し、末裔のチャム人は一少数民族となっていた。そのチャンパは長らく、東西交易ルート「海のシルクロード」における中継貿易の担い手であった。「ホイアンの古い町並み」（1999年登録）も、16～18世紀前後に国際貿易都市として栄えた面影を残す。ドイモイ後、国際経済、国際社会参入の機運とともに、上記遺産の国内的意義も高まり、研究も活発化した。一方で、先行して登録されたのは、中部への観光客誘導も動機だったと言われている。

ベトナム観光総局によれば、ベトナム全体で、1990年に約25万人だった外国人旅行者数は、2019年には約1800万人と大きく伸びた。国内旅行者数は、同期間に約100万人から約8500万人に増加した。中間層以上の増大や、格安航空会社、寝台バスの登場、高速道路や空港の整備、予約サイトの浸透等も背景にある。

こうした中、世界遺産周辺でも、観光による弊害が出ており、コロナ禍後の観光復興では、環境に配慮した持続可能な観光の推進が一層謳われている。ベトナムの自然遺産でも、観光開発が遺産の価値を脅かしかねない事態が起きていた。石灰岩の島々、洞窟や鍾乳洞をめぐるクルーズ船観光が人気の「ハロン湾」（1994年登録）では、工業汚染水の流入や観光客によるゴミの投棄により環境汚染が深刻化した。2019年以降、使い捨てプラスチック製品の排除等、対策が本格化している。「フォンニャー・ケーバン国立公園」（2003年登録）は、豊かな原生林、世界最大級のソンドン洞窟を含む鍾乳洞を有する。同公園では、観光用のゴンドラを整備する計画が出たが、2017年、ユネスコ世界遺産委員会は、環境負荷を理由に計画の破棄を求めた。

この他、ベトナムの文化遺産法（2001年制定、2009年改正）では、文化遺産や自然遺産を、地方級遺跡、国家遺跡、特別国家遺跡として指定する制度がある。2022年1月時点で、特別国家遺跡は120件余りある。国家遺跡では、2005年、伝統的農村集落として初めて、ハノイ市郊外のドゥオンラム（日本では「ドンラム」で知られる）村が指定された。

無形文化遺産をみると、ユネスコの「無形文化遺産の保護に関する条約」（2003年）に基づく代表一覧表、緊急一覧表には、各地の民謡、音楽、舞踊、遊び、英雄信仰、シャーマン信仰等が記載されている。

「ベトナムの宮廷音楽、雅楽《ニャーニャック》」（2008年記載）については、15世紀（後黎朝期）に中国・明の雅楽を体系的に取り入れ、最後はフエの阮朝の宮廷で演奏された。伴奏に合わせて詩を吟じる「カーチュー歌謡」（2009年緊急一覧表記載）は、北部の宮廷、農村のいずれでも歌われた歴史がある。両者とも社会主義政権下で封建的産物と見なされる等、断絶の時期を経て、ドイモイ後に「民族文化」として復興を遂げた。

他方、観光化やステージ化と遺産の保護の折り合いが課題となることも多い。「バックニンのクアンホ民謡」（２００９年記載）は、北部バックニン省周辺の農村の祭礼等で楽しむ、恋愛等を題材とした、男女のグループによる掛け合いの歌である。大衆的で民族的な歌謡と評価され、１９６０年代頃から、主にステージ用として、西洋音楽の技法を取り入れる等改編された「新クアンホ」も登場した。現在、「新クアンホ」が普及する一方、伝統的なクアンホの継承が課題とされる。

ハノイ市ドゥオンラム（ドンラム）村モンフー亭（2022年2月、Nguyen Quang Dieu撮影）

「ベトナム南部のドンカータイトゥ歌謡と音楽の芸術」（２０１３年記載）は、フエの宮廷から民間に広がったフエ歌や、中部、南部の民謡が混淆したとされ、ベトナム琴等の弦楽器と歌声が伸びやかに響く。元は、農村の祭礼や娯楽の場で歌われており、南北統一後も引き続き演奏された。現在、無形文化遺産として注目が高まる一方、観光サービス化や人気曲の一部しか歌わない傾向に憂慮が示されている。

「ベト人の三府聖母信仰に関する実践」（２０１６年記載）は、聖母道とも呼ばれる、キン（ベト人）の女神信仰であり（第36章「民間信仰」参照）、霊媒師に神々が憑依する、いわゆるシャーマン儀礼も含んでいる。「ベトナムのタイー、ヌン、ターイ人によるテン実践」（２０１９年記載）では、シャーマンであるテンが平安や病気治癒、豊穣等を祈禱する。これらは社会主義政権下で迷信として禁止される一方、儀礼の音楽だけが芸能化された。そしてドイモイ後に再評価され、シャーマン儀礼も復活した。２０２２年３月現在、聖母信仰では、神聖な存在であるとして、シャーマンをステージに上げることに批判があるのに対し、テンでは、広報につながる芸能化にも、比較的寛容に見える。無形文化遺産では、少数民族関連の遺産も重点的に保護されている。これについて、少数民族の国民統合を意識したものとの指摘もある。国内では、２０１２年から国家無形文化遺産の一覧表が作成され、２０２１年末時点で、４００件弱が記載された。ここにも、少数民族関連の無形文化遺産が多数含まれる。

観光に関する動向としては、ベトナム人による海外旅行も増える一方、ツーリング等で自然探検を楽しむ「フオット」と呼ばれる旅行、民泊や農業体験をはじめ、国内旅行の形態は多様化した。地域共同体、文化遺産を含む自然環境や歴史文化を生かす観光も志向され、ベトナムの魅力の開拓がさらに進んでいる。

（大泉　さやか）

表2　ユネスコの各種一覧表に記載されたベトナムの無形文化遺産

登録名	記載年	主な実践地域
ベトナムの宮廷音楽、雅楽	2008	中部トゥアティエン・フエ省（申請書類上の記載は確認できず）
ゴング文化空間	2008	中部高原（タイグエン）（申請書類上の記載は確認できず）
カーチュー歌謡（注 1）	2009	北部、北中部、ホーチミン市
バックニンのクアンホ民謡	2009	北部バックニン省、バックザン省
フードン、ソクソン殿のゾン祭り	2010	北部ハノイ市（+バックニン省）
フートの雄王信仰	2012	北部フート省
ベトナム南部のドンカータイトゥ歌謡と音楽の芸術	2013	南部 21 省
ゲティンのヴィー、ザム民謡	2014	中部ゲアン省、ハティン省
綱引き儀礼と競技	2015	カンボジア、フィリピン、韓国、ベトナム（共同申請）
ベト人の三府聖母信仰に関する実践	2016	北部、中部の 16 省、南部ホーチミン市
フート省のソアン歌謡（注 2）	2017	北部フート省
中部ベトナムのバイチョイ芸術	2017	中部 9 省
ベトナムのタイー、ヌン、ターイ人によるテン実践	2019	東北地方、西北地方（北部山間部）
ベトナムのタイ（ターイ）人のソエ舞踊芸術	2021	北部イエンバイ省、ライチャウ省、ソンラ省、ディエンビエン省
チャム人の陶器製造の芸術（注 1）	2022	中南部ニントゥアン省、ビントゥアン省

注1:「緊急に保護する必要がある無形文化遺産の一覧表」（緊急一覧表）に記載、それ以外は「人類の無形文化遺産の代表的な一覧表」（代表一覧表に記載）
注2：2011年に緊急一覧表に記載、2017年に代表一覧表に移動

39

ベトナム美術の１世紀

★インドシナ美術学校の卒業生たち★

近代絵画愛好家の間に衝撃が走ったのは、２０１７年４月２日だった。サザビーズ香港のオークションでレ・フォー（１９０７〜２００１年）の絹画《家族の生活》が、ベトナム絵画史上初めて１００万米ドル（約１億３６００万円）を超えたのだ。その２年後の２０１９年5月26日の香港クリスティーズではト・ゴク・ヴァン（１９０８〜１９５４年）の絹画《幻滅》が１００万米ドル超え。３人目は、ファム・ハウ（１９０３〜１９９５年）の漆絵《タイー寺の風景》（２０２１年４月18日サザビーズ香港）。そして、ついに、２０２１年４月18日、サザビーズ香港にて、マイ・トゥ（１９０６〜１９８０年）の油画《フオン嬢の肖像》が３００万米ドル超えを達成した。日本円にして、およそ4億円以上になる。

このように、現在、ベトナム絵画はアジア近代絵画のなかで最も注目すべき市場とみなされており、目が離せない。予想をはるかに上回る値で売買されている画家たちは、皆、１９２５年に創立されたインドシナ美術学校（École des Beaux-Arts d'Indochine、１９２５〜１９４６年）の卒業生たちである。このインドシナ美術学校は、フランス植民地政府が開校した官制学校であり、初代校長は、詩人ジャン・タルデューの父親、ヴィクトール・タルデュー（Victor Tardieu）。彼の監督下、この学校は「ベトナム絹画」と「ベトナム漆画」という2つの新しい絵画ジャンルを生み出したことで知られている。双方とも、もともと確立されていなかった絵画ジャンルであるが、学生と教師たちの協力下、「新しい伝統」として生み出された。この学校で学んだ主な画家たちを紹介していこう。

フランス人コレクターを獲得し、「画家第1号」となった卒業生は、グエン・ファン・チャン（1892～1984年）だ。文人的価値観に根ざしていたファン・チャンは、落款《らっかん》風サインや詩を画中に入れている。墨とグワッシュで描かれた彼の代表作《オーアンクァン遊び》は、ファン・チャンの記念すべき最初の絹画のなかの1枚であり、福岡アジア美術館に所蔵されている。

グエン・ファン・チャン《オーアンクァン遊び》、1931年、絹本着色、65.3×87.5cm、福岡アジア美術館収蔵〔*L'illustration*, décembre 1932, n. pag〕

次に「画家」としての成功を収めたのは、レ・ヴァン・デ（1906～1966年）。絹画と油画の両方を手掛けていた彼は、生前のうちからパリ市の美術館やヴァチカン美術館に買い上げられている。また、フランスのアカデミーの公式展覧会、いわゆる「サロン」を引き継ぐフランス芸術家協会員に入会を許された初のアジア人でもある。聖書をテーマにした画が多いのは、彼自身がクリスチャンだったこともある。

前出のレ・フォーは、ベトナム文学を画題とすることを好んだ。卒業後、パリを活動の地として移動した画家の1人であり、

マイ・トゥ《書道》（部分）1956年、絹本着色、28×76cm。ユニセフの雑誌に掲載され、ポストカードにもなった作品〔*UNESCO Courrier*, vol.10, 1957, p.13〕

『金雲翹《キムヴァンキエウ》』や『征婦吟《チンフガム》』などのベトナム古典文学の視覚化を試みた。晩年はアンティミテ（親密さ）をテーマに室内を多く描き、「ベトナムのボナール」とあだ名された。海外、とりわけアメリカで人気を得ていたベトナム画家であり、孫娘は、日本でも人気があるファッション・デザイナーのオランピア・ル・タンである。

3億円超えをして話題になっているマイ・トゥは、ベトナム絵画のルーツを民画に求めた。1956年以降、マイ・トゥは、室内に貼られることによって安寧や幸福を呼ぶハンチョンやドンホーなどのベトナム民衆版画に注目し、家系繁栄と幸福の象徴である唐子をテーマに絹画を数多く作成した。彼が唐子を描き続けたのは、ベトナム戦争に強く反対していたからでもある。彼は、日本の浮世絵の愛好者でもあり、歌麿や春信ら、日本の版画からインスピレーションを得たと思える作品も多い。

一方、チャン・ヴァン・カン（1910〜1994年）、ファム・ハウ、グエン・ザー・チー（1909〜1993年）らは、美術学校の講師たちと漆職人の協力を仰ぎながら漆技法の発展を推進していった。それは、塗り重ねた漆を削っていくことで色を出していく「ソン・マイ」と呼ばれる技法で、最初にこの研ぎ出しに成功したのは1934年、画家チャン・ヴァン・カンによるものとされている。この方法は最終的に削ってみるまでどんな色が出てくるのかはわからない。ただし、漆画は、亜熱帯に

グエン・ザー・チー《中南北春園》、漆画、540×200cm、ホーチミン市美術博物館収蔵（BTMT 06）〔写真Hungneo〕

おいては油画よりも耐久性に優れており、後世に長く残せるという利点がある。

ホーチミン市美術博物館に展示されている、「ベトナム現代漆画の父」と称されるグエン・ザー・チーの国宝《中南北春園》は圧巻だ。忍耐強く、20年もかけて作成された漆パネルの中央部の3人の娘は、ベトナムの北部・中部・南部の擬人化となっている。長い戦争を終えて再会を喜ぶ3人を取り囲む春めいた楽園は、まるでロココ様式の絵画のような軽妙さと品格がある。

ちなみにベトナム漆画の開発には、間接的ではあるが、日本人も絡んでいた。東京美術学校を卒業した石河壽衛彦（蒔絵科、明治29年卒業）は、1902年からハノイに移り住み、ベトナム漆に蒔絵を施す技術をベトナム人たちに教授した。

インドシナ美術学校の後期の学生たちは前衛的なモダニズムに挑戦していた。その1人、ブイ・スアン・ファイ（1920〜1988年）は、共産党下での文化の自由を提唱した運動（人文佳品事件）に参加して弾圧された画家である。自由に表現することを30年近く禁止されていたファイであったが、他界する4年前に個展を開き、新世代の芸術家たちの大きな支持を得て、その名声を不動のものとした。古きハノイの街並みを愛し、哀調あふれる色彩で描いたファイは、その

ブイ・スアン・ファイ《炭鉱》紙にグワッシュ、43×53cm、シンガポール・ナショナルギャラリー収蔵（1994-05657）〔National Gallery Singapore, ***Reframing Modernism,*** 2016, p.117〕

大胆な筆使いがルオーを思わせる。

ファイの友人、タ・ティ（1922〜2004年）は生粋のモダニストだった。ピカソを思わせるキュビスムに傾倒していた彼であったが、堕落したブルジョワ趣味とみなされ、ベトナム戦争後に「再教育キャンプ」に送り込まれた。一時はアメリカに亡命したものの、終の棲家としてベトナムを選び帰郷した。芸術は自然と同様、常に流転して形と表現を変えるというのがタ・ティの美学であり、信念を曲げず、情熱的に創作に突き進んだ画家であった。

千年にわたって中国文明圏下にあったベトナムの歴史と文人的価値観、植民地時代のフランス美術界からのアカデミーとモダニスムの影響、戦争とプロパガンダ、純粋美術という概念と職人仕事、東方趣味、民衆の生活……。ベトナム近代絵画には、こうした要素がすべて凝縮されている。（二村　淳子）

40

文学

―――★読み継がれる古典作品、過去の再評価と新しい文学★―――

ベトナム文学について語るなら、まず、ベトナム語文学の最高傑作としてベトナム人が世界に誇る『翹伝《ぎょうでん》』に触れないわけにはいかない。題名は他に『金雲翹《きんうんぎょう》』『断腸新声』などもあるが、「チュエン《伝》・キエウ《翹》」と呼ばれるのが一般的だ。作者の名は阮攸《グエンズー》（1765〜1820年）で、作品の成立は18世紀末か19世紀初頭頃のこと。元は字喃《チュノム》作品だが、現在はクオックグーに転写されて読み継がれ、子守歌や慣用句として口承でも伝えられている。2021年にはこれを現代的にアレンジした映画『キエウ』も公開された。『翹伝』は中国の通俗小説『金雲翹伝』を元に、あらすじや登場人物はそのまま、6音節と8音節の行が交互に続いていく六八体と呼ばれるベトナム独自の詩体を用いて3254行でもって語り直した長編韻文作品だ。主人公は翠翹《トゥイキエウ》という佳人才女で、通常、翹の一字を取ってキエウと呼ばれる。このキエウが親の借金の形として妓楼に売られ様々な悲劇に翻弄されながらも、最後は家族や元の恋人と再会を果たすというのがあらすじだ。中国を舞台とするものの、阮攸の巧みなベトナム語による詩作の中で、翹はキエウというベトナム女性となり、そしてベトナム人はキエウの悲劇的な運命を、大国に翻弄され続けてきたベトナムの運命あるいは自分たち自身の運命に重ねながら読む。２０１０年には、キエウにも似た運命の歌妓と阮攸との悲恋を描いた『龍城琴者歌』という映画も作られている。

フランス植民地化以降20世紀前半には、クオックグー表記の近代文学が興隆する。これまで近代小説はホアン・ゴック・ファィックの翻案恋愛小説『トータム』（１９２５年）から始まるとされていたが、南部ではグエン・チョン・クワンが、ベトナム人神父の告白を綴った『ラザロ・フィエン神父の物語』を、奇しくも日本の『浮雲』第1編発表と同年の１８８７年に書いていたことが20世紀末になって指摘され、近年これが近代小説の嚆矢とされるようになっている。１９３０年代に入ると、ニャット・リン、カイ・フンらの「自力文団」グループが小説の近代化を推し進めていく。彼らやヴー・チョン・フン、ナム・カオ、グエン・ホンなどの作品は今も書店に多く並ぶ。「新しい詩」運動と呼ばれる近代詩改革では、スアン・ジエウやフイ・カンのような優れた詩人が登場した。チェー・ラン・ヴィエンらとともに「狂詩派」を作ったハン・マック・トゥーは「詩人とは透明な源を行く異人」と言って詩の根源的世界を生き、インクを自ら血のごとく見立て狂気の淵で悶絶しながら詩作して月を舞台とする夢幻壮麗な詩の数々を残し28歳でこの世を去った。

１９８０年代後半のドイモイ政策以降、文学界では一定の創作の自由が認められ、すぐれた作家たちが現れた。グエン・フイ・ティエップは淡々とした筆致ながらグロテスクな描写で時代の変化を描いた「退役軍人」や、嘉隆帝を主人公に史実のごとく綴りながら3つの異なる結末を用意した「炎の金」などを発表し文壇を騒がせた。バオ・ニンはベトナム戦争をテーマとする『戦争の悲しみ』を発表し、それまでの文学作品では英雄的にしか描かれてこなかった北ベトナムの兵士の人間的な弱さも含む姿を描き大きな話題を呼んだ。ファム・ティ・ホアイは、マジックリアリズム的描写や、句読点なく続く文章、外国文学のパロディなど様々な技法を用いて日常生活をシニカルな視点から描いた。彼女の小説『天使』は多く外国語に翻訳され、ドイツでは翻訳文学賞のリベラトゥール賞も受賞している。

２０００年代に入ると、南北分断期（１９５４～１９７５年）の文学の再評価が始まる。ドイツに移住したホアイはtalawas（ベトナム語とドイツ語の混成表現で「我々は何ものなのか」という意味）という文芸サイトを主催し、南部の詩人ブイ・ザン、その他多くの文学作品の電子化を進める。ベトナム戦争で亡くなった若い女医の日記『ダン・トゥイー・チャムの日記』を２００５年に出版し成功した出版社ニャーナムは過去の作品の出版も多く手がけていく。かつて50年代後半の北ベトナムでは作家や知識人たちが文芸紙誌『人文』『佳品』上で言論の自由を訴えたものの党によって弾圧された「人文佳品事件」が起こり、弾圧された者たちは不遇の人生を送った。チャン・ザンはその渦中の詩人だったが、２００８年になって遺稿詩集がニャーナムから出版された。60年代の南ベトナムで話題になった、女性教師と男子学生との恋愛小説、グエン・ティ・ホアン作『生徒の腕の中で』も、２０２１年になって約半世紀ぶりにニャーナムから再版された。女性の詩人や作家が活躍し、実存主義的傾向の作品が興隆した南ベトナム文学の再評価の機運が、国内でも近年ようやく高まりつつある。

ニャーナム出版の書籍。上段はチャン・ザン作品、下段はグエン・ティ・ホアン作品復刻版

作家グエン・ゴック・トゥー（本人提供）

グエン・ゴック・トゥー『果てなき田園』（特別装丁版）

２０００年代以降に登場し作品の質が高く持続して人気のある作家としては、グエン・ゴック・トゥが挙げられる。彼女は最南端のカマウ省出身で現在も故郷に留まり小説やエッセーを書いている。船上暮らしの一家と彼らに出会った娼婦との物語『果てなき田園』（２００５年）は、２００６年にベトナム作家協会賞を受賞。２０１０年には映画化もされ、２０１８年にはホアイと同じドイツの翻訳文学賞を受賞している。男性作家ではグエン・ビン・フオンの小説の評価が高い。『わたしと彼ら』は中越戦争を背景に、生々しく残酷な数々の表現で戦争の希望のなさを描き出す。彼は２０２１年に出版した小説『ありきたりなケース』で作家協会賞を受賞した。２００８年に出たホアン・ミン・トゥオンの大河小説『神々の時代』も、近代から現代に至るまでのベトナムの歴史を、ある一族の物語へと昇華させた秀逸な作品である。

現代詩の分野ではかつて60年代の南部でファム・コン・ティエンが「俺は神に手淫して人類を産ませる」（『蛇の生まれ出づる日』）といった呪わしい詩句を著し話題となったが、その系譜を継ぐものとして90年代以降、俗語を多用し自由詩を作るグエン・クォック・チャイン、より下の世代では２０００年に結成された「口開け」という詩人グループが現れた。その一員リー・ドイの詩「お前ら、俺を誰だと思っている」では、「俺は第一級の汚辱の市民、アル中飲んだくれの聖者」と言って若者のやり場のない怒りを詩にぶちまける。このグループを研究し２０１０年に修士号を取得した詩人ニャー・トゥエンが２０１４年になって文学界の重鎮に論文を批判され学位を剥奪されるという事件が起こったことも記憶に新しい。

近年は、ベトナムにルーツを持つ海外在住の作家たちも活躍を見せている。２０１８年、ノーベル賞の代替賞、ニューアカデミー文学賞候補になったキム・トゥイはカナダ在住で、フランス語で小説を書いている。アメリカ在住のオーシャン・ヴオンは、２０１９年に英語で『地上で僕らはつかの間きらめく』を発表し大評判となった。『翹伝』のキエウの系譜を継ぐかのような祖母と母の元で育った主人公の、被虐的な同性愛の赤裸々な描写を含む、詩情あふれせつなく美しいこの自伝的小説は、ベトナム語にもすでに訳され注目を集めた。今後の創作が大いに期待される作家である。（野平　宗弘）

41

ベトナム映画

―★ポスト戦争映画、脱・画一化の時代へ★―

ベトナムは東南アジアでは珍しく、国立のフィルムアーカイヴが2つ、ハノイとホーチミン市に存在する。2つフィルムアーカイヴが存在する理由を説明するには、歴史をさかのぼる必要がある。現在のベトナム社会主義共和国は北のベトナム民主共和国（首都ハノイ）と南のベトナム共和国（首都サイゴン）が統一されて、1976年に建国された。南北統一以前は、北と南では対照的なフィルムが製作、上映されていた。北のハノイではソ連、中国などの東側諸国のフィルムが上映され、国営の撮影所と映画館のもと、社会主義建設と抗米・祖国統一をテーマにした国策映画が製作されていた。北を象徴する戦争大作に、ハーイ・ニン監督『愛は17度線を越えて』（1972年）が挙げられる。主演のチャー・ザン（1942年生まれ）は北を代表する女優だ。

一方、南のサイゴンでは西側諸国のフィルムが上映され、民間映画会社と映画館のもと、商業娯楽映画が製作されていた。南を代表する女優は、南部の大衆歌舞劇カイルオン出身のタン・ガーだろう。『ベトナムの怪しい彼女』（2015年）で若返ったお祖母さんが憧れる女優はオードリー・ヘップバーンではなく、このタン・ガーである。彼女はチャー・ザンと同じ、1942

年生まれで、この2人の女優を比較すれば、北と南の映画の違いも理解しやすい。1975年4月30日、サイゴンが陥落し／解放され、共和国の消滅をもって、南北の分断に終止符が打たれる。しかし、新共産党政府の映画局は、共和国政権下の映画を敵国アメリカの影響を受けた「新植民地映画」として批判した上で、フィルムを旧サイゴン、現ホーチミン市のアーカイヴに封印し、北側の映画路線に画一化した。さらに、サイゴンで活躍した映画人たちは国外へ亡命する者と、再教育を受け、転向する者に分断された。ベトナムで公式の映画史を指す場合、北の社会主義リアリズムに基づく国策映画が正統で、南の商業娯楽映画が異端と位置付けられる。まさに、大島渚監督による有名なテーゼ「敗者は映像をもたず」と言えるだろう。

1986年、市場経済システムの導入と対外開放化を柱としたドイモイ（刷新）政策以降、汚職、官僚主義の弊害を批判する、脱「社会主義リアリズム」文学に呼応する、脱「社会主義リアリズム」映画も製作された。例えば、グエン・カック・ロイ監督『退役将軍』（1988年）、ダン・ニャット・ミン監督『ニャム』（1995年）、そして、ヴオン・ドゥック監督『木挽たち』（1998年）は新しい文学の旗手グエン・フイ・ティエップが原作者である。そして、『虚構の楽園』の作家ズオン・トゥー・フオンはシナリオを執筆、女性監督ヴィエト・リンは傑作群『旅まわりの一座』（1988年）、『悪魔のしるし』（1992年）、『アパートメント』（1999年）を撮った。しかし、ベトナム映画界全体は、西側諸国（主にアメリカ、香港、台湾、韓国）の外国映画が急激に流入したことで、国営撮影所システムが維持できなくなり、苛酷な市場競争に追い込まれ、斜陽化していく。1990年、年間の劇映画製作本数が約30本近くあったベトナム映画だが、2001年には1桁まで減少、どん底まで落ち込む。

そこで、2002年12月30日に、当時の文化省（現在、文化・スポーツ・観光省）は、ベトナム映画の危機に対する打開策として、民間の映画会社の設立を許可する決定を下す。この規制緩和が、政府の資金援助、国営映画館に頼らず、独自に資金を調達し、利益を上げる、かつて南で盛んだった興行としての映画の仕組みを復活させるきっかけをつくった。そして、2003年、女性企業家ディン・ティ・ホアらによって設立された映画会社ギャラクシーが、民間企業として統一後、初めて映画事業に参入し、2004年6月、統一以降、最初の民間資本による劇映画にして、商業娯楽映画『美脚の娘たち』を製作し、大ヒットを起こす。続いて、2005年5月、ギャラクシーはベトナム初のシネコンである、ギャラクシー・グエン・ユーをホーチミン市に開店。以降、ベトナムではギャラクシーとメガスター（2011、韓国CJ－CGV社が買収）の2社が主導して、シネコンを続々と建設し、シネコン時代が幕明けする。

そして、現在のベトナム映画だが、一昔前まで、ベトナム映画は国営映画スタジオ製作による、社会主義リアリズム路線の戦争映画が多かった。しかし、近年のベトナム映画に起こった第1の変化は戦争映画からの脱却である。今や民間の娯楽映画が主流で、コメディ、怪奇、そして性的マイノリティの映画まで多種多様である。その背景には、2007年、映画法の改定による映画活動の禁止行為緩和の影響が大きい。この脱・戦争映画の新潮流を牽引するのは女優でプロデューサーのゴ・タイン・バン（ベロニカ・グゥ）である。彼女の功績の1つは、古臭いと見なされがちなベトナム文化を再発見し、ヒット作によってスタイリッシュなものへ価値転換した点だ。彼女の作品は、幸い日本でも公開、そして配信されている。アオザイは『プラダを着た悪魔』のベトナム版、SFコメディ『サイゴン・

クチュール』（2017年）で、アオババ（ベトナム南部の農村部で着用されてきた前合わせの短い上衣とズボン）は彼女の主演による、女性ボビナム（ベトナム発祥の総合武術、第45章「ベトナムの格闘技事情」参照）アクション『ハイ・フォン』（2019年、ネットフリックスでも配信）で着用され、女性たちの普段着をモダンな戦闘服へ変化させた。さらに、バンは80年代サイゴンを舞台の『ソン・ランの響き』（2018年）をプロデュースし、監督レオン・レにより、南部の大衆歌舞劇カイルオンを愛と運命が交差する劇的な場として再生させた。

第2の変化はバンに代表される女性映画人たちの国際的な活躍である。その成果の1つはアッシュ・メイフェア監督と敏腕プロデューサーのチャン・ティ・ビック・ゴックの女性2人がタッグを組み、14歳で富豪の第3夫人となった少女とその周囲の女たちを描いた『第3夫人と髪飾り』（2018年）だ。この『第3夫人』（原題）は『夏至』（2000年）の越僑（在外ベトナム人）監督トラン・アン・ユンが美術監督を担当し、キャストの多くはこの『夏至』と重なっている。『夏至』の3姉妹が、『第3夫人』では3夫人へと変化したと言えなくもない。ただし、『夏至』と『第3夫人』を比較すると、家父長制に対する女性たちの怒りが根本的に異なっており、この作品は #MeToo

ゴ・タイン・バン主演＆プロデュースの女性アクション映画『ハイ・フォン』のスピンオフ、『Thanh《タイン》 Sói《ソイ》』（2022年）ポスター

ベトナムで上映禁止となった、レ・バオ監督『Vị』（2021年）のポスター

運動以降の女性映画と位置付けられる。
　第3の変化はインディペンデント映画の勃興である。先のトラン・アン・ユンとファン・ダン・ジーの両監督がこの勃興の立役者と言っても過言ではない。彼らは毎年ダナンで、アジアの若手映画人を育成するワークショップ「オータムミーティング」を開催、それがベトナムの若手インディペンデント映画人たちの育成につながった。その成果の1つが、新鋭チャン・タン・フイ監督長編デビュー作にして、釜山国際映画祭ニューカレンツ部門最優秀作品賞受賞作『走れロム』（2019年）である。サイゴンの路地「ヘム」を死に物狂いで疾走する、闇くじ「デー」の予想屋で孤児の少年を、手持ちカメラで捉えた「ストリートカルチャー」映画だ。もっとも、緩和されたとはいえ、検閲という厄介な障害が現存していて、この『走れロム』も劇場公開のため、一部シーンが削除された。そして、第71回ベルリン国際映画祭エンカウンターズ部門審査員特別賞を受賞したレ・バオ監督『Vị《ヴィ》』（2021年、英題Taste）は性器を含む、裸体のシーンが多いという理由から、国内上映禁止にされた。とはいえ、検閲でも、フイ監督、バオ監督等1990年生まれの「ベトナムインディペンデント映画黄金の世代」の創作意欲は止められず、ベトナム映画の脱・画一化の流れ、さらなる混沌へ進化することが予想される。愉しい混沌を期待している。

（坂川　直也）

42

食文化と健康

――――★各地の庶民の食、精進料理、年中行事食など★――――

南北に長い国土は熱帯から亜熱帯と気候が異なり、歴史をとおして異国や多民族との交流が行われてきた。それらは食文化にもあらわれている。

例えばキン族の揺籃の地である北部は、長い歴史のなかで生まれた伝統的な料理が多く、シンプルな味付けが特徴であり、また中国南方の影響を受けているといわれる。厳しい自然条件を有する中部は、豊かな海産物があり、隣国ラオスや先住民族チャムとの交流により、唐辛子の辛味、魚醤ヌォック・マムに代表される魚介の発酵調味料を用いた料理が多い。また阮《グエン》朝の王都であったフエには、見た目華やかな宮廷料理や薬草やハーブなどを組み合わせた薬膳効果の高い宮廷茶がある。メコン川の恩恵をうける熱帯モンスーン気候の南部は米の生産量も多く、果物は豊かに実り、メコン川でとれる淡水魚の種類も多い。カンボジアやタイから伝わった、砂糖やココナッツミルクを使った料理は甘く濃い味付けが特徴である。また南部に暮らす華僑・華人による中国の食文化の影響も大きい。そして植民地時代にベトナムに根付いたフランスの食文化にバイン・ミー（フランスパン）やベトナムコーヒー、バイン・フラン（プリン）

などがある。

各地域で料理や味付けに特徴はあるもののベトナムの家庭では、肉や野菜の料理ごとに皿に盛りマムと呼ばれる丸い大きな盆の上に置き、みんなでマムを囲んで食べる。茶碗1つを持ってご飯を入れたりおかずを入れたりスープを入れたりする。主食は米である。

長い農耕の歴史をもつベトナムには、非常に豊かな米食文化がある。ベトナムで食べられているインディカ米は、市場に多くの品種が並んでいる。米粉はフォーやブン、南部のフーティウなどの麺、バイン・チャンまたはバイン・ダーと呼ばれるライスペーパーなど様々に加工される。米粉の生地を蒸し器の上で広げたバイン・クオンや小さな皿に入れて蒸したバイン・ベオ、米粉の餅などもある。もち米もよく食べられている。ソイと呼ばれるおこわは朝ご飯の定番である。もち米と一緒に炊いた緑豆や落花生、とうもろこしのおこわ、甘くない緑豆餡を削りおこわにのせたソイ・セオ、鶏肉、ハム、うずら卵などが入った五目おこわなど。その上にカリッと揚げたエシャロットや砕いたピーナッツをまぶす。北部でうっすら塩味のとうもろこしのおこわは中南部では砂糖がまぶされている。

ハノイにはコムと呼ばれる秋の名物がある。まだ熟していない青いもち米を煎ってつぶしたもので、きれいな緑色をしている。秋の時期、新鮮なコムはハスの葉に包まれて売られ、そのまま食べたりバナナと一緒に食べたりする。

もちろん米以外も豊富である。小麦、タピオカ、緑豆などの麺があり、バイン・ミーはハムや卵、パテをはさんだサンドウィッチだけでなく、店でパンの焼き上がりを待って買っていく人も多い。野菜やコリアンダー、レモングラスなど香草も種類が多い。北部ではチュンビロン（南部ではホビロンと呼ばれる）と呼ばれる孵化する前のアヒルの卵は解毒作用があるというヤナギタデと必ず一緒に食べられる。肉は牛、豚、鶏、ヤギ、アヒル、ハト、カエルなど、南部で食べられる田ねずみは少し貴重で高価である。北部で旧暦月末によく食べられる犬肉は、市場などで丸焼きを目にすることがあるが、最近は犬肉を嫌がる若い人が増えているという。魚介類も豊富である。淡水魚が好んで食べられるがもちろん海水魚もある。北部では田ガニを殻ごとすり潰しダシをとったスープがよく食べられる。

ベトナムの人たちは野菜をよく食べる。家の食事でも必ず一品野菜料理がマムの上に載る。北部では野菜を茹でた汁は体に良いといわれ、茹で汁のスープが飲まれる。健康を気遣う人も多く、都市ではベジタリアン料理、ビーガン料理の店なども増えている。しかし、菜食といえば仏教徒も寺院も多いベトナムでは、昔から精進料理コムチャイが食べられている。旧暦1日15日は必ずアンチャイ（コムチャイを食べる）という人たちが今でも少なくない。願掛けをして叶うまでアンチャイを続ける人もいる。仏教徒でなくても朔望《さくぼう》（旧暦1日15日）以外でもコムチャイの店に行く人たちは多い。蓮の実ごはんやシンプルな菜食料理から肉や魚介を湯葉などで再現したベトナム料理など多様だ。植物性原料のヌォック・マムや発酵させた豆腐チャオと一緒に食べる。

家族の昼食（フエ）

多くの人が毎日の買い物に向かうのは今も市場である。肉、魚、野菜、果物、漬物から惣菜、雑貨までなんでも売られ、様々な匂いが入り混じる、そこは生活がぎゅっと詰まった空間である。

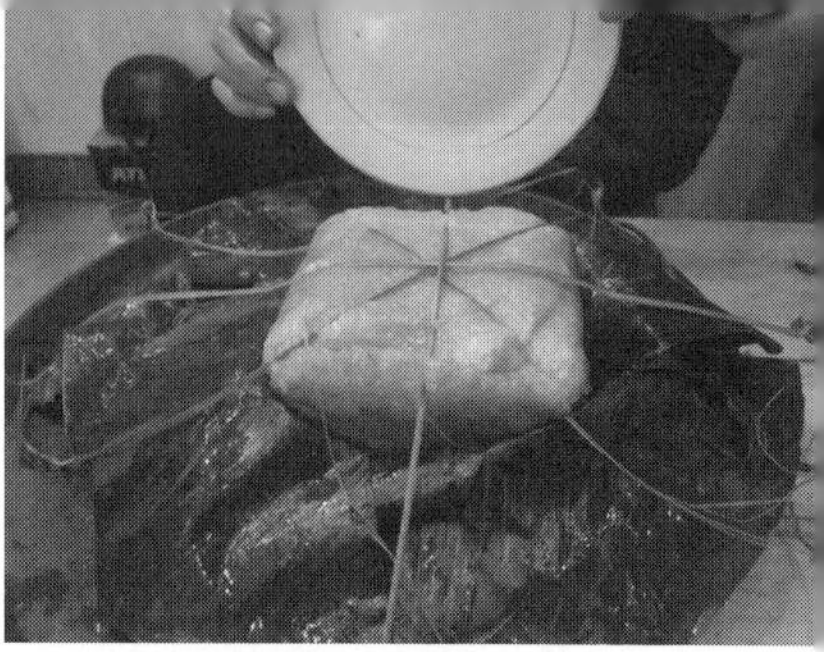
テト　バイン・チュンを切り分ける

朔望またはその前日は花や果物が多く並び、ガックという南蛮烏瓜の果実を入れて炊いたほんのり甘くオレンジ色をしたおこわなどの供物が売られる。市場をのぞいて年中行事食を2つ紹介しよう。

旧暦5月5日、北部の市場では、バイン・チョーという粽《ちまき》とズオウ・ネップ、ネップ・カムと呼ばれる発酵した白いもち米、黒いもち米が売られている。このバイン・チョーは灰汁に漬けたもち米を竹の葉などで三角に包んで作られる。粽はきれいな琥珀色をしてなかには緑豆餡が入っている。端午節、ベトナムでは粽、発酵食品、季節の果物を食べる。その理由は身体のなかの虫を退治するため、非常に暑い時期に入る最初の日に身体を冷やすものを食べるため、陰陽のバランスをとるためなどといわれている。北部ではライチやプラムなどの果物を食べる。中部フエでは、一般的にアヒルの肉とチェー・ケという粟のチェーを食べる。フエの人によれば端午節はとても暑くアヒルの肉を食べて体を涼しくするのだという。発酵させたもち米はあまり食べないようである。南部では発酵させたもち米を団子状にしたコム・ズオウ、バイン・ウ・チョー（北部のバイン・チョーと同じ）、バイン・チョイ・ヌォックまたはチェー・チョイ・ヌォックという甘く煮た汁に緑豆餡入りの団子を入れた甘味、果物はランブータンを食べる。

テトが近づく年末、市場などでバイン・チュンやそれを作るための材料が多く売られる。バイン・チュンはテトの伝統料理である。もち米のなかに緑豆と豚肉を入れてラーゾンという葉で包み、8～10時間茹でて作られる。今でも家族や親戚、集落で一緒にバイン・チュン作りをする人たちも少なくない。夜を徹してバイン・チュンを茹でる間のおしゃべりが楽しいのだという。北部では四角い形をしたバイン・チュンだが中部や南部では長い筒型をしたバイン・テトである。中に入れる具材は同じだが、包むのはバナナの葉である。中部フエではバイン・チュンとバイン・テトが作られている。

このバイン・チュンはもち米を蒸して杵でついた白く丸い餅バイン・ザイと合わせて、毎年キン族の始祖とされる雄王《フンヴォン》の祭礼で献上される。雄王の王位継承の話「蒸餅伝」にその起源が語られている。農業を中心としてきた人々にとって祖先へ感謝と家族の幸福を願う大切な供物であり伝統の料理である。

人々は食の安全に神経をつかいつつ、安く新鮮な食材を求め市場に向かう。コロナ禍で一時期市場への入場が制限され、各家に市場整理券が配られた。市場は情報交換の場でもある。食を大切にし、食を楽しむベトナムでは今日も様々な場所で胃袋を誘惑するおいしい香りが漂っているだろう。

（鍋田　尚子）

バイン・テト作り

祭壇の前に並べられた結婚儀礼の料理

43

ファッション

★アオザイ★

アオザイは、ベトナム語で「長い衣」を意味する衣装である。ベトナム国内外で、「ベトナムの民族衣装」と表現されることもあるが、厳密には、マジョリティ民族キン（ベト人）の衣装であった。腰上までのスリットが左右に入った長い上衣に、幅広のズボンを着用するスタイルが一般的で、礼服や制服として使われることが多かった。しかし、現在の若者にとって、アオザイはもはや堅苦しい伝統衣装ではない。2010年代半ば頃、着心地とデザインの現代性を重視した「革新アオザイ」が登場し、チュニックを思わせる上衣に、レギンスに似たズボン等、普段使いができるデザインも増えた。自由度が増し、若者が主体的に着用を選択するようになる一方、「ベトナムのアオザイ」の定義や帰属が揺るがされる出来事が続いた。定義や帰属の再確認の一環として、アオザイを「ユネスコの無形文化遺産」として申請しようとする動きもある。

現在のベトナムにおいて、アオザイの起源は、広南阮《グエン》氏の阮福濶《グエンフックコアット》による1740年代の服装改革に求めるのが定説になっている。中国・明の類書『三才図会』に基づいて服装を規定し、前の身頃2枚が交差した交領衣《ザオリン》、または5枚身頃の長い上衣アオ・グー・タン（五身《グータン》の衣の意、別名アオ・ナム・タン）にズボンをはいたのが始まりと説明される。フランス植民地期の1930年代以降、アオ・グー・タンを基にした近代的なアオザイが作られた。画家グエン・カット・トゥオンが、膨らんだ袖、レースをあしらった襟等、西洋の服飾を取り入れたル・ミュールアオザイをデザインした。その後、同じく画家のレ・フォーは、従来のデザインに一部回帰し、立襟で右肩部分をボタンで留めたレ・フォーアオザイを創作した。なお、男性向けの服装は西洋化が進み、この時期以降、アオザイは主に女性向けとなったとされる。

現代ベトナムにおけるアオザイへの評価は、時期、場所により異なる。ベトナム民主共和国（1945～1976年）では、勤勉、倹約を旨とする「新生活」の提唱、2度の戦争の中で、アオザイは日常的に身に着けるものではなくなった。他方、南北分断期（1954～1975年）の旧南ベトナム、ベトナム共和国では、首都サイゴン（現ホーチミン市）の女性を中心に、アオザイ文化が花開いた。チャン・レ・スアン（ゴ・ディン・ジエム初代大統領実弟ゴ・ディン・ニューの配偶者、「マダム・ニュー」）の襟元が広く開いたアオザイ、ラグラン袖、海外から輸入した幾何学模様のプリント生地、ヒッピースタイルの影響を受けた短い裾の上衣等、様々なデザインのアオザイが登場した。ベトナム戦争終結、南北統一後には南部でも、社会主義改造の中で、アオザイの着用が下火になった一方、「難民」として旧西側諸国に渡った在外ベトナム人コミュニティでは、アイデンティティの象徴として着用され続けた。ドイモイ後、本国でも伝統文化復興が唱えられ、アオザイは再び日の目を見た。この時、上衣は立襟で袖も裾も長く、体のラインに沿ったデザインが基本であった。

1990年代以降、襟や袖のないアオザイ等、新たなデザインも追求されるが、アオザイの物理的

2000年代に出版されたアオザイのカタログでは、高い立襟、長い袖と裾が主流（左は2009年、右は2003年のもの）

な、また「伝統」の窮屈さを解消するには至らず、若者を中心にアオザイ離れが進んだ。２０１０年代半ば頃から流行した革新アオザイは、その流れを断ち切るものだった。上衣やズボンの裾を短くし、シースルー素材、レース生地も取り入れる等、デザインの冒険が行われた。男性向けの革新アオザイも出ている。これらはＳＮＳの隆盛を背景に、写真映えする衣装としても人気を得た。

特に議論を呼んだのは、２０１７年の旧正月前後に若者の間で大流行したデザインである。上衣の裾は膝上までと短く、フレアスカートを合わせた、アオザイの前提を覆す革新アオザイだった。賛否両論がある中、一部のデザイナーが、それは中国の旗袍（チーパオ）、いわゆるチャイナドレスであると指摘した。旗袍は、立襟と両側のスリットにアオザイとの類似性がある一方、従来はワンピースとして着用された。しかし中国でも旗袍を現代的にした「改良旗袍」が流行し、ワンピースの下にスカートをはくデザインもあった。渦中の革新アオザイは、この改良旗袍を輸入または模造したものだった可能性が高いという。

さらに、２０１８年、北京のファッションショーにおいて、中国のブランドが、スリットの入った長い上衣とズボンから成る作品を発表し、中国国営英字新聞がそれについて、「中国スタイル」との見出しを付けて報じた。中国ではアオザイに着想を得た「アオザイ旗袍」も出ており、この衣装も改良旗袍の延長にあるのだろう。２０１９年にこの情報がベトナムでも伝えられると、ベトナム人がアオザイとしてデザインした作品との類似性も指摘され、「盗用」「文化的侵害」等の批判がベトナム側で続出した。

この他、海外の有名歌手が、ズボンをはかずにアオザイを着用した等、旗袍との混同に起因するとみられる事例も相次いだ。それに対し、デザイナーや当局者等から、「ベトナムのアオザイ」を守る根拠とするため、ユネスコの無形文化遺産の一覧表への記載申請を行うべきとの意見が出た。実際には、無形文化遺産の定義に当てはまる、アオザイの生産や着用に関わる実践が申請されるとみられている。

加えて、１７４０年代に服装改革を行った広南阮氏の拠点があったことにちなみ、２０２０年頃から、中部フエが「アオザイの都」を名乗りはじめた。そして、革新アオザイとは真逆の、「伝統」を売りにした「フエアオザイ」のブランド化が目指されるようになった。アオ・グー・タンを復興させる動きもある。明・漢族の影響を受けた18世紀半ばの服装改革をアオザイの起源として強調することで、清・満州族に起源を持ち、20世紀に入ってからデザインが確立したとされている旗袍との根本的な違いを主張する狙いが見える。歴史上、中国の支配、影響を受けてきたベトナムでは、「中国文化」の影響を部分的に認めつつも、その模倣や同化の結果ではない、「ベトナム文化」の独自性を主張する語り方が頻繁になされる。アオザイと旗袍との差異の強調も、現在も続く「ベトナム文化」と「中国文化」の線引きの一端として位置付けることができる。

「革新アオザイ」の一例（Tran Dieu Anh提供）

付随的な動きでは、１７４０年代の服装改革当時、男女がアオザイの原型を着用したとして、フエを中心に、男性によるアオザイ着用が呼びかけられるようになった。アオザイは、中部、南部の一部で、女子生徒・学生の制服になっているが、男子生徒・学生の着用も議論されるようになった。一方、管見では、性差のない制服や「ジェンダーレスアオザイ」の必要性については十分に検討がされていない。

その他、2017年には、1960年代末のサイゴンのアオザイ店を舞台の一部とした映画《サイゴン・クチュール》がベトナムで公開された。当時のデザインを基にしたアオザイも流行している。旧南ベトナム時代のアオザイに対する再評価の動きの一環として興味深い。

現在でも、フレアスカートをはくタイプも含め、革新アオザイは引き続き若者から支持されている。年齢を問わず、晴れ着として好みのアオザイを仕立てる実践も続いている。多様なデザイン、選ぶ自由が、アオザイの魅力の1つであり続けることを願いたい。

（大泉　さやか）

結婚式の花嫁と付添人（付添人たちが着用しているのも革新アオザイ　Nguyen Danh提供）

44

演劇・芸能

★ベトナム伝統演劇のいま★

ベトナムの伝統演劇の第1の特徴は音楽と不可分であることである。人間が演じる演劇、すなわちチェオ、トゥオン、カイルオンはいずれも歌舞劇であるし、現存する世界で唯一の水上人形劇といわれるムアゾイヌォックにおいても音楽の果たす役割が大きい。第2の特徴は地方ごとに愛好される伝統演劇が異なることである。第3の特徴は古典的演目のみならず現代的演目（現代を題材とした演目）も数多いことである。

これらの中で最も歴史が古いのは民衆的な歌舞劇のチェオである。チェオは10世紀の民衆音楽・舞踊に起源をもち、18世紀までに現在の形になったといわれる。チェオは王朝の庇護を受けることなく、紅河デルタのキン族の村々を中心に、村落守護神を祀る神社（亭《ディン》）の境内などで演じられてきた。「境内のチェオ」と呼ばれるこの伝統的な様式は、村人総出で行われる。ゴザを引いた簡素な舞台の上で村人が演じ、その横で他の村人が楽師として太鼓、横笛や弓奏楽器を鳴らし、演じ手と楽師の間で行われる即興のかけあいに観客も参加する。劇は語り、歌、踊り、音楽によって進行され、演技の約束事や語り・歌の調子によって、空間、時間、季節、状況が観客に伝わるようになっている。農村で古くから育まれてきたため、古典的演目の内容には不平等がまかり通った封建時代の農村社会のあり方が強く反映されている。例えば、「ヘー」と呼ばれる道化《どうけ》が重要人物として登場し、王や官吏、富豪などの支配者層を諷刺することで人々の笑いを誘う。封建時代の女性の苦悩をテーマにした演目も多い。

ベトナムを代表するいまひとつの伝統歌舞劇にトゥオンがある。13世紀末の元寇の際にベトナム宮廷に中国演劇が伝来したことが発展の1つの契機であるともいわれており、装束や所作の面で中国演劇と類似点が多い。もう1つの契機は多数民族キン族の南進である。16世紀以降キン族の政治権力は分裂し、中部から南部に支配を広げていた広南阮《グエン》氏政権が半ば独立王国化した。トゥオンは北部からこの広南阮氏政権にもたらされ、さらに中部のフエを都とする阮朝に保護されたことから、阮朝宮廷や中部の都市と農村で独自の発展を遂げた。中部や南部で「(ハット・)ボイ」(ハットは芝居の意)という別名で呼ばれることと、庶民の生活を題材にした演目、中国やベトナムの説話や史実を題材にした演目のほかに、「名君の崩御後、奸臣が権力を簒奪し、忠臣は謀殺される。しかし最後には忠臣側が勝利し、先帝の王統を復活させる」といった宮廷物の演目が多いことは、このような歴史が関係している。様式化の度合いが高く、薄桃色の顔は文官で温和な人物、赤色の顔は武官で忠義に厚く気が短い、灰色がかった顔で薄いひげと鉤鼻ならば佞臣《ねいしん》(悪役)、濃い赤い顔で左右の眉がつながっているのは皇帝など、役の身分や性格によって用いる化粧や装束が決まっている。

最も歴史が浅いのはトゥオンの「改良《カイルオン》」形を意味する歌舞劇カイルオンである。祖型は南部民謡ドンカータイトゥに所作を加えた舞台芸術として1920年代初頭までに創作された歌劇であり、ヴォンコーという様式の歌がよく用いられる。現在までに多種多様な演目が生まれてきたが、大別すると、トゥオンの古典的な演目の系統、同時代のベトナム社会を描いた現代劇の系統がある。前者はトゥオンよりも所作が控えめで化粧や装束の様式化の度合いも低く、古語が少ないため一般の人々にとって理解しやすい。この系統の演劇は1960年代までに中国大陸や台湾の演劇や映画の影響を強く受けたが、1975年以降にベトナム独自の演劇を目指して改変され、現在は改良《カイルオン》古典トゥオン《トゥオンコー》

改良古典トゥオン劇団の演技（上）とそれを楽しむ人々（下）。2009年、ホーチミン市の亭の例祭にて

と呼ばれるようになっている。

ムアゾイヌォックは12世紀には演じられていたといわれる北部紅河デルタ農村の民衆演劇である。伝統的な様式では、村の中の池の上に亭の屋根をかたどった小屋を建て、その後ろで人形遣いが漆塗りの人形が水面で動くよう操作し、村人たちが池の畔に集まって観劇する。演目には魚釣りといった農村の生活や四獣（龍・麒麟・鳳凰・亀）の舞いを題材にしたものなどがある。劇の進行は「テゥ」と呼ばれる道化役に担われ、音楽は北部の伝統民謡やチェオの音楽が用いられる。

次に現代ベトナム社会の中でこれらの伝統演劇がどのように存続しているのかをみてみたい。

もともと農村から生まれたチェオであるが、フランス植民地期までにはプロの劇団によって都市の劇場でも演じられるようになり、現代的な演目も多く創作されてきた。しかしドイモイ後に人々の生活水準が向上すると娯楽の中心はテレビや西洋音楽に移った。チェオが盛んであった村でさえ観客が集まらなくなり、いつしか「境内のチェオ」は高齢者の記憶の中にあるだけのものと化してしまった。しかし一方で、民衆性が評価されたチェオはベトナム民主共和国期から現在まで国家の手厚い保護を受け、ベトナムの伝統演劇の筆頭としての存在感を保ってきた。現在、専用劇場やプロ劇団、アマチュア団体が相当数存在し、劇場公演や大寺社の祭礼における公演を行っている。最近では、国立劇場の団員が寺社の境内でチェオの公演を行うことで民衆との距離を取り戻そうとする試みも行われている。

古語が多く様式についての知識が必要なトゥオンは一般の人々にとって理解が難しい。フランス植民地期以降トゥオンにも現代的な演目が生まれたが、しだいに人気はカイルオンに移っていった。さらに阮朝の滅亡とベトナム戦争の混乱によってトゥオンの衰退は決定的になった。トゥオンもまたベトナム民主共和国期から現在まで国家によって保存や伝承者の育成が図られているが、その政策のポイントは、宮廷劇であった側面よりも、ビンディン省やダナン市および周辺各省の郷土芸能としての側面に置かれているようである。一方南部においては、亭の例祭の神事の中で（ハット・）ボイが催される伝統が続いている。現在は改良古典トゥオンで代用されることも多いとはいえ、トゥオンの系統の芸能は南部の人々の中に風物詩として生きている。

カイルオンはベトナムが南北に分断されていた時代の南部で大流行したが、現在はファンの高齢化が危惧されている。しかしユーチューブの動画共有サービスの再生回数をみてみると、1975年以前に撮影されたカイルオンのビデオでは1000万回を超えるものも多く、ホーチミン市TV局制作番組の再生回数も数十万回に達している。再生が数億回に及ぶV－POP（ベトナムのポピュラー音楽）のミュージックビデオに水をあけられているとはいえ、カイルオンは南部および南部との関係が深い在外ベトナム人コミュニティにおいて、いまだ重要な娯楽のうちの1つである。

現在ムアゾイヌォックはハノイ市などの専用劇場で公演されるのが一般的である。また外国人観光客に人気で紅河デルタ以外の地域においても観光資源として活用されている。しかしながらベトナムの人々の間での人気はいまひとつで、紅河デルタの農村においては後継者の確保や地域固有の演目の保存が課題となっている。

（澁谷　由紀）

45

ベトナムの格闘技事情

―――★国際化と健康志向で盛り上がる現在★―――

2012年にホーチミン市11区にあるフートー体育館で、市の強化選手たちを指導するベテラントレーナー、ファン・ヴァン・クイン氏にお話をうかがった。

「マサオです」と自己紹介すると、「マサオ・オーバ！」と、愛車シボレー・コルベット運転中の事故で23歳の若さで他界した「永遠のチャンピオン」大場政夫の名を口にされたので驚いた。

プロボクシングはアメリカ資本主義の巨大化とも密接に関わる娯楽興行なので、1990年代でも北部ではモハメド・アリさえ知られていなかった。しかし南ベトナム政府のもとでは、ベトナム戦争中も西側諸国のプロボクシングがテレビ観戦でき、クイン氏もプロボクサーとしてカンボジアでの国際試合にも出たという。めったに南部に行かないわたしは、かつての「南」と「北」のあまりの違いに、またしても愕然とさせられた。

南北統一後はアマチュアボクシングが全国で行われた。しかし1994年にハイフォンで開催された全国大会で選手と審判と観客が入り乱れての大乱闘事件が起きたことから、ボクシングは禁止された。ふたたびボクシングが解禁されたのは、オリンピックの東南アジア限定版といっていいスポーツの祭典

「ＳＥＡゲームス」の２００３年ハノイ開催が決まり、ベトナム人選手のボクシング参加が決まった２００２年だった。わたしが長くベトナムにいた１９９０年代後半は、今から思えばちょうどボクシング空白期にあたっていたのであった。

再開以降、ボクシングは全国で次第に普及した。経済発展により都市の人たちが余暇の楽しみをもとめ、また健康志向の高まりによってスポーツ熱が高まったこともある。都市部でスポーツジムやヨガ教室が増え、ボクシングや格闘技の動きをとり入れたエクササイズが流行って、それとともにボクシングそのものへの関心も高まったのだ。ちなみに２０１０年代以降、メディアの影響によりホーチミン市でも、ハノイでも、キックボクシングを教えるジムが軒並み増えている。

ホーチミン市強化選手たちのボクシング練習風景（ホーチミン市フートー体育館、2013年　河村きくみ撮影）

ベトナムでのボクシング市場開拓を目指し、２０１５年にはプロボクシング元全日本新人王の尾島祥吾氏がホーチミン市にサムライボクシングジムをオープンさせ、ベトナムでのボクシングの普及、およびプロボクサーの育成に着手した。２０１７年には後楽園ホールでプロの日越交流試合も実現した。

このようにベトナムでのプロボクシング勃興の背後に

は日本の存在がある。残念ながら2020年からコロナ禍により同ジムは活動停止を余儀なくされたが、一方で2021年に開催された東京オリンピックにはベトナム人選手が32年ぶりの出場を果たした。アマチュアボクシングは着実に発展を遂げているのである。

先述の通りベトナムのボクシングには空白期があった。2002年にいきなり解禁を告げられたが1年で選手が育成できるわけがない。その埋め合わせを可能にしたのはボビナムの存在であった。

ボビナムは北部のソンタイ出身のグエン・ロック（1912〜1960年）が、古武術と武器術を総合して体系化したベトナム独自の武道である。1938年にハノイで活動が開始され、1940年代にはフランス植民地当局から危険視され禁じられたものの、徐々に広まった。グエン・ロックは1954年にサイゴン（現ホーチミン市）に活動拠点を移して、「南」での普及にも勢力を注いだ。そのため現在でも全国に愛好者が多い。

空手着系統の道着を着用し、段位制があり、競技は組み手と型に分かれる点など、空手の影響は明らかだ。他にも中国武術、レスリング、ボクシングなど東西のあらゆる格闘技の要素を積極的に摂取して、ボビナムはベトナム独自の総合格闘技として発展を遂げてきた。なお、組み手では、手足による打撃、投げ、関節技でポイントを競う。

男子にボビナム（一方、女子はダンス）を体育教育に取り入れている学校もあるため、ベトナムの格闘技ではもっとも競技人口が多い。現在までに世界60カ国にまで広まり、近年、フランスとイランでも世界大会が開催された。なお日本でも「日本ボビナム協会」が2011年に開設され、元プロレスラーのマスターウゴ氏がその普及に努めている。

ホーチミン市フートー体育館の話に戻ると、２０１２年時点でそこではボビナムを筆頭に、ボクシング、空手、柔道、合気道、古武道、武術太極拳、テコンドーの計８つの格闘技クラスが開講されていた。上記のように、ボビナムには様々な格闘技の要素がつまっているため、ボクシングをはじめとして他の格闘技にも、ボビナムから転向した選手は多い。

足技がある格闘技ではテコンドーが盛んで、２０００年のシドニーオリンピックにおいて女子57キロ級でチャン・ヒエウ・ガンが銀メダルを獲得し、これがベトナム史上初のオリンピックメダルであった。また、正確には格闘技というより護身術というべきかもしれないが、合気道のベトナムにおける歴史は意外と古い。１９５８年に国外で学んだベトナム人によって紹介され、１９６０年以降サイゴンにおける道場を中心に広まった。

最後に、不明な点が多いベトナムの民族格闘技についても若干記しておこう。

農村では祭礼の日に、ダウ・ヴァットというレスリングが娯楽として行われることがある。ダウ・ヴァットは北部バックニン省ドンホー村に伝わる民衆版画にも代表的な題材の１つとして取り上げられていて、ベトナム相撲としてしばしば日本で紹介されている。そのルールは地域によって違いがあるものの、手足による打撃は禁止で、押す、引く、投げるなどで競う点は地域共通である。

十分な調査はできていないが、少数民族に関しても記しておこう。

ムエタイはタイ国の国技として紹介されるほど世界的に有名であり、同じ系統の立ち技打撃格闘技がミャンマー、カンボジアなどにもある。そこで、ベトナムのタイ系民族のあいだに古式ムエタイの系統の伝統格闘技がないか西北地方一帯で探してみた。しかし、向かい合わせに立った２人が足蹴りしあい、バランスを崩した方が負け、という若者の遊びがかつてあったことを、1990年代にソンラ省で聞いたにすぎず、格闘技ではなさそうである。

一方で、1997年にホアビン省出身のムオンの男性から、ムオンには民族格闘技が伝えられていることを聞いた。その熟練者には後ろから殴りかかってもかわされるなど、少し神秘化されていそうな話も流布している。だがその実態については未調査である。

そのほか、中越紛争（1979年）以前に西北地方の町の市場で商業を営んでいた漢族の中には争いごとの際に拳法を使う者もいたことを1990年代にディエンビエン省のターイの人たちから聞いたが、西北地方にその道場などがあったとは聞いたことがない。

（樫永　真佐夫）

ゴング

柳沢英輔

コラム9

ゴングとは青銅や真鍮などでつくられた金属製の打楽器、音具のことである。東南アジアでは、ゴングは霊的な力を宿し、所有者の権威を示す財として王宮や地域の有力者によって所有され、様々な儀礼・祭礼の際に演奏に用いられてきた。ベトナム中部高原では、先住少数民族が由来や製造年代の異なる様々なゴングセットを受け継ぎ、村落共同体の農耕や葬送等に関わる儀礼・祭礼において演奏に使用してきた。「もしあなたがタイグエン（ベトナム中部高原）に来てゴング演奏を聴かなかったならば、それは来なかったのも同然である」という言葉があるように、「ゴング文化」は当地の少数民族の代表的な文化として知られている。

ベトナムのゴングは1セット数枚〜十数枚で構成される。ゴングの枚数、演奏方法、演奏形態、音階などは少数民族によっても異なるが、例えば、中部高原北部の少数民族（バナ、ジャライ、セダン、ジエチエンなど）は、中央に半球状の突起がある「こぶ付きゴング」と平らな「平ゴング」の両方を演奏に用いる。これは東南アジアでもこの地域および隣接するカンボジア北東部、ラオス南部の一帯にしかみられない特徴的な演奏形態である。各奏者は1人1枚異なる音高に調律されたゴングを手で保持し（ゴングに紐を通して肩から下げている）、儀礼柱や霊廟などの周りを一列になって反時計回りに回りながら、それぞれが適切なタイミングでゴングを叩き、バチや手などを使って消音する。そうした打音と消音の繰り返されるパターンによって「メロディ」や「リズム」が生まれるのである。これはインターロッキングとして知られる奏法である。

　では彼らが使うゴングはどこで作られているのだろうか。実は少数民族自身はゴングを製作していない。多数派のキン族が製作したゴングを少数民族が購入して演奏に使用しているのだ。ゴングの製作方法には、金属材料を溶かして固めた円盤状の物を火に入れてはハンマーで叩き伸ばして成形する「鍛造」、鋳型に溶かした金属を流し込んで作る「鋳造」、火を使わずに金属板をハンマーで叩いて成形する「打ち出し（板金）」の3種類があるが、ベトナム中部高原の少数民族が使用するゴングは、鋳造と打ち出しの2種類であると考えられる。例えば、中部沿岸部のホイアン近くには「ゴング製作村」があり、鋳造のゴングが各少数民族の異なる需要に合うように製作されている。

バナ族のゴング演奏グループ

　また先ほど述べたように少数民族が所有するゴングセットには様々な由来がある。ゴングの所有者に聞くと、200年以上前の阮《グエン》朝時代に作られたとされるものや、国境を接するラオスやカンボジア、さらにはミャンマー、モンゴル、エジプトから購入したという由来が聞かれた。例えば、「チエン・ラオ」と呼ばれるラオスに由来を持つゴングは、こぶの部分に金が使われているために音の伸びが良いと考えられており、水牛数十頭と交換されるほどの高い価値を持つ。ゴングは古く、使われている金属の質が良く、音が良いものほど価値が高いとされるようだ。

ゴングセットはゴング調律師が適切な音階、音色に調律して初めて演奏に使用することができる。ゴング調律師は、チューナーも音叉も使わずに、自分の耳と手で感じる振動だけを頼りに、ゴング両面の適切な箇所にハンマーを打つことで調律を行う。その卓越した技術には心底驚かされる。ゴングの調律技術は口頭伝承であり、基本的には父から息子へと代々受け継がれてきた。しかし、近年、優れた技術をもつゴング調律師が減少しており、次世代への技術継承が困難になっている。そうした中で、若い世代の中にはスマホやパソコンのチューナーを使ってゴングを調律しようとする者も出てきている。これは従来の伝統的な調律方法とは異なる結果を生む可能性があるが、調律の「効果」をわかりやすく可視化し、共有できるという利点もあり、今後普及していくかもしれない。

また近年、ゴングは村落の儀礼・祭礼だけでなく、カトリック教会の典礼、観光客向けのパフォーマンス、政府主催のゴング文化フェスティバルなど様々な場で演奏され、国営テレビや新聞でも度々取り上げられるようになった。その背景には、２００８年に中部高原の「ゴング文化（ベトナム中部高原のゴングの文化的空間）」がユネスコの無形文化遺産の代表リストに記載されたことが関係している。そこには、ベトナム政府がゴング文化に「観光資

ゴングを調律するジャライ族のゴング調律師

源」としての価値を見出し、また複雑な歴史を抱えた同地域の「民族団結」を対外的に示すためにゴング文化を積極的に保護し、政治的に利用しようとする思惑も感じられる。また最近では、国内や海外のフェスティバルで公演するような「セミプロ」のゴンググループや、ユーチューブやフェイスブックなどのSNSを使って自らの活動を積極的にプロモートするゴンググループも出てきた。このように、現代のゴング文化は、社会の変容が進む中で、村落や地域といった垣根を越えて、様々なメディアを駆使して外部との繋がりを持ちながら受け継がれているのだ。

コラム10

広がりゆく絵本の世界

田崎広野

ベトナムでは1992年にキムドン出版が漫画『ドラえもん』の版権を得てベトナム語訳版を出版して以来、日本の漫画やアニメが普及している。2020年には世界的にヒットした《鬼滅の刃》が劇場公開されるなど、サブカルチャーが若者に人気だ。村上春樹や東野圭吾など近代文学作家の作品も10年以上前から翻訳出版され広く浸透している。

そして、ここにきてベトナムの絵本市場が目を見張る成長を見せている。その背景には国の経済成長と、人々の幼児教育に対する意識の変化がある。かつて日本でも高度経済成長期に子どもの情操教育が注目され、児童書専門の出版社が絵本に力を入れるようになった流れと似ている。社会が経済的な豊かさを得ると、人々は子どもの教育に重きを置く余裕が生まれるのだろう。

ベトナムはそこへ国際・情報社会の成長が重なり、2010年頃から海外の情報や流行に敏感な子育て世代の間で、日本式の幼児教育が注目されはじめた。元々ベトナムでは親子三世代が同居し祖父母が幼子の面倒をみるのが一般的で、子どもが小学校へ上がるまで大人が食事を口まで運んでやる光景も珍しくなかった。それが核家族化や情操教育に対する意識が高まり、子どもの頃から自分で飲食や身支度できるよう練習させる日本式の幼児教育に目がつけられた。これを受けて日本式の育児書が次々に出版され、日本の幼児教育について書いたネット記事が増えた。そして、日本式幼児教育で欠かせないのが絵本と読み聞かせだ。

　これまでベトナムに絵本がなかったわけではないが、ほとんどがベトナムに古くから伝わる民話や神話で、読み聞かせの習慣はなかった。ベトナムで日本の絵本が初めて出版されたのは２０１４年。日本のロングセラー絵本『はじめてのおつかい』を含む３冊のベトナム語訳版が国営の文化出版社から出版された。それ以降、出版各社から日本で長く読み継がれている名作から若手作家による最新絵本まで、多数の絵本がベトナム語に翻訳出版されている。ベトナムでは日本以外の海外作品も数多く翻訳出版されているが、日本の絵本はEhonという日本語がそのまま通じるまでに普及している。

ホーチミン市のブックストリート。新作コーナーに平積みされる田崎訳著の「こぐまちゃんシリーズ」

ホーチミン市の大型書店の絵本コーナー。日本の絵本のベトナム語訳版が多数並ぶ

　２０１４年当初から２０２２年現在までにベトナム語で翻訳出版された日本の絵本には共通した特徴がある。前述したとおり、まず注目されたのが日本式の幼児教育だったこともあり、２０１４年から数年の間に出版された絵本は、低年齢層向けで実生活に近く、教育的要素が強い内容が多かった。また絵本の画はいわゆる愛らしいキャラクターが多く、物語の内容が面白くても画が奇をてらったものだと読者ウケが良くなかった。実際、ある作品は画の評判が悪く売上部数が伸びず困っていると出

版社の編集者が漏らしていたこともある。

　ところが近年では、子どもが絵本を通じて想像や空想を膨らませるような、純粋に娯楽として楽しむ絵本も増え、読者に受け入れられる画のタッチも幅が広がった。急成長した教育的な絵本の翻訳出版がある程度落ち着いたことも影響しているだろうが、絵本に対するニーズも変わりつつあるともいえる。かつて右へならえの教育だった日本がときを経て個性や多様性を認め、独創性を育てる教育へ方向転換したように、ベトナムも今まさにその変革期にあるのではないだろうか。

　ベトナムでは2014年に当時のグエン・タン・ズン首相が国民へ読書の重要性を意識付けるべく、毎年4月21日を「ベトナム読書の日」に制定した。これを受けて毎年4月中下旬にベトナム各地で書籍の展示販売や作家と交流できる催しが開催されるようになった。児童書専門の出版各社のブースではベトナム語版の日本の絵本が一堂に並び見応えがある。さらに、この2、3年で個人や組織による絵本の読み聞かせ活動が盛り上がりをみせている。それまで絵本に触れる機会がなかった子どもも、読み聞かせイベントを通して絵本の面白さや読書の楽しさを知り、幼少期に絵本を読んでもらったことがない大人も読み手の抑揚やページのめくり方など読み聞かせのコツを学ぶ機会となっている。

　ベトナムの絵本市場は発展してまだ10年にも満たないため、書店に並ぶ絵本のほとんどは日

児童書出版社Crabit Kidbooks主催の読み聞かせイベントで自著『おかあさんのこころか(Trái tim của Mẹ)』を読み聞かせするベトナム人絵本作家ファム・ティ・ホアイ・アインさん

本を含む海外作品のベトナム語訳版である。とはいえベトナム人にも童話、絵本の作家、イラストレーターなどを志す若者や、実際に活動する若手作家やアーティストは着実に増えている。ハノイ市のモア・プロダクション・ベトナム社は、日本の良作絵本をベトナムの子どもたちに届ける社会貢献事業として、日本の絵本のベトナム翻訳出版や読み聞かせ活動を行っている。２０１８年からは創作童話コンテストを開催し、小学生から大人まで作品の応募が可能で、回を追うごとに応募数が増えている。応募期間中には各地の学校で童話のワークショップも開催し、子どもたちが童話創作に挑戦している。

果たして20年後、ベトナムの絵本市場はどう変化しているだろうか。絵本や読み聞かせが現代のベトナムの子どもたちのその後の人生にどう影響していくのか実に楽しみだ。幼少期に触れた思い出の絵本を自分の子どもに読み聞かせているかもしれないし、なかには絵本作家になっている人もいるかもしれない。さらにはベトナム人作家の絵本が日本語に翻訳され、日本の書店に並ぶ日もそう遠くないかもしれない。

VI

市民社会と政治

「社会主義ベトナムの祖国建設と防衛においてマルクス・レーニン主義、ホーチミン思想を堅持しよう」（下部）と書かれたプロパガンダ

46

ドイモイ憲法とベトナム共産党

★揺らぐ一党支配の正当性★

ベトナムは、その正式国名を「ベトナム社会主義共和国」とする社会主義国家である。近年の「ベトナム・ブーム」によって「新しい発見の旅」先や「新しい投資」先としてベトナムが注目される中、唯一、社会主義の対面を保っているのは、共産党一党独裁という政治体制であるかもしれない。グローバル化の流れの中、とりわけ政治的民主化が複数政党制と同一視されるグローバル・スタンダードに対して、ベトナム共産党はいかなる方策をとっているのだろうか。

1986年のドイモイ開始以降、とりわけ1992年憲法（ドイモイ憲法）や2013年の同憲法改正以降、「人民の人民による人民のための政治」が謳われ、国家機関による立法・行政・司法の「三権分業」（分立ではない）が明確化された。しかし、「党が指導し、国家が管理し、人民が主人となる」という政治体制に変化はなく、党は、国家と社会（人民）を指導する勢力と規定されている。国家権力における幹部の多くは党員であり、指導的幹部になる条件として党の影響下にある政治学校での政治教育が義務付けられている。誤解を恐れずにいえば、共産主義もしくは社会主義は民主主義の反対語ではない。それらもまた、民主主義の一形態である。独裁が「少数の支配」であるならば、民主主義は「多数の支配」となる。よって、「多数の代表」であることが共産党の存在理由となっている。

ベトナム共産党の組織原理は民主集中制である。「民主」とは下部の意思が上部の決定に反映されることであり、「集中」とは上部の決定に下部が従うことである。これには、下部による徹底的な民主的討論が保証されていること、上部が「前衛」として機能していること、が前提となる。しかし実際には、「民主」よりも「集中」の側面が強化されている。すなわち、「個人が組織の決定に従う」制度となっている。さらに昨今では、党幹部の汚職・腐敗が問題視されている。

こうした民主集中制をもとに、共産党は、組織のヒエラルキーを形成している。中央レベルの党組織は、最高機関として5年ごとに開催される「党大会」、その党大会で選出され半年ごとに開催される「中央委員会」、その中央委員会で選出される「政治局」と「書記長」からなる。党大会の主な任務は、前党大会以降の国家運営・党活動の総括と今後の基本方針の提起であり、中央委員会の主な任務は、党大会での基本方針の具現化や政策などの基本指針の決定である。第13回党大会後の5年間は第13期となり、その間に開催される中央委員会総会は、例えば第13期第3回中央委員会総会（第13期3中総）と呼ばれる。党大会時に開催される第1回中総で、政治局員が選出され、その中から書記長が選出される。政治局と書記長（書記局を含む）の主な任務は、党大会や中央委員会が決定した方針・指針の具現化を指導・監督することである。

ところで、国家機関の長である国家主席、首相、国会議長は政治局員であること、政治局内の序列が基本的には、書記長、国家主席、首相、国会議長の順であることから、政治局が国家機関に優越する存在であることが理解できよう。すなわち、「少数の支配」が確立されている。例えば、2021年1月に開催された第13回党大会では、党員数約510万人、党大会出席者は1687名、そこで選出された中央委員180名、政治局員18名、書記局員11名であった。

共産党は、中央と地方の関係でもヒエラルキーを形成している。地方の党組織は、行政区分に従い、「省・中央直轄市レベル」「県レベル」「行政村（基礎・支部）レベル」からなる。共産党への入党資格は、18歳以上のベトナム公民であること、正式党員2名からの紹介が必要であることとされるが、入党志願には、基礎委員会もしくは支部委員会の承認が必要であり、その審査はそれぞれ上級の党委員会によってなされる。また、党・国家の政策を社会・人民に徹底させる機能をもつ組織として、大衆団体の連合体であり、共産党と同様な中央＝地方組織をもつベトナム祖国戦線が存在する（制度上は共産党も祖国戦線の一構成団体である）。祖国戦線の組織網は、国会議員選挙や地方議会（人民評議会）選挙の際に、強大な「集票マシン」にも使われる。このように共産党は、全土にピラミッド型支配構造を築いている。

2021年1月に開催された第13回党大会では、人事においては、グエン・フー・チョンが書記長に3選され、同年4月の国会で、政治局のなかから、序列2位のグエン・スアン・フック前首相が国家主席に、序列3位のファム・ミン・チンが首相に選出された（国会議長は序列4位のヴォン・ディン・フエ）。この人事から、党内融和を図りながら、市場経済化や対外開放政策を推進していくという従来からの方針の継続性がみてとれよう。同大会で採択された政治報告では、「工業化・現代化」、国際経済への参入を推進し、社会主義志向に従った現代的工業国になるという目標とともに、マルクス・レーニン主義、ホーチミン思想を堅持・発展していくことが宣言されており、共産党一党支配体制の永続化が

制度上の組織図

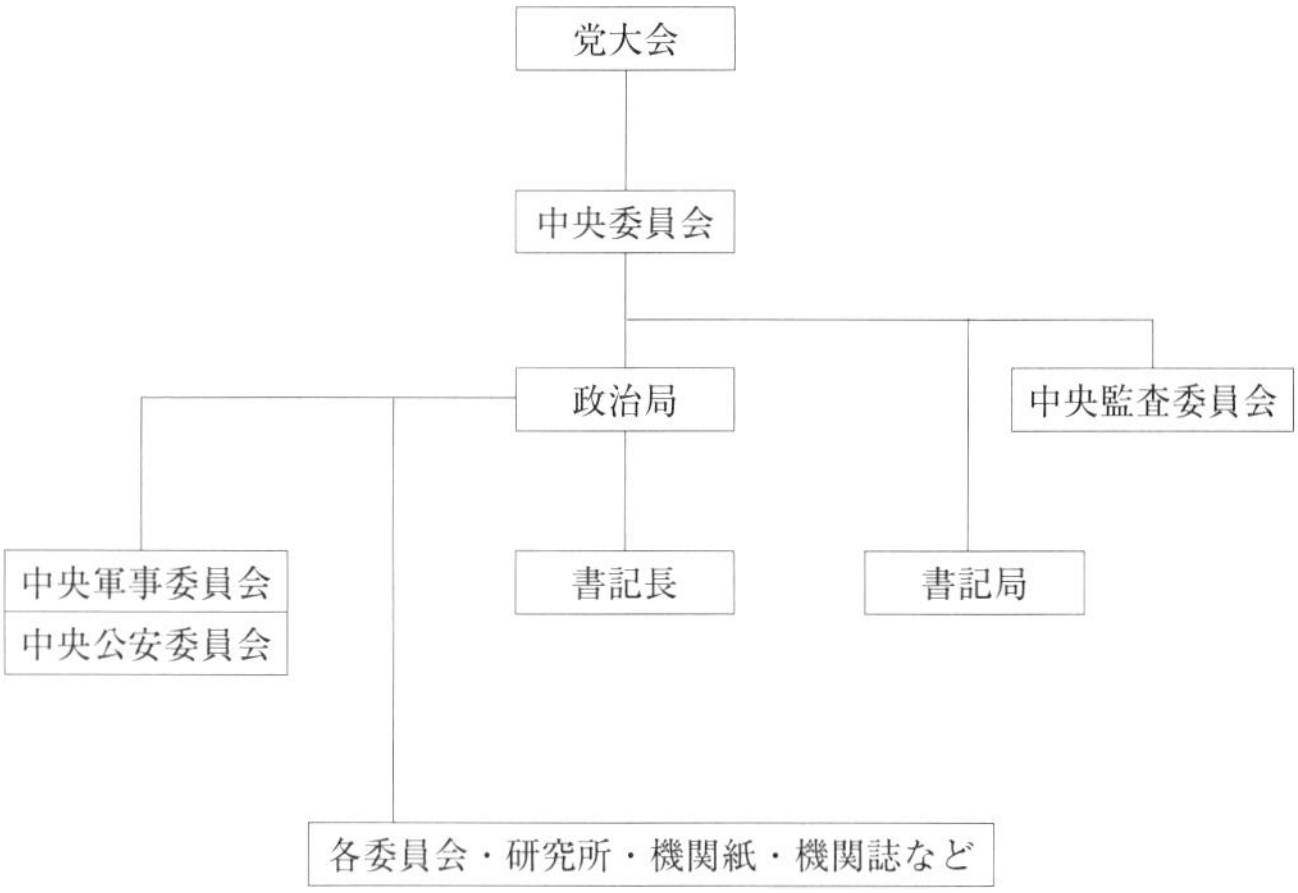

実質上の権力図

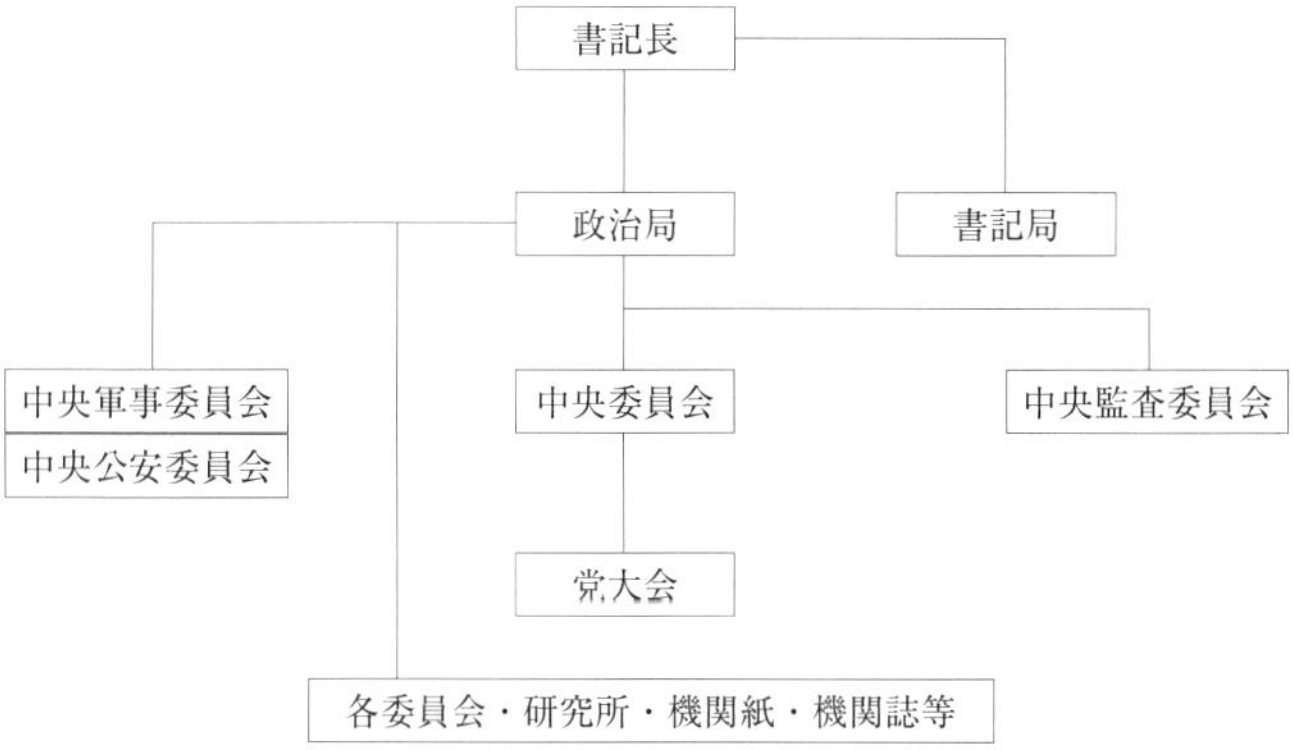

出典：白石昌也編著『ベトナムの国家機構』23頁、坪井善明『ヴェトナム現代政治』124頁を参考にし筆者が作成した
注：各名称については、慣例に従い略称・通称の場合もある

図　共産党中央組織図(略図)

謳われた。

ところで、１９８６年にドイモイを提唱したベトナムは、国際政治からの衝撃に巻き込まれた。１９８９年の冷戦終結と１９９１年のソ連解体である。ベトナムは、なぜこれからも社会主義体制を堅持していくのかという「説明」を迫られた。共産党は、１９９１年、「ホーチミン思想」を登場させ、１９９２年憲法および２０１３年憲法にも、ホーチミン思想が盛り込まれ、現在では、学校の教科として定着させている。それでは、ホーチミン思想とは何であろう。簡略すれば、マルクス・レーニン主義の普遍性を説きつつ、ベトナムの特殊性として、共産党の創始者であるホー・チ・ミンの民族主義的な姿勢、ベトナムの伝統や道徳を強調したものである。すなわち、民族解放と社会主義との結合を説くものであった。なお、「ホーおじさん」とも称されるホー・チ・ミンの遺体が安置されているホーチミン廟は、ホー・チ・ミンの表象としての役割を果たしている。

ホー・チ・ミンが眠るホーチミン廟（ハノイ）。ホー・チ・ミンの表象の場となっている

それでは、今後、ベトナムにおいて共産党の一党支配の行方はどうなるのであろうか。今日における共産党支配は、歴史的な貢献を基礎としている。すなわち、１９３０年の結党（党名は、ベトナム共産党、インドシナ共産党、ベトナム労働党、ベトナム共産党へと改称されている）以来、フランス植民地・日本軍支配から脱却し、抗仏戦争（第一次インドシナ戦争）、抗米救国戦争（ベトナム戦争）に勝利し、民族の解放と独立、

さらには統一を勝ち取った「正しい指導性」が強調されてきた。またドイモイ以降、市場経済化が促進されるなか、共産党は、発展途上国の開発体制（開発独裁）としての存在理由をもっているようにみえる。これは、権威主義的政権による「政治的安定」の下で、外資導入による経済成長を目標とするという意味である。したがって、今日の「戦争を知らない世代」の時代において、そして将来的には「国家による開発」以降の時代において、ベトナム共産党は、その支配の正当性や民主化という試練に立ち向かい続けなければならないであろう。

（遠藤　聡）

ホーチミン市人民委員会庁舎前に2015年以前にあったホーチミン像。現在は別の場所に移されている

47

選挙と有権者

★国会・地方議会★

ベトナムには、中央レベルの国家機関として、立法機関である一院制の国会、行政機関である政府、司法機関である最高人民裁判所・最高人民検察院、国家元首である国家主席が置かれている。しかし、ベトナムでは、立法権、行政権、司法権の間で相互に抑制と均衡を保つ「三権分立」という国家体制がとられていない。国家権力は統一的なものであり、統一的で不可分の国家権力の下で、立法機関、行政機関、司法・検察機関が、相互に協調しながら職務と任務を分担するとする「三権分業」の概念が成り立っている。

さらに、ベトナムには地方分権や地方自治という制度はなく、1つの国家権力を地方に分配するという「地方分級」という概念が成り立っている。省・県・社（行政村）の地方行政区ごとに設置される地方議会に相当する人民評議会、地方政府に相当する人民委員会は、地方における国家機関、いわば国会・政府の「出先機関」である。このようにベトナムでは、強固な中央集権制度が確立されている。

民主主義が定着しているということは、多元的民主主義、すなわち複数政党制による自由で公正な選挙が定期的に実施されることを指すのであろう。それでは、共産党の一党支配を堅持するベトナムの場合では、民主主義の定着とは何であろうか。それは、5年に1回実施される国会議員選挙における投票率99％という「投票率の高さ」を党への信任とみなすことである。ベトナムにおける被選挙権は21歳以上、選挙権は18歳以上のベトナム公民に与えられる。そして、この「有権者」の99％が投票を行うというのが「ベトナムの民主主義」なのである。筆者が調査した２００７年5月に実施された第12期国会議員選挙では、投票率99・64％を記録した。

第12回国会議員選挙の際の投票所。投票箱の横に、ホー・チ・ミンの半身像が置かれたり、肖像画・写真が掲げられている（2007年、ハノイ）

　スハルト体制下のインドネシアのように、トラックなどで投票所へ連れて行かれるという強制投票や、投票所の周りを制服姿の軍人や警察官が威嚇している様子はみられない。また、家族の1人が家族全員分を、あるいはその地域の顔役が数名分の投票を行うという、いわゆる代理投票は公には「ない」とされている。ただし、長距離トラックの運転手や出張者は滞在先で投票できることになっており、また身体の不自由な人の家や病院には、選挙管理委員会が投票箱を持って出向くことになっている。自身で投票用紙に記入できない場合には代書人による記入、身体障害者の場合には他の者による投票箱への投入を認めている。

　ベトナムの国会は一院制で定数５００以下、そのうち国会議員を本務とする専従（フルタイム）議員が約35％である。専

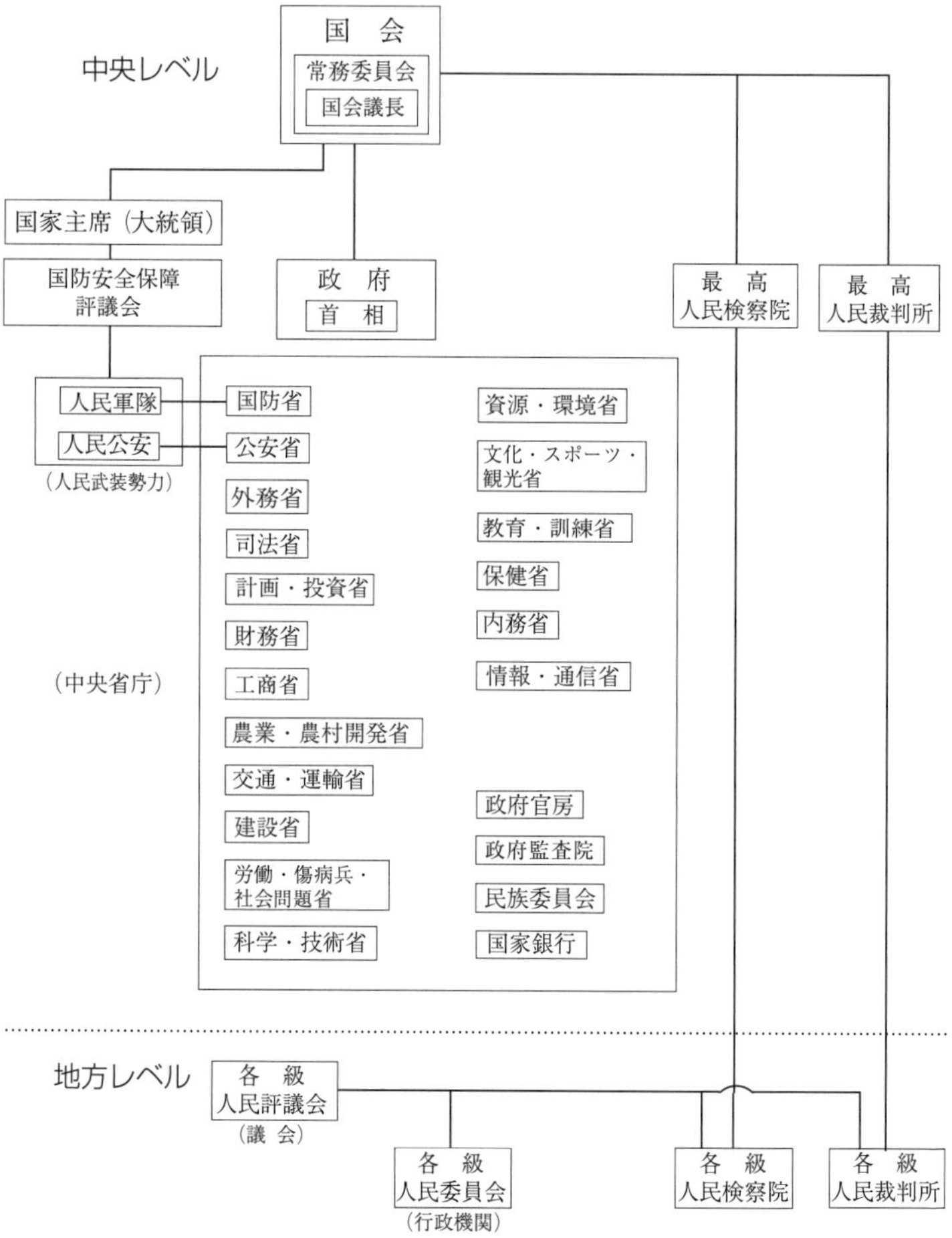

出典: 第11期第11回国会（2002年8月）および第12回第1回国会（2007年8月）の中央省庁再編を受け、石葉二葉・荒神依美「ベトナム」『アジア動向年報（2022）』を参考にし筆者が作成した

注: 中央省庁は、18省および省と同格の4機関からなる

注: 各級とは、地方（省・県・社など）の行政レベルを表す

注: 人民評議会・人民委員会は「地方における国家機関」である

図1　国家機関図

従議員の割合が増えているものの、非専従（パートタイム）議員の数が多いのは、長らく戦火が続いたベトナムにおいて、国会による審議よりも、党や政府の判断や決定による政治が続いてきた名残であろう。

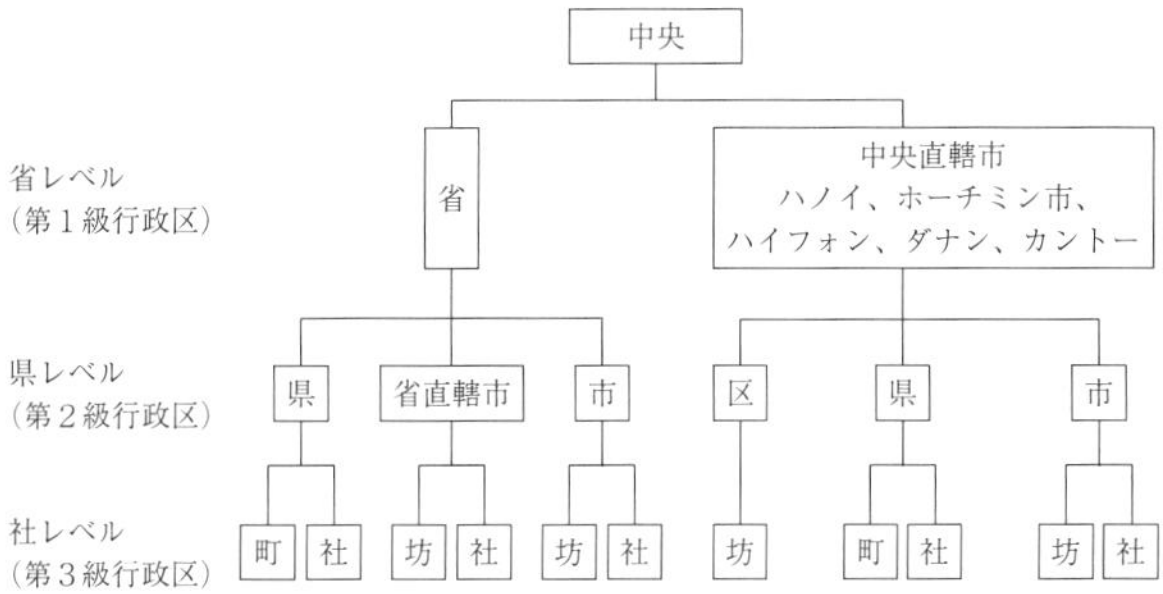

図2　中央・地方行政単位
注:「社」は主に農村部に位置する「行政村」である。「坊」は都市部に位置する
注:2022年12月現在63省・中央直轄市がある

ベトナムでは、共産党員ではなくとも国会議員選挙に立候補できるが、立候補者名簿は、共産党の指導下にあるベトナム祖国戦線が中心となって作成される。祖国戦線は各団体・組織からの推薦者を審査するとともに、民族（〈マジョリティの〉キン族の他53の少数民族が公認されている）、性別などを考慮した立候補者名簿を作成する。一方で、団体・組織の推薦によらない独立候補（自薦候補）の立候補も認められている。国会議員選挙への独立候補の立候補は、１９９２年に2名が立候補したものの両名とも落選した。１９９７年の同選挙で、11名が立候補し３名が当選した。統一後のベトナムにおいて、初めての独立候補の当選であった。２００２年の同選挙では、13名の独立候補のうち当選者は2名であった。

２００７年に実施された国会議員選挙においても独立候補の当選が注目されたが、立候補者数８４５名（独立候補は30名）のなかから総数４９３名が当選し、独立候補の当選は１

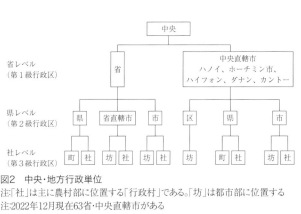

名にとどまった（独立候補の当選は、２０１１年が4名、２０１６年が2名、２０２１年が4名であった）。当選者の内訳をみても、少数民族が87名、女性が１２７名、非党員が43名であり、ベトナム祖国戦線を中核にして設置される協議会議の「予定」から大幅に外れるものではない。「集票マシン」と祖国戦線が称される所以であろう。ベトナムでは、立候補への手続きの段階で、様々な団体・組織から推薦者が厳格な資格審査を通ったうえで、国民のあらゆる階層からの「代表」がすでに選ばれているという発想が生き残っている。有権者がそれを認めるということが続いていくのであろうか。

第12期国会議員選挙の際の投票を呼びかけるポスター。「第12期国会議員選挙にみんなで投票に行こう」（2007年、ハノイ）

２００２年の国会議員選挙は、ホー・チ・ミンの生誕の日である5月19日に実施されたこともあり、投票率99・73％と史上最大を記録した（投票率は、２０１１年が99・51％、２０１６年が98・77％、２０２１年が98・43％であった）。２００７年もホー・チ・ミンの生誕の日の翌日に投票が行われた。建国の父であるホー・チ・ミンが「独立と自由」のために投票を呼びかける顔写真や、「国会議員選挙の投票はすべての公民の権利である」というスローガンとともに、また「ホーおじさん、お誕生日おめでとう」の祝辞とともに街中に飾られていた。投票所には、国旗「金星紅旗」と同じ赤色の投票箱の横に、ホー・チ・ミンの半身像が置かれたり、顔写真が飾られたりしていた。

ところで、第12期国会の国会議員の任期は4年に短縮された。これには、同じく5年に1回開催される共産党の党大会の開催年と関係がある。２０１１年以降は、５年ごとの同じ年に、共産党の党大会における「党の声」が反映された国会議員選挙が実施されることになった。さらに、地方の各級人民評議会議員選挙も国会議員選挙と同一日に実施されることになった。通常では、１月に党大会が開催、５月に国会議員選挙および人民評議会議員選挙が実施される。また、ベトナムでは常設の国会議事堂がなかったが、常設の国会議事堂が２０１４年10月に完成した。国会としても使用していたバディン会堂の老朽化・建て替え計画にともない隣地の地質調査をしていたところ、そこが約１０００年前からの「タンロン（昇龍）遺跡」であったことが判明した。ハノイ建都１０００年である２０１０年10月を前にして、同年８月に同遺跡が世界遺産に登録された。

（遠藤　聡）

新設された国会議事堂（ハノイ、岩井美佐紀撮影）

48

法治国家と言論の自由

★抑制される市民運動★

ベトナムでは、共産党第10回大会が開催された2006年4月と同じ時期に、知識人、文芸家、宗教者、退役軍人らが、多党制と三権分立の国家への転換を目指す「2006年ベトナムのための自由・民主宣言」を公表した（2006年4月8日）。すなわち、市民の間で共産党一党支配制度の廃止、複数政党制による自由選挙、言論・思想・報道・出版などの市民的自由を求める運動が徐々に活発化していったのである。とりわけ、同宣言に呼応して署名した賛同者たちは、宣言の日付から「8406集団」と呼ばれるようになった。8406集団は、2007年の国会議員選挙に向けて「多党制で真に自由、民主的な選挙」の条件として「10項目の基本的重要条件」を提示した。

この時期には国内でも様々な政治運動組織が名乗りを上げて結成されたほか、党や祖国戦線の傘下に入らない、本来の意味でのNGOや独立した労働組合や農業団体も誕生した。このような運動の中心は、市場経済時代に育った都市部中間層であった。彼らは高等教育を受け、諸外国の情報に通じ、研修や留学などの海外経験も有していた。そうした層と、古参革命家、知識人、宗教者、労働者、農民、在外ベトナム人との間に、世代や社会層、知己を超えた連携が成立していった。90年代までは、各主体は個別に運動をしていたため当局によって動向が監視されて孤立していた。しかし、インターネットや携帯電話の普及は、こうした民主化を求める市民のネットワークをつなげていくことになった。

ベトナムの現行憲法は、報道の自由と市民の知る権利を保障しているものの、党政治局は97年10月に「報道・出版工作の指導と管理を引き続き強化する」指示を出し、報道・出版は党と国家の指導と管理の下で法律の枠内で活動することを規定した。さらに、99年の改正報道法では、報道機関の任務が党の主張や国家の法律を普及、宣伝させ、国家・市民の利益に反する行為を禁止した。したがって、各報道機関は党や国家、大衆団体の言論機関とされたうえで、公認されているメディアは党や文化情報省の強い統制下にある。具体的には、党思想・文化委員会が毎月全国各メディアの責任者を南北別に招集し、その月に公表すべき「諸事実や表現」を周知させるというものである。これにより個人が自由に活字・電波メディアを設立することは許されず、記者の資格も政府決定次第で剥奪される。

行政に不法に収用された土地の返還を求める女性（2016年、ハノイ）

しかし、2006年頃から市民の手で、文化・情報省の許認可を受けない自由メディア『言論の自由』、『自由民主』などの紙誌がインターネットを通じて内外に様々な情報を発信するようになった。民主活動家が運営するウェブサイトやブログでは、

88年の中国によるスプラトリー諸島海戦の戦死者を追悼するグループ。違法な反中抗議活動とみなされ当局に拘束されたり、暴漢に襲撃されたりした（2013年、ハノイ）

公認メディアでは報じられない国内の諸情報や個人の意見、党や政治家に対する率直な批判等がアップされ世界に発信された。これに対して政府は、国家機密の漏洩や歴史的事実の歪曲、革命の成果を否定する行為に対する処罰規定を設けて、無許可の情報発信を禁止した。さらに、マスメディアを管理するために２００７年に対外情報局、電波放送・電子情報局、情報安全局の各部門を文化・情報省に新たに設置し、各種電波事業の許認可や審査、取り消し、記者活動の管理、個人ブログの制限などを強化した。

こうして、インターネットの使用や新サービスの提供は、政府機関の様々な諸規定で規制され続けてきた。政府はインターネットの使用原則を「党の路線や政策、国家の法律」を伝える手段として捉えていることから、党や政府に不利な情報は国家の安全を脅かすためにこれを制限するのである。

それを如実に表すのが「世論員」（又は「筆戦専門家」）と呼ばれるインターネット・コメンテーターの出現である。その誕生は２０１３年といわれる。彼らの目的は、インターネット上で党・政府の思想や主張等を情報宣伝して世論形成を促進させると同時に、政権に批判的な情報や論調を抑え込むことにある。その構成員は治安要員とは異なり、退役軍人や女性、青年などの個人たちともいわれているが、実態は定かではない。党や政府の姿勢に疑問を抱くブロガーたちの情報発信拡大は、同時に当局による規制も増加させたが十分な効果がみられなかった。特に、ベトナムの人口の7割近くが登録するフェイスブックはダイレクトに人々の考え方に影響を与えるため、党は危機感を抱いていた。そうした状況を打破するために、「世論員」は「敵対的な立場にある」人物に接近するために、該当する人物の「友達の友達」を装って「友達申請」し、「友達」になれれば日常的にその人物の発信内容を観察して当局に報告するのである。

2016年になると、軍政治総局の傘下に通称「第47部隊」と呼ばれるサイバー対策部隊が設立された。サイバー空間における誤った思考や「和平演変」(平和的な手段で社会主義を崩壊させようとする思想および行動)と闘う常駐の専門家集団として全国津々浦々の軍部隊に配属され、その数は2017年時点で7000人以上に及ぶという。しかも、その存在は公然化されフェイスブックのアカウントも有している。こうした情報発信の統制システムの組織化を経た後に、2018年6月に「サイバー法」が公布された。同法では間違った情報のアップロードを厳禁し、反国家的な活動や組織を規制すると同時に、歴史の歪曲や革命の成果を否定する行為を具体的に罰する条項を規定した。同法の誕生とともに、「世論員」網の存在と浸透が知られるようになると、それまで果敢に主張を展開していた人々の表立った行動は鳴りを潜めていった。しかし、「覚醒した市民」の思想やその表現方法の根絶は決して容易ではない。自国民の将来の行く末を憂いて行動する人々の存在が侮れないことを当局は知っているのである。

(中野　亜里、小高　泰)

49

市民社会と情報統制

★標的はソーシャルメディア★

ベトナムで市民活動家を取材するときは、いつも緊張する。公安警察に妨害される可能性があるからだ。お互いに携帯電話の番号をやり取りした後であれば、メッセージや会話を暗号化するアプリが使えるが、最初の連絡だけは通常の電話やメールに頼らざるをえない場合が多い。

朝日新聞ハノイ支局の特派員としてベトナムに赴任してから2年余りの間に、メールや電話の内容を当局に把握されていたとわかる出来事がいくつかあった。ベトナム中部のダナンで2022年1月、ラムさんに会いに行った時もそうだった。

ラムさんはダナンの中心部でフォー屋を営んでいる。旧正月の長期休暇で店を閉める前日、私は約束した午前9時半に合わせて宿泊先からラムさんの店に向かった。

「異常事態が起きた。今は来ないで」。午前9時20分頃、ラムさんからスマホにメッセージが届いた。数百メートル離れた場所でタクシーを降り、ひとまずカフェで待つことにする。1時間後に再び連絡が来た。「今日は安全じゃなくなった。会えない」

カフェを出て、店先を遠くから見通せる場所まで歩いた。緑色の制服を着た公安警察が入り口を塞いでいる。ラムさんのその後の話では、警察は「新型コロナウイルスの感染者が店に来ていた」と説明したそうだ。ただ、具体的な日時や感染者の情報は何も示されなかった。

その日は閉店後も店の前に警察の車両がとどまった。私は結局、対面での取材をあきらめてハノイに帰るしかなかった。取材の直前にラムさんの店に公安警察が来たことは偶然だとは思えない。ラムさんは1本の動画をきっかけに当局の要注意人物になっていたからだ。

2021年11月上旬、トー・ラム公安相が国際会議のために訪れた英国で、高級レストランに立ち寄って金箔に包まれたステーキを食べる動画がフェイスブックで拡散した。

クネクネした所作で塩を振る姿が世界的に有名なトルコ人シェフの店で、金箔ステーキの値段は10万円とも言われる。動画の中で、トー・ラム氏はそのシェフにナイフで切った肉を口まで運んでもらっていた。ネット上では、批判が巻き起こった。「国民の恥」「共産党の指導者が庶民の金を捨てている」。フェイスブック上にはそんなコメントが並んだ。

ラムさんは数日後、トルコ人シェフの所作をまねて、フォーを作るパロディー動画を制作した。いわば庶民による風刺だが、動画をフェイスブックに投稿して数日後に公安警察が店に来た。私の取材はラムさんにその時の様子や動画の真意を尋ねることが目的だった。

英国の調査会社によると、人口約1億人のベトナムで、ソーシャルメディアの利用者は7200万人に上る。中でもフェイスブックは最も人気があり、ほとんどの人が使っている。日々の身近な出来事をつぶやくだけでなく、物を売り買いするためのやり取りにも使われる。例えば、サッカーのワールドカップ・アジア最終予選で日本対ベトナムの試合が行われた際には、チケットがフェイスブック上で取引されていた。

それと同時に、2018年6月にサイバー法が施行されたものの、これまでは当局の取り締まりが比較的緩かったため、ソーシャルメディアは民主主義や人権問題に取り組む活動家たちの意見表明の場にもなってきた。しかし、新型コロナの感染が拡大してからは、「自由な言論空間」としてのソーシャルメディアの機能は大幅に弱まっている。

新型コロナによるパンデミックが2020年に始まって以来、ベトナム政府はソーシャルメディア上での「自由」の制限を最優先しはじめたように見える。その方向性は大きく分けて3つある。

1つ目は、投稿内容の許容範囲を狭めて当局による厳罰化を図ることだ。政府は、コロナが共産党による一党独裁の正統性を左右しかねないと判断したのかもしれない。フェイスブックをはじめとするソーシャルメディアで、政府のコロナ対策を批判した人が相次いで罰せられるようになった。

標的になったのは、体制に批判的な民主活動家たちだけではない。一般市民も含まれる。隔離施設の食事の写真に「まずそうだ」とコメントを付けてシェアしただけで罰金を科された人もいた。

最高権力者のグエン・フー・チョン書記長が3期目の続投を決めた2021年2月の共産党大会の頃からは、ジャーナリストや人権活動家の拘束がさらに目立ちはじめた。

いずれも刑法に定められた「反国家宣伝罪」と「民主的権利の乱用」が拘束の理由で、人数だけでなく10年近い禁錮刑など刑罰が重くなる傾向もある。

2つ目の対策には、ソーシャルメディア上での監視の強化が挙げられる。朝日新聞が入手した2021年10月のフェイスブックの元社員による内部告発の文書によると、ベトナム政府や軍との関連が疑われる団体がフェイスブック上でグループを作って、ジャーナリストや活動家の投稿を監視していたことがわかった。時期は不明だが36グループが連携し、政府が問題だとみなす投稿を90日間で15万3000件、フェイスブック側に通報していた。フェイスブック側はこの通報が虚偽に基づくものでルール違反に当たるため、問題となるグループを削除したという。一方で、内部文書はこうしたグループが高い確率でジャーナリストらの投稿を抑え込むことに成功したとも記し、その活動が「中程度〜高い確度」で政府や軍組織の指示を受けているとの見方を示している。

利用者に対する取り締まりや監視を強めるだけでなく、ソーシャルメディアを運営するプラットフォームそのものもターゲットになる。それが対策の3つ目だ。

2021年5月に実施された国会議員選挙の投票会場を訪れた共産党のグエン・フー・チョン書記長(左から2人目)

2021年5月に実施された国会議員選挙の際に報道陣に公開されたハノイの投票会場

ベトナムでは2020年、国営の通信会社2社が7週間にわたって、フェイスブックへの接続を遮断したことがあった。政府はその期間に、フェイスブックに対して「反国家的で違法」と政府が判断する投稿の閲覧を制限するように指示した。通信の遮断という実力行使にフェイスブック側になす術はなく、ベトナム国内では政権を批判する投稿を表示しない措置を取らざるを得なかった。フェイスブックの広報担当者は当時、私の取材に「指示に同意していないが、利用者のすべての声を沈黙させないための最良の選択だ」と答えた。ただ、「政府に批判的な内容」といっても具体的な基準はわからない。そのため、多くの市民活動家がフェイスブックのアカウントを閉鎖する萎縮効果が現れている。

そんな中、ハノイに住むジャーナリストのチャウドアンは今もフェイスブックで発信を続けている。2022年2月のロシアによるウクライナ侵攻では、旧ソ連時代からのつながりを配慮してロシアに沈黙する政府とは対照的に、ハノイのウクライナ大使館に仲間と寄付を届け、その様子を投稿した。

「政府の方針と違う発信は拘束される危険があるが、怖くないのか」。私は彼にそう問いかけたことがある。

「たとえ安全でなくとも私たちには意思を表明する権利がある。私はリスクのために人間としての権利を捨てたくない」

それが彼の答えだった。

ここ数年、日本は政府と民間の両方でベトナムとのつながりを強めている。経済的な利益にだけではなく、自らの考えや思いを言葉にするために身を危険にさらしている人たちにも目を向けてほしい。

（宋　光祐）

50

対外関係

★重視される多国間外交★

２０１９年は、ベトナムの外交にとって象徴的な出来事が２つ起きた年であった。

１つ目の出来事は、アメリカのトランプ大統領と北朝鮮の金正恩朝鮮労働党委員長による第２回米朝首脳会談がベトナムの首都ハノイで行われたことである。北朝鮮の非核化を協議する米朝首脳会談は、世界中の注目を浴びたことは言うまでもない。旧社会主義陣営の一員として北朝鮮との独自のパイプをもちながら、アメリカをはじめとする欧米各国とも良好な関係を築き、国際社会における重要な役割を果たしていることを示した。

出来事の２つ目は、国際連合の安全保障理事会の非常任理事国（任期は２０２０年から21年）に選出されたことである。ベトナムにとって、非常任理事国に選出されたのは、２００８年から09年任期以来の2回目であるが、今回はその得票数に注目が集まった。投票数１９３票中、賛成票が１９２票と、過去最高の得票数を獲得したのである。実は２０１８年8月8日に、ベトナム共産党書記局は25号指示というものを出していた。その内容は、「多国間外交を強化・発展させ、２０３０年までに特に国連での重要な責任を担うための準備をすべて完了させること」というものであった。国際的な地位と名声を獲得するために、「多国間外交」は、最近のベトナムの対外政策の重要なキーワードの1つとなっている。

ベトナムの対外政策はどのように決まるのか。これは他の分野と同じように、ベトナム共産党大会によってその方向性が決定付けられる。アメリカとのベトナム戦争、カンボジア侵攻、中越戦争を経験したベトナムが、その外交政策を一新したのは、ドイモイ政策の開始でよく知られる1986年の第6回共産党大会である。国内の経済発展を達成するために、平和的な国際関係の構築を目指す方向に舵が切られたのである。1989年には、懸案となっていた隣国カンボジアからのベトナム軍撤退が行われ、91年には和平協定が調印された。この年に行われた第7回共産党大会では、一歩進んでいわゆる全方位外交の展開が決定された。その後の国際社会への参入は、目覚ましいものがある。重要な出来事をあげるだけでも、1992年に日本や国際機関（国際通貨基金や世界銀行）の対ベトナム援助再開。95年のアメリカとの国交正常化、東南アジア諸国連合（ASEAN）加盟。98年のアジア・太平洋経済協力会議（APEC）加盟。2000年のアメリカとの通商協定調印。2007年には世界貿易機関（WTO）に正式加盟。08年から09年には前述したように国連安保理の非常任理事国に選出された。2010年と20年にはASEANの議長国を務め、17年にはAPECの議長国も務めた。

またこの間、ベトナムは経済的な外交も積極的に展開している。ASEANとしてではなく、ベトナムが直接の当事者となって締結した自由貿易協定も多い。これも列記していくと、2008年に日本・ベトナム経済連携協定調印、14年にチリ・ベトナム自由貿易協定、15年に韓国・ベトナム自由貿易協定、16年にベトナム・ユーラシア経済連合（EEU：ロシア、ベラルーシ、カザフスタン、アルメニア、キルギス）自由貿易協定、18年に環太平洋パートナーシップに関する包括的および先進的な協定（CPTPP）、20年にEU・ベトナム自由貿易協定、21年に英国・ベトナム自由貿易協定がそれぞれ発効していて、ベトナム独自にかなり精力的な経済外交を進めていることがわかる。

最近の党大会では、どのような外交政策が出されているのか。直近の党大会は、2022年1月から2月にかけて行われた第13回共産党大会である。第13回党大会でも経済的な発展を追求することが決定された。具体的な目標として、2025年（この年はベトナム南部が解放されて50周年にあたる）には低中所得国を脱し、2030年（ベトナム共産党設立100周年）には高中所得国になり、2045年（ベトナム建国100周年）には先進国の仲間入りを果たすことが掲げられている。こうした経済的な目標を達成するためにも、外交政策では引き続き安定した平和的な国際環境を維持し、ベトナムの国際的な地位と名声を向上させることが目的に掲げられている。「独立、自主、多国間化、多様化」をキーワードに、国際社会にあらゆる面で参入していくことも目標とされている。ベトナムは今後も、全方位外交を行いながら、国連などの国際機関、ASEANなどの地域機構にも積極的に関与していくことが想定される。

全方位外交と言っても、当然のことながら優先順位が存在する。ベトナム外務省が毎年発行している『外交青書』では、その取り上げられ方によってどの国との関係を重視しているのかがよくわかる。ベトナムの二国間外交にとって何よりも重要なのは、国境を接している国々との友好関係である。『外交青書』ではまず、ラオス、カンボジア、中国との関係が最初に取り上げられ、その後ASEAN諸国との関係に言及されていく。アジア太平洋の項目では、ここ数年で重視する国に変化がみられる。2014年の『外交青書』で言及される国の順番はインド、韓国、そして日本、モンゴルだった。日本が最初に言及されるようになるのは16年からで、日本、インド、韓国、モンゴルという順番に変化している。17年からは、日本、インド、韓国の次に、オーストラリア、ニュージーランドが登場し、20年までこの順番は変わっていない。ここ数年で、ベトナムにとっての政治・経済的な結びつきをもつ国々が変化してきているのがわかる。

ベトナム外交にとっての懸念材料は、やはり南シナ海の領有権問題と米中対立の激化である（中越関係は第59章「中越関係の現在」参照）。対中国政策で、アメリカや日本はベトナムを重要視している。2018年3月、アメリカの空母カール・ビンソンが初めてベトナムのダナン（ベトナム戦争時、アメリカ海兵隊が最初に上陸した地）に、20年3月には空母セオドア・ルーズベルトが同港に寄港している。21年には、ハリス米副大統領が現役副大統領として初めてベトナムを訪問し、ハノイに東南アジア地域を管轄するアメリカの疾病予防管理センターの統括拠点を開設するなど、さらに関与を深めている。一方ベトナム側も、ハリス副大統領到着前に、駐ベトナム中国大使とも面会をするなど、中国に配慮する姿勢も忘れていない。日本も「自由で開かれたインド太平洋」実現のためにベトナムを重視し、21年に防衛装備品・技術移転協定を結んでいる。現在、ASEANと中国との間で南シナ海行動規範（COC）交渉が進められている。アメリカなどが納得する形でCOCを締結できるかどうかが鍵となるであろう。米中の間で、どのようなバランスを取っていくのか、難しい舵取りを迫られている。

（福田　忠弘）

51

ポピュリズムと大衆動員

★民主主義国家との共通項★

ここ数年、ポピュリズムという言葉をよく聞くようになった。その背景には、移民排斥を訴えるフランスのマリーヌ・ルペンや、英国の欧州離脱、2016年の米国大統領選でのドナルド・トランプの当選がある。

日本語では「大衆迎合」「衆愚政治」と訳されるが、ポピュリズムには誰もが納得する明確な定義がない。ただ、ポピュリズムと結びつけられる政治家の振る舞いには共通項がある。外国人などマイノリティを仮想の敵とし、「エリート」による既存の政治の打破を訴える。政権についた後は場当たり的な政策を繰り返すということだ。

欧米諸国や日本で語られるポピュリズムは、民主主義のもとで生まれることが前提になっている。共産党が一党支配する権威主義のベトナムにポピュリズムは当てはまらないのだろうか。

新型コロナウイルスの感染が広まる頃から2年余りの間にベトナムを定点観測していて感じるのは、ポピュリズム政治はイデオロギーの違いによらず存在するということだ。

コロナ禍が始まって約4カ月になる2020年5月、ハノイの旧市街にあるカフェで民主活動家のグエン・クアン・アさん

ロックダウンで閑散とするハノイ

にインタビューする機会があった。

共産党が一党支配するベトナムで、四半世紀にわたって民主主義を訴えてきた論客だ。公安当局の妨害で実現しなかったが、米国のオバマ大統領が２０１６年にハノイを訪れた際には、ベトナムの民主活動家を代表する存在として面会に招かれた。

私の取材は、アさんにベトナムや中国のような一党独裁と民主主義のどちらの統治システムがコロナの封じ込めに有効と考えるかを尋ねることだった。アさんの言葉から民主主義の現状について考え直してみたかった。

４時間を超えるやり取りを続けるうちに、私が独裁と民主主義を「抑圧対自由」のような単純な二元論で捉えていると感じたのだろう。アさんは私にこう指摘した。「この国に自由がまったくないとあなたが考えているならば、それは誤りです」

一党独裁と聞けば、国を支配する政党やその指導者が民衆の意見を何も聞き入れないとイメージする人が多いかもしれない。しかし、ベトナムの政治はむしろ世論に敏感だ。

その最たる例がコロナへの対応だった。ベトナムで初めて感染が確認されたのは２０２０年１月23日。感染者はパンデミックの起点になった中国・武漢出身の親子だった。

政府は同年２月１日に中国との旅客航空便の運航を停止し、その４日後には過去２週間以内に中国に滞在歴のある外国人の入国拒否をはじめた。日本が中国からの入国の大幅な制限を決めたのは3月5日で、ベトナムの方が約1カ月早い。中国との陸上の国境もほぼ同じ時期に閉鎖していた。

中国はベトナムにとって最大の貿易相手国であり、観光でもベトナムへの渡航者は中国人が最も多い。経済的に大きなダメージを受ける覚悟をしてでも、政府が往来を止めた背景には何があったのか。

アさんは私に「早い段階から中国との国境の閉鎖を求める意見がフェイスブックにあふれていた。国民の圧力だ」と分析した。

中国は発展に欠かせないパートナーでありながら、過去に何度も戦火を交え、現在は南シナ海の領有権を争う「脅威」でもある。多くの国民にとっては、「仮想敵」とも言える存在で、どんな問題でも中国への反応には常に愛国主義的な感情が混ざる。

ネット上の世論を無視できなくなっているのは、欧米諸国や日本とは政治制度が違うベトナムも同じなのだ。

ただ、中国との国境を強引にでも封鎖し、感染者や濃厚接触者を徹底して隔離する強権的な手法で、ベトナムが国内での感染確認から半年にわたって「死者ゼロ」を達成したのは事実だ。そこだけを「点」として捉えれば、政府は未知の病気から国民を守る「英断」を下したと言える。

しかし、2年を超えて続くパンデミックへの対応を「線」で見直すと、

閉鎖された中越国境

印象は違ってくる。

コロナのデルタ株が広がった2021年7月上旬、政府は感染地域にある製造業の工場で従業員を工場内などに寝泊まりさせる「工場隔離」を操業条件に決めた。

この決定は逆にサプライチェーンを寸断し、トヨタ自動車の減産など世界経済に大きな影響を及ぼした。

隔離したはずの工場で集団感染が相次いだほか、急きょ必要となった従業員のための大量の寝具や食事を企業が確保できず、操業を停止する工場が続出した。

対策の発表から実施までに猶予期間を設けなかったことから、政府が製造業の現場や労働者の生活を考慮せずに、場当たり的な対応でコロナを食い止めようとしたことがうかがえた。

ベトナム政府の対応は、必要な政策を決めるために人々の声に真摯に耳を傾けるというよりも、自らの対応を正当化するために一部の大きな声に迎合しているように思える。

共産党の内部には世論を誘導するための大衆工作委員会がある。さらに党傘下には、官製の翼賛団体である祖国戦線が社会のあらゆる分野の大衆組織を束ねて党を支える（祖国戦線の選挙への関与については第47章「選挙と有権者」参照）。女性連合や青年団などはそのうちの代表的な大衆組織だが、外国人の私が実生活でその存在を強く意識することは少ない。

自分が新聞社で働いていることもあって、ベトナムでポピュリズム的な政治を目の当たりにして実感したのは、政府が聞き入れるべき「大きな声」を作る装置としてのメディアの役割の大きさだ。

もちろんそのメディアには新聞やテレビだけでなく、SNSのような新しいメディアも含まれる。

ベトナムでは新聞やテレビはいずれも国の統制下にあり、政権支持の空気感を醸成する役割を担っている。

例えば、南部の最大都市ホーチミンで2021年にコロナによる死者数が急増した際には、懸命に働く医療従事者やボランティアの姿に焦点を当てる報道が中心で、深刻な事態を招いた行政の責任を追及する情報は出てこなかった。

ソーシャルメディアでは、ベトナムで最も利用者の多いフェイスブックで、政府や軍と関連するグループが、体制に批判的な意見の投稿者に攻撃的なコメントを送る嫌がらせをしているとの指摘がある。2021年7月には、ソーシャルメディアのライブ配信の管理を強化する政府案も発表されている。

外国の情報に触れて多様な価値観を持つようになった若者らを中心に、実社会では共産党離れが進んでいる。党と政府は今、メディアのコントロールをいっそう強めて、自らに正統性を与えてくれる「大衆」を作り出す必要に迫られている。

（宋　光祐）

52

「社《サー》」と呼ばれる行政村

★多様性から均質化へ向かう村★

ベトナム全国は、58省5都市の63行政区画に分かれ、その下位に529県8295行政村（2020年時点）がある（第47章「選挙と有権者」、図2を参照）。2000年代以降急速に都市化が進んだ今なお、この地方人口は全人口の6割以上を占めている。

行政村は「社《サー》」と呼ばれ、地方行政階梯における最下部の行政単位である。「社《サー》」は、トン（「村」）あるいはアップ（「邑」）と呼ばれるいくつかの集落から構成されている。「社《サー》」は、行政単位として人口の増減や地域開発に応じて幾度となく再編成され、合併・分裂を繰り返してきた。

行政村としての「社《サー》」は、ベトナムの伝統村「社《サー》」と名称こそ同じであれ、その内実はまったく異なる。行政村は、行政上の必要に応じて統合・分裂する地域単位のため、村民が自発的・自律的な紐帯を結ぶ契機を欠いている。

伝統村としての「社《サー》」は、15世紀以降に北部紅河デルタで増加した農村が典型である。地縁血縁で結ばれた村民が稲作のための水利組織・外敵防衛の歴史的経験を共有することで、強固な凝集力と自律性をもった「村落共同体」と呼ぶに値する地域社会を形成していった。現代ベトナム人の中では、水田、ウチとソトを分かつ生垣と門、鎮守社亭が構成する紅河デルタ農村の景観が伝統村のイメージとして共有されている。伝統村は、北部紅河デルタにおいても、またベトナム全土においても、立地する生態環境や歴史的経緯に応じて極めて多様であったが、歴代王朝・植民地期から現代に至るまで、地方行政階梯に再編成されていく過程で行政村として標準化されてきた。

カィンハウ村は、1950年代末以降数々の学術調査が行われたため、南部メコンデルタのみならずベトナムを代表する村として国内外に有名である。同村は、18世紀に中部からの入植者によって開村されたとの伝承があり、村内に19世紀初の阮《グエン》朝功臣グエン・フィン・ドゥックを祀る廟がある。同村は、19世紀初に編纂された地誌『嘉定城通志』ではトゥオンカィン（祥慶）村とニョンハウ（仁厚）村の2村である。フランス植民地期1917年に両村が合併しカィンハウ（慶厚）村が成立した。2006年に同村は省都タンアン市の街区として再編成され、カィンハウ（慶厚）坊・タンカィン（新慶）坊・第4坊に分割された。

村名には漢字音由来の美名を付ける慣例がある。しかし、集落名には土地固有の地名が残っていることがあり、地域の歴史を知る手がかりとなる。例えば、カィンハウ村には、19世紀軍営《ジン》が置かれていたジン集落と、メコン川本流へ通じる舟泊りと橋《カウ》があったカウ集落があった。現在ジン集落はグエン・フィン・ドゥック通りになり、カウ集落のあったニョンハウ村は地名から消え失せた。

1989年カンボジア国境近くにカィンフン村という新村が設立された。同村は、カィンハウ村からの入植者と地元の隣村フンディエンA村から編入された村民で構成され、新しい村名は双方の出身村にちなんで名付けられた。行政村再編には、既存の地縁・血縁関係や地域社会の事情はまったく考慮されない。住民はある日突然に省・県から○年○月を期して新村ができると通知され、それを首肯するのみである。

村中心には、メインロード沿いに村役場である人民委員会、市場、郵便局、医療所、小・中学校、集会所などの公共空間が区画されている。この村中心が村人全員にとって求心力をもつことはない。村人は日常の要を足すに隣村の市場や郵便局が近いならば、必要に迫られない限りわざわざ遠くの村役場まで出向きはしない。地域条件を無視した行政再編では、帰属する村と生活する地域の範囲が重ならないからである。

「社《サー》」には、村役場として人民委員会がある。村長は人民委員会主席と呼ばれ、村議会にあたる人民評議会で選出される。副主席が2名、幹部と呼ばれる正職員3～4名、このほかに窓口対応や文書作成など事務補佐をする非常勤職員複数名が勤務している。人民委員会に勤務する皆がワイシャツ姿で首から役職と氏名を書いた名札をぶら下げ、公式行事には男性はネクタイ、女性はアオザイを着用する。彼らは、地方公務員として政府から給与を支給される正規職員も、手当として実質給与を支払われている非常勤職員も、教員・医師と同格の給与所得者として村の中では、数少ないホワイトカラー層を構成している。以前なら地元出身者で占められていた村役場には、学歴重視と固定給与・社会保障付きの待遇が魅力となって、まったく地縁のない他郷人が勤務することも珍しくなくなった。

1990年代の村役場は、朝の早い農村事情に合わせて8時から窓口を開き、11時を過ぎるとまったく人気がなくなり、実質半日しか執務していなかった。午前中はひっきりなしに訪れる村民で役場の中も表庭もごったがえしていた。現在の村役場は、全国標準に合わせて朝9時から始まり昼休みを挟んで午後も窓口を開いている。事務と住民サービスの場が区画され、村人はそれぞれの用件に応じてガラス窓越しに対応を受けるようになった。

村人民委員会では、毎週各集落から集落長が集まる連絡会議が開かれる。同様に、人民委員会に併設されている村公安にも副集落長が集落内治安に関わる事項を報告しに集まる。これら毎週の定例会では、県・市からの通達が伝えられる。

村人民委員会の各種証明書発行窓口

人民委員会主席は、定例会合や研修・公式行事など頻繁に上位組織である県・市へ出向く。近年は電話・ファックス・メールなどの連絡手段が使用されるものの、会合で上位組織から政府通達を持ち帰って村・集落へと伝達することが業務の基本である。中央の政府と各省庁から省へ、そして県・市から村へと、政府通達は雨のように降り注ぎ、決裁・報告すべき公文書類は年々増える一方である。

村の財政はすべて政府交付金に依拠し、その大半が職員の人件費と役場運営の光熱費等である。村独自予算がないため、道路舗装など必要に迫られて何らかの事業を興すにも、まずは県・市への予算陳情から始まることになる。公共建築物の改修・インフラ整備等はその都度政府予算で賄われる。

すなわち、行政村の機能とは、行政階梯組織のトップから順に降りてくる指示を伝達・執行することと、出生・死亡証明書などの受付・発行の住民向け行政サービスが主業務である。

ベトナム政府は、この10年ほど全国で新農村運動を展開している。この大衆運動は、都市・地方の地域格差を解消し、現代農村として生活改善を図ることにある。水道敷設・電化・道路舗装など各種インフラの拡充や、幼稚園から小中高校の教育環境整備と就学率向上、公園・集会所など住民サービス施設の設置などを推進し、設定した目標値を達成すると新農村として顕彰するものである。

ベトナム全国で、メインロードの入り口に村名を刻んだ村の門をもち、標準化された行政村「社《サー》」が生まれている。

（大野　美紀子）

53

環境問題

★深刻化する問題と変革の行方★

ベトナムと聞いてまずイメージする風景の1つに、ハノイやホーチミン市の道路を埋め尽くすバイクの大群が挙げられる。ベトナムの活気を象徴するイメージとして語られるこのバイクの大群だが、一方で深刻な大気汚染の一因ともなっている。日本の環境省のウェブサイトによれば、ハノイやホーチミン市では大気中の粉塵が世界で最も高いレベルに達しているという。排気ガスに加え、いたるところで行われるインフラやビルの建設、郊外の工場から排出される煤煙などが、汚染を一層悪化させているのだ。

水質汚染も深刻である。上述した環境省の情報によれば、都市中心部のほとんどの河川や湖沼、用水路等において、汚染物質の濃度が最大許容値の数倍という状態に陥っている。また、増加する固形廃棄物の多くは、最終的には埋立処分場で処理されるのだが、処理や管理が不十分で非衛生なため、住民が健康被害を訴えるようになっている。

農山村でも多くの問題を抱える。肥料・農薬や工場等の排気排水から生じる深刻な環境汚染は、中国で問題となっている「癌症村」をベトナムにも発生させた。また辺境地の一部

大通りを行きかうバイク。交差点付近の空気は特に汚い（2014年、ホーチミン市）

では、ベトナム戦争で米軍が撒いた枯葉剤の影響が残るといわれ、戦中から戦後にかけては全土で森林破壊が続いた。日本の森林総合研究所にあるＲＥＤＤプラス・海外防災研究開発センターの国別レポート（２０２０年度）によれば、１９４３年に国土の約43％あった森林が１９９３年には20％台に減少したという。最近は植林等によって森林率が回復し、２０２０年には約47％にまで増加したが、自然林の劣化減少は続いており生物多様性の減少が著しい。さらに、ベトナムは気候変動の影響を強く受ける国でもあり、特に洪水リスクは世界で最も高い。ドイモイ以降経済発展が著しいベトナムは、多くの環境問題を抱えるようにもなったのだ。

深刻化する環境問題に対して、ベトナム政府も座視しているわけではない。特に１９９０年代以降、政府は環境保護法をはじめ多くの環境関連法を制定し（表1）、政令や規則等も数多く発令してきた。そして２００２年には、環境行政の中心を担う行政機関として天然資源・環境省を設立した。農業や森林を管轄する農業・農村開発省をはじめ、計画投資省、建設省など、他にも様々な中央省庁が部分的に環境行政を管轄している。

以上のような法律や統治機構には、法的な曖昧さや一貫性のなさ、担当部署の重複や連携不足など、未だ多くの課題がみられる。しかし、ベトナム共産党のもとで経済開発を至上目標としてきた「開発国家」としてのベトナムが、環境保全や持続可能な開発といった新たな目標を実現するための能力を備えた「環境国家」へと向かう一歩を踏み出したという意味では、重要な変革だといえる。さらに、近年では政府のみならず、企業や市民も環境保全の担い手として期待されており、政府もその後押しをはじめている。

例えば、環境税や環境サービスへの支払い（PES：環境サービスと呼ばれる自然の恵みの利用者が、その供給者に対してサービスの対価を支払う仕組み）を通じて企業や市民から環境保全のための資金を調達したり、企業に国際環境認証の取得やクリーナー・プロダクション（CP）の導入を促したりすることで、企業や市民を環境保全に巻き込もうとしている。また、市民社会の参画、例えばNGOの活動やマスメディアの環境報道を許す試みも、限定的ながら行われてきた。

表1　主な環境関連法律と制定・改正年

制定・改正年	法律
1991, 2004, 2017	森林法
1993, 2005, 2014, 2020	環境保護法
1996, 2010	鉱産物法
1998, 2012	水資源法
2003, 2017	漁業法
2007	化学品法
2008, 2018	生物多様性法
2010	省エネルギー法
2010	環境保護税法

出典：Ortmann (2017), Table 3.2を加筆修正。森林法は、2017年に森林保護開発法を改正してできた法律である

そして、以上の変革の多くは、海外の援助機関や国際NGOが国内の改革派官僚や学術界に政策アイデアを提供することで推進されている。PESや環境影響評価(EIA)の導入はその好例である。こと環境問題に関しては、ベトナムにおいても「ガバメント」をこえ、国内外の多様な社会セクターを統治に巻き込む「ガバナンス」の萌芽がみられるといってもよいかもしれない。

しかし、この芽が今後どうなるかはわからない。もしかすると、育つ前に摘み取られてしまうかもしれない。香港大学のステファン・オートマン（Stephan Ortmann）は、

ベトナムの環境対策が抱える主な課題として、①共産党内に産業セクターと結託した強力な抵抗勢力が存在し、開発優先の発想から脱しきれないため、関連部署に十分な権限が与えられないこと、②法令・政策の執行上の問題。特に地方では人材・予算等が不十分なこと、③環境保全のインセンティブが企業に十分に提供されず、モニタリングも不十分であること、④社会セクターの参画が共産党の許容範囲内に制限されること、の4点を指摘している。これらの結果、法制度の形骸化が起こり、実態との間に乖離を生み出してしまうのだ。植林等の一部の事業を除いて環境改善がみられない点からも、対策の機能不全がうかがえる。一方で、植林や森林保全のように規制対象が政治的弱者であり、法や政策がある程度執行できている場合には、国家の力がさらに強まることで社会を抑圧する「環境権威主義」へと向かう可能性もある。

すでに、その兆候はみられている。筆者が調査したPESでは、森林がもたらす環境サービス（水源涵養機能）を利用する水力発電事業者と、森林管理によってそれを供給する政府系森林管理団体や地域住民との間を政府系の基金が仲介することによって、関連情報や支払いの流れを政府がコントロールできる制度設計になっていた。つまり、PESのように表向きは企業や住民の参画を謳うビジネス志向の事業でも、実際には各段階で政府系団体が実権を握っているのである。このような状況では支払いは不透明でモニタリングも乏しいため、末端の森林管理者である森林地域の住民（多くは貧しい少数民族）に近い現場では、支払いをめぐって様々な混乱が起きていた。

もっとあからさまな例は、2009年に起きた中部高原地域でのボーキサイト開発への抗議運動や、2016年にハティン省で発生した大規模な海洋汚染に伴う抗議運動への政府の抑圧にみられる。後者はベトナム最大の環境災害といわれ、周辺海域における魚の大量死によって発覚した。原因とされる台湾系の製鉄企業の対応が人々の怒りを呼び、抗議運動が全国に拡大したが、運動の指導者は逮捕され報道は規制されたのである。

以上のように、ベトナムのような一党制国家にとって、環境問題に対処するための変革は決して簡単ではない。一般に、環境問題に効果的に対処するには、分権的な環境ガバナンスが必要だといわれる。そのためには、政府に加えて社会の様々なアクターが自発的に社会を変革する必要があるが、これは国是である一党制とは矛盾する。むしろベトナムでは、逆に国際社会からの様々な政策アイデアを「ベトナム化」することで国家の力をさらに強化しているようにすらみえる。今後、環境問題は国家や社会をどう変えていくのだろうか。ベトナムでは現在岐路を迎えているといえよう。

（生方　史数）

PESの支払いを受ける山間の少数民族の村。森林保全は、森林とともに暮らしてきた彼らの協力なしには実施できない（2018年、クアンナム省）

54

汚職防止・汚職撲滅政策

★温存される権力構造★

２０１３年にグエン・フー・チョン共産党書記長が本格的に汚職防止・汚職撲滅政策を始動させて以降、逮捕・起訴される党員数は日ごとに増加している。その中には、引退と現役を問わず政治局員や中央委員、大臣や地方の党書記および主席等といった、政府中央レベルの指導者が少なからず含まれている。チョン書記長の頑ななまでの聖域なき汚職追放の姿勢は、まさに国民の目に具体的に見える形で日々メディアを通じて報じられる。

直近では、２０２２年1月に外務省領事局長を含む複数の外務官僚が贈賄罪で逮捕された。新型コロナウイルスの蔓延によって世界各国に滞留、帰国が困難になった自国民の救援便手配をめぐって、企業各社から賄賂を受けた事実が発覚したのである。同省領事局の汚職によって、例えば、アメリカまでの片道運賃約６５０米ドルは８５００米ドルに跳ね上がっていた。時期を一にして、SARS-COV-2 抗原検出用の迅速簡易キットを中国から安値で大量輸入し、自社製と偽った上に価格を釣り上げ国内で独占的に販売したヴィエット・アー社のトップと、それに関わった保健省等幹部も贈収賄罪で起訴された。いずれも、コロナ問題で不自由かつ困難な生活を強いられている多くの国民を尻目に行われた不正事案であることから、その摘発は一定ながら世論の支持を得たといってもよいだろう。

チョン書記長の汚職撲滅政策は「汚職の根源のみならず爪先も根絶させる。それは阻止するだけでなく積極的に攻勢を仕掛け厳しく取り締まる」方針の下で展開されてきた。２０１３年にチョン書記長は党政治局および書記局に直属する汚職予防・撲滅に関する党中央指導委員会を設立し、自身が最高責任者として党内を中心に国内世論が関心を抱く汚職事案の摘発を強化させてきた（２０２１年に「汚職・不正行為の予防・撲滅に関する党中央指導委員会」に改名）。そして、摘発対象に聖域を設けない姿勢を明確にさせていったのである。

その成果の一端として、２０２１年中には党中央レベルの指導者32名を処罰した。具体的には、現・元中央委員4名、元大臣2名、現・元次官7名、地方政府党書記1名、元地方政府党書記3名、元地方政府主席2名、軍・公安将官13名等である。同年の汚職摘発総数は３７２５件（被告数は７０６６名）で、２０２０年の１１８６件（同２６５２名）を上回る結果となった。

しかし、党・政府が汚職防止対策を講じたのは今回が初めてではない。１９８６年にドイモイ路線が第6回党大会で採択され市場経済制度がとり入れられると、汚職や不正行為は一気に蔓延しはじめた。その主たる原因の1つに、土地の使用権に「値段」がつき、役所の許認可権が強大になったことがあげられる。

それまでの配給時代では、あらゆる食料・民生品が欠乏していたため、汚職を働く余地はほとんどなかった。しかし、ドイモイでビジネスチャンスが一気に拡大するに伴い、経済活動を抑制され続けてきた人々の「生活改善欲」にもスイッチが入ったのである。しかも、経済活動は党・政府に背くなどの反共思想さえなければ半ば放任されたため、「上は上なりに下は下なりに」正業を凌駕するほどの副業を営む環境が社会的に容認されていった。

そのため、党および政府機関における汚職や不正行為は組織的に拡大していった。例えば、出稼ぎ労働者（日本では技能実習生）は、多額の借金をしてまで送出し機関関係者や仲介業者などに手数料を支払う構造が形成された。地方政府の首長などが中央政府と結託して大型開発案件を地元に誘致し、さらに企業が癒着して住民から土地を収用、あるいは安値で土地使用権を買い叩き、多額の不正な利益を享受、分配した。社会規範の低下と貧富の差の拡大は、次第に国民の政府に対する不信感を増幅させた。

このような状況に対する危機感は第8回党大会（96年）においてすでに認識され、その後の法令に反映されていった。例えば、85年施行の刑法には用いられなかった「汚職」のタームは、90年の閣僚評議会（政府）第4号決議で初めて登場した。そして、97年改正刑法で公職者に対する汚職罪が規定され、汚職防止法令は98年に施行された。やがて、事態の深刻さに気付いた党・政府はようやく汚職問題を社会的脅威と捉えはじめた。２００５年の第11期国会で採択された汚職防止法では、職権を有する者がそれを濫用して利益を得ることを違法と規定し、07年、12年、15年の改正を経て汚職に関する7つの罪名の量刑を重くした。そして、２０１８年にチョン党書記長が国家主席を兼任すると再び改正汚職防止法が施行されたのである。

こうしたチョンによる汚職撲滅の方向性は、２０１１年に党書記長の就任時に打ち出されていた。

しかし、当時はグエン・タン・ズン首相の時期と重複していたため、党中央内部での十分な足場固めが困難であった。そのため、ズン指導部の下で蔓延した構造的汚職・腐敗状況を崩すべく、党中央レベルから外堀を埋めていったのである。それを象徴したのが、12年のチャン・スアン・ザー元計画投資相・ACB銀行総裁の起訴であった。ザー総裁は、同銀行の資産を違法に他の銀行に流出させ国家に甚大な被害を与えたと言われる。

2011年に来日したヒエン海軍司令官(提督)。汚職等で起訴され職位や党籍を剝奪された

さらに、捜査対象には軍も含まれた。とりわけ、グエン・タン・ズン首相時代に登用ないし昇進した多数の将官たちが職を追われた。例えば、2019年には、元海軍司令官・国防次官だったグエン・ヴァン・ヒエン提督が軍用地の管理に重大な誤りがあったとして他の海軍指導部とともに起訴され、党籍および次官の職歴を剝奪された。公安部門も、同年、公安省諜報総局長ら公安次官などが、土地の不正取得と収賄の罪で起訴された。こうして、チョン書記長はズン元首相の影響力を削ぎ落としていったのである。

2022年1月に開催された第21回汚職・否定的現象防止撲滅中央指導委員会では、解決すべき重要案件として、(1)海上警察司令部と国境警備隊、(2)医療省および医療品管理局、(3)ハノイ心臓病院（医療機器水増し事件）、(4)ビンズオン生産・輸出入公司（土地の不正売買）、(5)タントゥアン投資・建設公司（土地の不正

国道を走行中に、2キロ手前で標識を見落としたとして罰金の徴収を主張する警官。不明朗な説明が多く、先を急ぐので運転手は賄賂を払った（2016年、タインホア省）

売買）等の主要な7大汚職事件を取り上げた。特に、国防治安に絡む部門は、情報開示の制約から他の手段で処理されるものと理解されているが、7名が司令官等の将官を処分した（内、2名は党籍も剥奪）。「聖域なし」の方針は貫徹されたのである。

　このように、チョン党書記長の汚職撲滅に基づく綱紀粛正は党内外、とりわけ社会主義制度を守る軍と公安にまで及んでおり、緩慢となった社会規範に諦念を抱く多くの国民の支持を得ているように思われる。なぜなら汚職は「悪」であり、その撲滅は「善」だからであることに他ならない。ゆえに、党による「善」の遂行に国民は反証する根拠を持たない。されども、現実には汚職問題は依然と存在しており、チョン指導部の清廉性も不明確なままに「悪」は再生産され続けて負のループが続いている。そして、社会的公正の実現を実感できない多くの国民は、高官らの摘発に充足されるも「巨悪」の根源には目が届かない。その規則性をよく理解する党は、そうやって「善」を説きながら自身の勢力を温存させてゆくのである。

（小高　泰）

55

国際犯罪ネットワーク

★経済成長する国の抱える闇★

ハノイ市人民裁判所は2020年8月14日、違法な外国滞在を組織的に仲介した罪で、60代の日本人の男に禁錮1年3カ月の実刑判決を言い渡した。私が取材を通じて入手したベトナム当局の起訴状や関係者によると、事件にはこの男のほかに中国人とベトナム人の男女計5人が関わっていた。

主犯格の中国人は18年10月、ハノイに留学斡旋会社を設立し、ベトナム人を使ってフェイスブックで欧州への渡航希望者を募集していた。しかし、実際に展開していたのは、留学の仲介を装いながら欧州で働きたいベトナム人を観光ビザで違法に出国させるビジネスだった。事件になったのは、18年から19年にかけて、約2万ドルの手数料でフランスとドイツへの渡航を申し込んだ20代から40代のベトナム人男性4人のケースだった。

主犯格の中国人らは19年9月、移動の自由を保障した「シェンゲン協定」に加盟する欧州26カ国で通用する観光ビザを申請するという理由で4人からパスポートを預かり、セルビアに送った。その後、ビザの発給を受けたパスポートをベトナムに持ち込んだのが、有罪判決を受けた日本人の男だったが、実はそのビザは偽物だった。この男はセルビアのホテルで中国人に雇われて働いていたとされる。セルビアはシェンゲン協定に加盟しておらず、ビザの偽造場所として使われていたとみられる。渡航を希望した4人のうち1人をフランスまでつれて行く役目も引き受けており、経由地のタイに向かうためにハノイの国際空港で出国手続きをした際にビザの偽造が発覚し、逮捕された。男は事件について、「荷物を運んだだけで中身は知らなかった」と一貫して容疑を否認していたという。

この事件を通じて明らかになったのは、欧州にネットワークを持つ人物が、地元の事情に詳しいベトナム人をブローカー役に巻き込んで不法就労目的の違法な出国をビジネスにする仕組みだ。募集役として執行猶予判決を受けた30代のベトナム人の男性は海外渡航の仲介会社を自分でも作っていた。

「ドイツ行きを希望する自分の客の手続きのために中国人の会社を使っただけで、ビザが偽物とは知らなかった。他にも欧州にベトナム人を渡航させたと聞いて信用した」

男性は自宅まで訪ねた私にそう話し、「裁判の結果に失望している」と打ち明けた。一方で、客に対して渡航目的を確かめたのかという質問については、「ドイツの親類に仕事を紹介してもらえると話していた」などと答えたが、明確な説明は避けた。断言はできないが、男性の言葉から感じたのは、渡航の手配を依頼する側も引き受ける側も就労目的の違法出国を認識しながら、本当の事情はお互いに明かさないという暗黙の了解の存在だ。

ベトナムは急速に経済成長を続けている一方、仕事のない農村からは日本を含む海外に出稼ぎに行く若者が多い。高収入を得られる欧州は憧れの就労先だ。もちろんドイツでの介護職など正規の制度を利用して渡航する人たちもいる。ただ、日本の技能実習制度と違って、求められる語学力や専門技能のハードルは高く、門戸は決して広くない。さらに、日本人と違うのは海外旅行に行くこと自体が難しい点だ。例えばベトナム人がフランスに観光に行こうとすれば、ビザの取得が求められる。そのためには銀行の預金残高だけでなく、職業や月収、雇用形態などを雇い主の署名とともに文書で証明する必要がある。非正規などの雇用契約で収入が低ければ、入国後の不法残留を疑われ、ビザが出ない。つまり、海外に出稼ぎに行くような不安定な立場のベトナムの若者にとっては観光であっても海を渡るのが難しいということだ。

そこに違法な入国の需要が生まれる。国連の17年の報告によると、年間に少なくとも約1万8000人のベトナム人が密入国など違法な手段で欧州に渡っている。その多くは英国のほか、ドイツやフランスでネイルサロンや飲食店の仕事に就く。英国では違法な大麻栽培に携わり、渡航費用の返済や不法滞在を隠すために強制的に働かされるケースがここ数年で問題になっている。

欧州への違法渡航は命がけの旅になる。19年10月には英国ロンドン近郊でトラックの貨物コンテナの中から15歳から44歳のベトナム人の男女39人の遺体が見つかった。英国の警察当局や現地での報道によると、39人は英国に密航するためにフランス北部の町でコンテナに乗り込み、ベルギーの港から8時間かけてドーバー海峡を渡った。狭い空間に大勢の人が詰め込まれて内部の酸素が不足し、温度が上昇したせいで中にいた全員が酸欠と熱中症で死亡した。密入国を組織したのは北アイルランドやイングランド出身の男ら7人でいずれも禁錮刑の判決を受けている。ベトナム側でもブローカーとして英国行きを募った男らが裁判で有罪になった。

この事件は国際社会とベトナム双方に衝撃を与えた。しかし、人身売買の防止に取り組む米国のN

GO「パシフィック・リンクス・ファンデーション」の元メンバーでホーチミン市を拠点にする社会活動家のミミさんは私の取材に「事件後も不法出国は止まっていない」と指摘した。新型コロナウイルスの感染拡大で往来が制限されていた時でさえ、フェイスブックやベトナムの人気SNS「Zalo」には不法な欧州行きを誘う広告の投稿が続いていた。

ミミさんが欧州側の研究者と共同で不法入国を試みたベトナム人を対象に聞き取り調査を実施したところ、2万ドルだった相場は事件をきっかけに、移動時の安全と現地での仕事を確保する名目で5万ドル（約525万円）に値上がりしていたという。

最近は英国だけでなく、南欧や北欧に行き先が広がり、渡航方法も多様化している。ミミさんによると、5年ほど前からは日本行きの偽造ビザを使ってメキシコに渡り、そこからスペインに向かうルートも目立つという。取得が難しい日本のビザを持っていれば入国時に信用されやすくなり、渡航が簡単になるからだそうだ。ミミさんは「欧州に行っても簡単にお金は稼げない。ベトナム国内で危険な実態を知らせる必要がある」と話す。

フランス・パリを拠点にNGOなどと連携してこの問題に取り組む研究者のナディア・セブタウイさんは「欧州への不法入国で見つかったベトナム人の中には未成年者もおり、人身売買が疑われるケースもある。警察だけでなくNGOも含めて国境をまたいだ国際的な取り組みが必要だ」と訴える。

英国の事件で命を落とした39人のうちの1人は、事件の4カ月前に技能実習生として日本で3年間を過ごし、帰国したばかりの26歳の女性だった。チャー・ミーさんというその女性は神奈川県内の食品工場で技能実習をはじめる時、将来の夢を作文につづっていた。中部ハティン省にある故郷の町

日本から2019年6月にベトナムに帰国した時に空港まで出迎えに来た母親のフォンさん（左）と一緒に写真に収まるチャー・ミーさん（中央）＝フォンさん提供

に化粧品店を開くこと。それが彼女の夢だった。両親の話によると、チャー・ミーさんは10歳の頃から共働きの両親の代わりに家事を引き受け、いつも家族を助けてきた。英国への密航も、車の事故で100万円を超える借金を背負って困難に陥った家族を救うことが目的だった。家族の期待に応えて自分の夢をかなえる。そんな希望を抱いて向かった欧州への旅が途中で暗転してしまった。

誰だって将来に夢を抱く。しかし、その夢を実現できる確率は生まれた国や育った環境に大きく左右される。「それが現実」。そう言ってあきらめるしかないのかもしれない。

ただ、もしチャー・ミーさんが目の前にいたら、苦しくても現実を受け入れてベトナムに残るしかないと言い切れるだろうか。かといって、ブローカーの誘いに乗って自らを死の危険にさらすような違法な出稼ぎに身をゆだねるのはもちろん間違っている。彼女はどうすれば命を落とさずに済んだのか。答えが出ないとわかっていても、今も考え続けている。

（宋　光祐）

コラム11

Junの物語
――「祖国のない子どもたち」のその後

岩井美佐紀

Junに初めて会ったのは、2017年の夏であった。その数年前から、メディアでは教育を受けられない「祖国のない子どもたち」が数多く報道され、大きな反響があった。その報道を通じて「祖国のない子どもたち」の1人であるJunを知った筆者は、ハウザン省VT村にあるJunの家を地元の女性連合会幹部と省のソーシャルワーカーとともに訪ねた。Junの母親は不在だった。Junと同居する伯母によると、彼の母親は2006年に19歳の時、ブローカー婚により韓国に嫁いだ。夫は彼女より16歳年上で、知的障害者だと知ったのは嫁いだ後だった。Junの母親が2歳6カ月の彼をつれて初めての里帰りをした際、義母が韓国行きのチケット代として提示した金額は孫の分しかなかった。傷ついた彼女はそのままベトナムに息子と留まることを決心し、今日に至っている。

「祖国のない状況」、いわゆる無国籍とは、法的アイデンティティ（法的市民権）の欠如か実質的無国籍（自身の法的身分を証明する手段を持たないこと）から生起する。韓国生まれのJunの場合は、後者に当たる。つまり、韓国籍のJunは韓国のパスポートでベトナムに入国したが、その後、パスポートは更新されず失効した。そのため、彼の法的身分を証明することができず、実質的にベトナムでは無国籍状態に陥っているのである。さらに、母親の地元役場に登録していた外国人「仮寓」登録期間も切れ、不法滞在者となっていた。

なぜ、母親とともに「帰還移動」した子どもたちが教育を受ける権利を剥奪されてしまうのか。それは、入学時に本人がベトナムで生まれたことを法的に証明する出生証明書を学校に提出することができないからである。ＶＴ村の役人によれば、外国で発給された出生証明書の場合、公証役場などでベトナム語に翻訳され、申請手続きすれば、外国人として地元の公立学校に入学することができる。しかし、多くの場合、夜逃げ同然の形で戻るため、帰国後外国人夫やその親族の協力を得て書類を入手するのは極めて難しい。

その後、地元の人道的措置により、「非正規就学（học gửi）」が認められ、Ｊｕｎは通学を許された。ただし、この措置では、学籍は与えられず、成績も記録されない。当面の目的は子どもたちが非識字状態に陥るのを避けることであって、進学するなど長期的な救済は視野に入れられていなかった。筆者が２０１７年にＪｕｎを訪ねた時、彼は地元の公立小学校の3年生となっていた。友人もおり、学校が楽しいと答えた。彼は「学業優秀」の賞状を何枚も持ってきて、誇らしげに見せてくれた。

賞状を誇らしげに掲げたJunと養母（伯母）（ハウザン省、2017年12月）

このように、母親とともに帰還移動した子どもたちの市民権をめぐる法的問題が解決しない背景は、彼らの複雑な家庭環境にある。生母はＪｕｎを連れて帰郷してしばらくして、大都会のホーチミン市に働きに出た。Ｊｕｎの生母が幼いＪｕｎを残して故郷を離れたのには、主に２つの理由がある。1つは、経済的な理由である。Junの養育費を稼ぐためにも、農業主体の田舎ではなく都会で働き、仕送りすることが求められているということである。もう1つの理由は、社会的な理由である。先進国の男性との国際結婚によって自身の人生を変え、貧しい実家を助けるという願いが果たされないと、結婚に敗れ、親孝行も果たせなかった娘として、近所の格好のゴシップの的となる。結婚の破綻の原因が夫の暴力や無関心、義両親との軋轢であったとしても、それを理解して同情してくれる人はほとんどいない。このような偏見や差別を恐れ、多くの元結婚移民の女性たちと同様、Junの母も故郷を離れた。

Junには2人の「母」がいる。1人は生母、もう1人は養母である。Junの養母は伯母、すなわち母親の姉である。他の家庭では、祖母が残された孫の養育に当たることも多くみられる。Junは日常的に世話をする養母を「お母さん」と呼び、養母もJunに愛情を注ぐ。ホーチミン市に住み、長期休暇に数回帰郷する生母との関係は、養母と比べ、ギクシャクしているように見えた。Junの将来を案じ、ソーシャルワーカーを通じて後述するKOCUNに法的問題の解決のサポートを依頼したのは、養母であった。

帰省した生母とJun(ハウザン省、2019年2月)

韓国国連人権政策センター（Korean Center for United Nations Human Rights Policy、略称KOCUN）は、国際離婚家庭の法的問題解決に携わる韓国のNGOである。ベトナムでは、カント―市とハノイに拠点を構え2011年から活動を開始している。ベトナムで操業する大手韓国企業からの寄付を得て、KOCUNは地元の女性連合と協力しながら様々な分野に取り組んでいる。Jun母子のように、国際離婚と母子の帰還移動に関わる法的問題は極めて複雑になる。多くの結婚移民の女性たちが帰郷する際、法的な婚姻関係は維持されたままなので、ベトナムに戻ってから自力で離婚を申し立て解決しなければならない。このような場合、KOCUNが仲介に立ち、子どもたちの父親やその親族を説得し、必要な書類の提出を促す。実際、Junの母親はKOCUNのサポートを得て、8年がかりで韓国の夫との法的な離婚を果たし、親権を得た。

父（祖国）から離れ、母も出稼ぎという両親不在の「祖国のない子どもたち」は、ダブルリミティッド（韓国語もベトナム語も読み書きできない）という状況に陥っていたが、ソーシャルワーカーや国際NGOの地道で息の長いサポートが功を奏し、少しずつ彼らの「学ぶ権利」が整えられていった。この間のメディア報道のインパクトも大きく、行政や公立学校、そして地元有権者を通して国会議員などを動かしてきた。

現在、ハウザン省や隣接するカントー市では、地域の関係組織間での連携を取り、就学中に出生証明書を揃えることを条件に非正規で学ぶ子どもたちを正規就学児童と同等に扱うことを決定し、彼らの進学に大きく道を拓いている。

コロナ禍で世界の貧困を救うコメATM

伊藤まり子 コラム12

コロナの感染が急拡大した2020年3月以降のベトナムでは、「社会隔離（ロックダウン）」が繰り返し実施された。その間、ハノイやホーチミン市などの大都市では、食料品と薬品を扱う店舗以外、すべての商業施設が休業となり、公共交通機関もまた、人びとにとって最も身近なバイクタクシーをはじめ、タクシー、バスなどが一斉に営業を停止した。個人の移動も制限され、省と省の境に限らず、県や村落などにも各行政による検問所が設けられた。コロナ対策として、ヒト、モノすべての移動が、配給時代さながらに管理されていくなかで、ベトナムの社会・経済活動は急速に低迷した。そしてその影響を最も受けたのが低賃金の労働者層であった。失業者が増加し、多くの人が経済的困難に直面することになったのである。

こうしたなか、ベトナムでは慈善の輪が広がっていった。そのきっかけとなったのがコメATMである。コメATMは、2020年4月にホーチミン市において初めて登場した、草の根の慈善活動であった。コロナ禍で経済的困窮にある人々を対象にして、ボタンを押すだけで、一回につき約1・5キロのコメが、自動で、しかも無料で出てくる機械であり、出てきたコメを入れるためのナイロン袋も備え付けてある。経済的困窮者が、いつでも、他者との接触なしに、安全にコメを受け取れるように考案されていた。

考案者は、ホーチミン市在住の35歳（2020年時点）の青年実業家アインさんである。アインさんは15歳でオーストラリアに留学し、現地で企業経営に成功していたが、経済危機により財産を失い、ベトナムに帰国することになった。それから彼は再び起業し、100人以上のスタッフを雇用するまで会社を成長させたところで、今度はコロナの影響により生産ラインを停止せざるを得なくなったのだという。仕事に着手できない日々を過ごしながら彼は、「失業し、食事もままならない多くの人のために何かできないか」と考え、自費で5トンのコメを購入して、自宅の庭でコメATMをはじめたのであった。彼は「コロナ禍で困難な状況にある人のための慈善活動を、多くの人が実施しているが、人々が集まってしまうと簡単にクラスター感染が生じてしまう。自分はIT技術の専門家であり、自動でコメを配給する機械を思いついた」と新聞のインタビューに答えている。

活動を開始した当初は、アインさんと会社スタッフが24時間体制でコメATMに常駐し、コロナ感染を防ぐために、集まった人びとには2メートル間隔で列をつくってもらいながら、機械の使い方をサポートしていた。そのルールは徐々に定着しはじめ、社会隔離が長期化し、行動制限が続くなかで、貧困者はもちろんのこと、食糧の購入が難しくなった高齢者や小さな子どもがいる家庭、ハンディキャップのある人たちが、秩序を保ちながら、コメATMを利用するようになっていった。そしてアインさんの活動に賛同した多くの支援者からのコメの寄付もあり、結果的にはベトナム国内に100カ所以上のコメATMが設置され、またカンボジア、ミャンマー、そして東ティモールにも寄贈された。

アインさんがはじめたこの慈善活動は、ベトナム国内外の各種メディアでも大きく取り上げられた。そしてその活動の輪は、瞬く間にベトナム全土に広まった。例えばハノイでは、アインさんについての記事を新聞で読んだ男性がハノイでの実施をフェイスブックで呼びかけたところ、多くの賛同を得て、足踏みペダルでコメが出てくるという、アインさん式とは異なるタイプのコメATMを発案するに至った。感染拡大を防ぐために、手押しボタンでの接触を回避できるようにしたのだという。またニャチャン市では、赤十字会が、貧困者向けに、1回につき2キロのコメを受け取ることができるコメATMを設置した。ビンディン省やダックラック省では、卵も同時に受け取れるコメATMが登場したという。

そしてさらに、ベトナム発信のコメATMは、遠く離れたインドにも伝わり、ニューデリー市当局とWFP（国際連合世界食糧計画）の共同プロジェクトとして、行政主体の貧困者救済活動にも組み込まれた。

ホーチミン市での「コメATM」活動の様子

ところで、発案者アインさんはというと、コメATMの展開の推移を見極めながら、次にやるべきことを考えた結果、同年8月には「マスクATM」を、さらには在宅治療中のコロナ感染者を対象とした「酸素ATM」を展開しはじめた。そしてこの活動もまた、ハノイ市青年連盟会青年団などが主体となる大きな慈善の輪へとつながり、ベトナム全土での社会的弱者救済の活動へと発展し続けている。このことは、世界の人びとの命を危機に陥れたコロナ禍において、ベトナムからの若い熱意が国内外に向けて届けられている証といえるのではないだろうか。

なお、アインさんは一連の活動が評価され、2020年の「ベトナム模範青年表彰」を受賞している。

VII

経済発展、日本・中国・ASEANとの関係

ホーチミン市都市鉄道1号線の建設現場（2019年8月）

56

「工業化」の現在と中所得の罠

★製造業を事例に★

1990年代半ばの「工業化・現代化」路線の導入以降、ベトナムの経済成長は加速し9％台の高い成長を達成し、2008年には1人当たりのGDPが1000ドルを超え、低所得国から低位の中所得国へと発展を遂げた。その経済成長には、ベトナムの工業部門が平均10％前後の高い成長率を維持しており、牽引役になった。工業部門は統計上、原油などの鉱業開発、製造業と電力・ガス・水道の3つの分野から構成されているが、統計総局の『統計年鑑2020』によれば、2019年現在、製造業が工業部門全体の86・5％も占めているので、この分野の発展が経済全体の成長を左右したと言える。

ベトナムの製造業の高い成長は、製造業内の産業構造の変化を伴うものであった。製造業内の産業別の生産額の推移をみると、2000年代初頭の時点では食料品、繊維・衣類、皮革・皮革製品などの軽工業が上位に入っていたが、2000年代後半以降、金属、電気電子機器、輸送機械などの割合が上昇しており、2010年には31・6％、2019年には49・2％を占めるに至った。これによって、ベトナムの製造業は軽工業中心の構造から電気電子産業、機械製造を中心とする機械工業中心

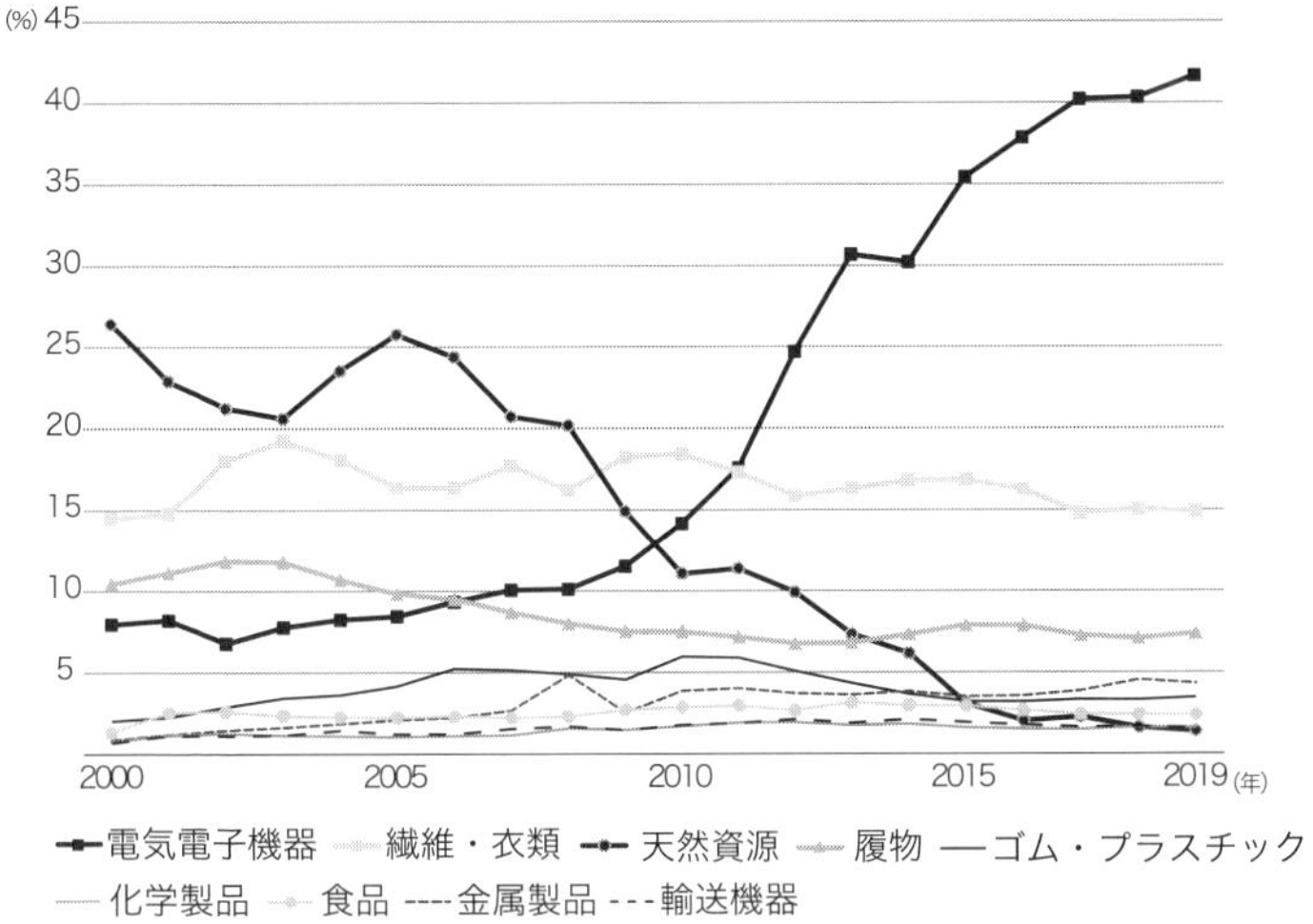

図1　製造業内の主要産業が輸出に占めるシェアの推移（2000〜2019年）
出典: World Integrated Trade Solutions（WITS）より筆者作成

の構造へと変化する傾向がみられた。

また、ベトナムの貿易構造をみると、工業品の輸出構造の高度化もみられた。特に、電気電子機器のシェアが大きくなっている。２０００年代初頭には輸出は原油などの天然資源、繊維・衣類、履物など軽工業品が中心であり、電気電子機器のシェアは８％にすぎなかったが、２０１０年代に入ってから、電気電子産業への外資系企業の進出による輸出基地の形成により、工業製品の輸出に占めるシェアは急速に拡大し、２０１３年には30・７％を占めるに至り、２０１９年現在41・６％を占めるに至った。このように、ベトナムの製造業は電気電子産業に大きく依存する構造となり、輸出についても同様な傾向がみられた。

これらの構造転換において、外資系企業が重要な役割を果たしてきた。ベトナムは、豊富で、質が高い労働力があるため、１９９０年代以降、軽工業や電気関連組み立て産業などを中心に労働集約的産業に外資系企業がこぞって進出した。２０００年代に入り、ベトナムが規制的な外資政策から外資誘致奨励政策に転換したことに加え、２００４

年からWTO加盟交渉を通じて制度整備や市場開放が加速し、外資にとって投資しやすい環境が整備されたため、外資が増加した。当初は不動産投資が着目されていたが、2010年代に入り、製造業への投資が圧倒的となり、国際競争力を持つ輸出製品の生産が可能になった。その典型的な例として、エレクトロニクス産業における韓国サムスングループの投資は、電話機と同部品をベトナムの主要輸出品目の上位に押し上げた。2016年には、サムスン電子とその系列会社による輸出が、ベトナムの輸出全体の20％を占めたと推計されている。また、米インテル社は、2010年に、ベトナム南部のホーチミン市において、同社で最大・最先端となる半導体組み立て工場の建設を開始、ノート・パソコンおよび携帯電話向けのチップセットの生産・輸出に乗り出してきた。このように、ベトナムの製造業は電気電子機器を中心に工業品の加工・組み立て拠点として外資系企業のグローバルな生産分業体制の中に組み込まれていくことになった。

上述の構造転換からみると、「工業化・現代化」政策導入後、ベトナムの製造業は数字上では着実に成長しており、政策的には一定の評価はできる。しかし、これまでの成長はあくまでも外国投資に依存しており、現地企業による着実な工業化が推進されたわけではない。この課題に関して、ド・マン・ホーン教授（桜美林大学）は、ベトナムの裾野産業が主に外資系企業により発展しているものの、現地企業は中小規模であり、食品加工・アパレル・皮革製品などの労働集約的産業に偏っているため、両者のリンケージがまだ弱く、前者から後者への技術移転が限られていることを指摘する。また、大野健一教授（政策研究大学院大学）とトラン・ヴァン・トウ名誉教授（早稲田大学）は、ベトナムの経済は生産性と競争力の強化ではなく、投資と低賃金労働の多投入による量的成長であり、このままでは中所得国から高所得国に移行できないと評価し、いわゆる「中所得の罠」（The middle income trap）を警告し、労働の質の向上や技術革新など、経済構造の質的向上が必要であると指摘する。「中所得の罠」という言葉は2007年に世界銀行が発行した『東アジアのルネッサンス』において初めて使われ、経済的離陸を果たした国が、ある程度の所得水準（その大半が中所得）で長期的にわたって停滞した状態を指す。ラテンアメリカと中東は、数十年にわたって、この罠から脱却することのできなかった中所得地域の例証である。

ベトナムでは、2008年に低所得国から低位中所得国への移行以降、その成長の質と源泉に関する研究において、この問題についてしばしば言及されている。すなわち、ベトナムは外資依存度が高い経済のままで、中所得の罠を回避し、高所得国への移行を実現できるかどうかという課題である。これについて、トラン・ヴァン・トウ名誉教授は、「産業の発展度に応じて外資系企業への依存度を変化させていくべきである」と指摘する。現在、ベトナムは、韓国や日本などの外資系企業にとって、低賃金で勤勉な若年労働力を活用できる有望な投資先であるため、現段階では、外資主導の成長型モデルが継続すると予想される。しかし、高齢化の進展に加え、ベトナムよりも人件費の低い新興国の追い上げを受けるとともに、将来的にベトナムの比較優位が失われる可能性がある。今後、高位中所得の段階に進むためには、裾野産業の発展や労働生産性を向上する上で労働者の教育水準の向上と新しい技術・知識の取得が必要である。そのため、外資系企業からの技術移転を促進し、人材育成および技術・経営ノウハウを有する地場企業の育成、強化などの高位段階で必要となる生産基盤の整備に取り組むべきである。

（チャン・ティ・フエ）

57

ベトナムの工業化とその担い手

★国有企業から民間企業・外資系企業へ★

ベトナムが、1986年から打ち出したドイモイ（刷新）政策により計画経済から市場経済へ移行しはじめたことはよく知られているが、ベトナムの工業化はいつ頃から始まったかと聞かれたら答えられない人が多いかもしれない。本章では、筆者の長年の観察（20年以上、年2回ほどの現地調査で収集していた情報）により工業化はいつから本格的に開始したか、また近年までその担い手はどのように変化しているかを概観したい。

大まかに言えば、移行経済であるベトナムの工業化は国有企業が主体となった時期（1980年代末まで）、外資系企業の参入（1990年代から）、民族資本系民間企業の登場（2000年代から）という3つの時期を経て、近年外資系企業と民族資本系民間企業が主力的な担い手となりつつある時代を迎えているとみられる。

ベトナムの工業化政策自体はベトナム戦争の終結前からすでに掲げられ、南北統一（1976年）から、全国規模で社会主義的な経済体制の下、国有企業により工業化が形式的に進められた。1980年代半ばまでよく知られていた国有企業は例えば、重化学工業の代表のタイグエン鉄鉱公社や軽工業の代表の「8

月3日」繊維公社などであった。しかし官僚主義的な生産経営管理体制の下、人々の働く意欲が絶えず低下した結果、いずれの国有企業も時代遅れの技術と乏しい経営ノウハウしか蓄積せず、生産能力が著しく低かった。これらの企業は1990年代に主にリストラにより経営上の効率性が多少改善されたが、管理体制が抜本的に改革されなかったため、生産能力が依然として脆弱であった。2000年以降、民営化や解体により計画経済時代の工業化の象徴であった多くの大手国有企業は社名も知られなくなったのが現実である。

ドイモイ政策の意図は、国有企業の改革を行い、当時直面した経済危機から脱却しようとし、また外国企業からの技術移転を利用して国有企業の生産能力を改善しようとしたことにある。そのため、1987年に外国直接投資法が制定され、外国資本はベトナムで経済活動に参入することが可能となった。さらに、1994年の米国の対越経済制裁の解除や1995年のASEANへの加盟などによる対外関係の大きな変化の結果、外国資本のベトナムへの期待が高まりつつあった。なお、輸出に対する減税、免税の優遇などにより、1990年代後半から徐々に輸出加工拠点を作る目的で進出した外国企業が現れはじめた。例えば、トヨタベトナム（1995年）、ホンダベトナム（1996年）、富士通コンピューター部品ベトナム（1995年）、富士通ベトナム（1999年）などの日系大手自動車、電子電気メーカーは、この時期の工業生産の代表的なプレイヤーである。これらの中には、合弁企業もあれば、100%外資系企業もあった。前者の2社は、いずれも日本のトヨタとホンダによるベトナムのエンジン・農業機械製造公社（VEAM）との合弁であり、また、後者の2社はいずれも設立当初から日本の富士通の子会社として100%外資系企業である。

一方、民族資本系民間経済部門は1976〜1986年の間2回ほど民間経済を排除する工商改造政策の実施によりほぼ壊滅の状態で、1990年代前半までまだ自由に生産経営活動を行うことができなかった。皮肉なことに、この時外国資本が制度上すでに経済活動に参入できるようになった。当時の憲法は、経済制度上民間セクターを経済主体として認めなかった。

1991年と1992年に会社法と個人企業法が次第に制定されたが、1992年の憲法改正（民間経済の存在が制度的に認められた）までは、新規民間企業はほとんどなかった。また過去の2回ほど機械設備などの財産が没取された経験により、当時ほとんどの民間企業はサービス業（商業）を中心にビジネスを展開していた。

このようにベトナムの工業化は、1990年代後半から外国資本の参入により動きはじめたが、民族資本系企業部門の中、民間企業はまだ本格的に工業生産に参入せず、また国有企業が事実上次第に表舞台から消えた。

状況が大きく変わりはじめたのは2000年から民間経済に対するこれまでにない規制緩和で、新しい企業法により、新規会社の設立に関わる規定は「許可制」（申請―審査・許可―設立）から「登録制」（登録―設立）に代わった。こうした規制緩和により民間資本の投資意欲を大きく刺激した。その結果、新規民間企業の数は2000年から約1年間だけで、それまでの10年間（1990〜1999年末まで）の累積社数の10倍以上となった。

この間、民間セクターの最も大きな変化としては製造業で本格的に工場を建設したり設備投資を導入したりした企業が現れはじめた。過去には民間製造業企業もあったが、制度的な不透明性により悪質な官僚からの不正な賄賂の要求を避けるため、企業の看板を隠したり、工場機械設備も秘密の場所に設置したりしなければならなかった。

2000年からの民間セクターの製造業への本格的な参入は、ベトナムの工業化の始動に拍車をかけたと言える。

こうした工業化の進展は世界貿易機関（WTO）への加盟（2006年受理）と中所得国の仲間入り（2010年）を2つのメルクマールと見なすことができるが、そこに至るスピードは、外資系企業と民間企業部門の力でさらに加速した。

WTO加盟後、国際通商協定より、外国資本と民族資本の無差別化などの投資環境の改善の結果、本格的に設備投資や規模拡大を実現する外資系企業が増えた。それ以前は制度上、外国資本と国内資本との区別が存在するため外国資本の企業は一般に「外国企業」と呼ばれたが、この時期から「外資系企業」または「外国資本系企業」という呼称が一般的となった。例えば、トヨタベトナム社は2003年に初めて車体部品製造工場を建設し、2008年にシャーシとドライブトレイン製造ラインを導入した。また、近年電気機械製造の分野では大手組み立てメーカーの部品や中間材の現地調達の需要が拡大したため、外資系中小零細企業のベトナム進出ブームが巻き起こり、家電や自動車、輸送機械などの耐久消費財の生産輸出を中心に、産業構造の高度化が推進される。

外資系企業部門の拡大の他に、民族資本系民間企業部門における大手製造企業の登場も工業化の推進に貢献した。例えば、鉄材および鉄加工製品を扱うホアファットグループ（2022年1月の時点、上場企業の中時価総額7位）や飲料や加工食品の製造販売のマサングループ（11位）は、いずれも2000

年から本格的に工場を建設したり設備投資を導入したりしはじめたばかりであったが、絶えず規模を拡大しながら急成長している。あるいは、もともと2000年から不動産で起業して急拡大したVINグループ（2位）も2017年から自動車製造分野まで生産経営活動を広げた。

現在の民間企業部門には、民営化（売却、株式化）され、経営再建が成功した元国有企業もみられる。例えば、ヴィナミルク社（時価総額、10位）の前身は1970年代に設立した乳製品（輸入、製造）の国有企業だったが、2003年に株式化され、2006年からホーチミン市証券取引所に上場し、近年まで乳製品の生産、販売を中心に事業が拡大し続ける。

国有企業部門について、保護恩恵を受けないものが解体や民営化によって消えていった一方で、エネルギー供給のような分野に独占的な地位を持つ企業が残り続けている。しかし官僚的な管理体制は変わらないため、決して生産経営活動を円満に維持できるとは言えない。例えば、長い歴史（1955年）を持つリマハ機械公社や比較的に新しく設立された（2013年、史上最大規模の）タインホア石油精製会社などの経営難の問題が長年指摘されたが、なかなか解決の糸口を見つけられない。

以上で述べたように、現在ベトナムでは一次産品の加工や繊維アパレルから電子電気機械製造まで幅広い分野で生産販売活動がますます盛んになり、民族資本系企業部門と外資系企業部門の発展に伴い工業化が確実に経済全体に浸透しつつあると評価できる。ただし、こうした工業化が順調に加速されていくかどうかまたこれらの担い手がどのように動いていくか今後注目される。（ド・マン・ホーン）

58

中国・ASEANとの貿易関係

★一帯一路と大メコン圏経済回廊★

ベトナムは、ドイモイ（刷新）政策以降、外国からの資本を誘致し、輸出を拡大し、経済を発展させるという輸出拡大型の成長戦略を実施しはじめた。ドイモイ政策の実施から36年（1986〜2022年）、ベトナム経済は著しい成長を遂げてきた。具体的には、輸出において、1990年から2020年までの30年間でベトナムの総輸出額は約43・5億米ドルから約2951・7億米ドルへと約68倍に増加した（図1）。国内総生産（GDP）に対する輸出の比率は36％から105・5％へと著しく上昇した。ベトナムの1人当たりGDPも堅調に増加している。1990年に542米ドルであった1人当たりGDPは2000年には約2倍の957米ドル、2010年には約3倍の1648米ドル、2020年には約5倍の2656米ドルに達した。また、1990〜2020年までの実質GDPの平均成長率は6・7％であった。2020年には、新型コロナウイルス感染の影響により、成長率が最低の2・9％まで落ち込んだが、国際通貨機関（IMF）の予測では、同国は2022年には6・6％まで回復できると見込まれている。

貿易相手国に関しては、中国と米国、韓国、ASEAN、E

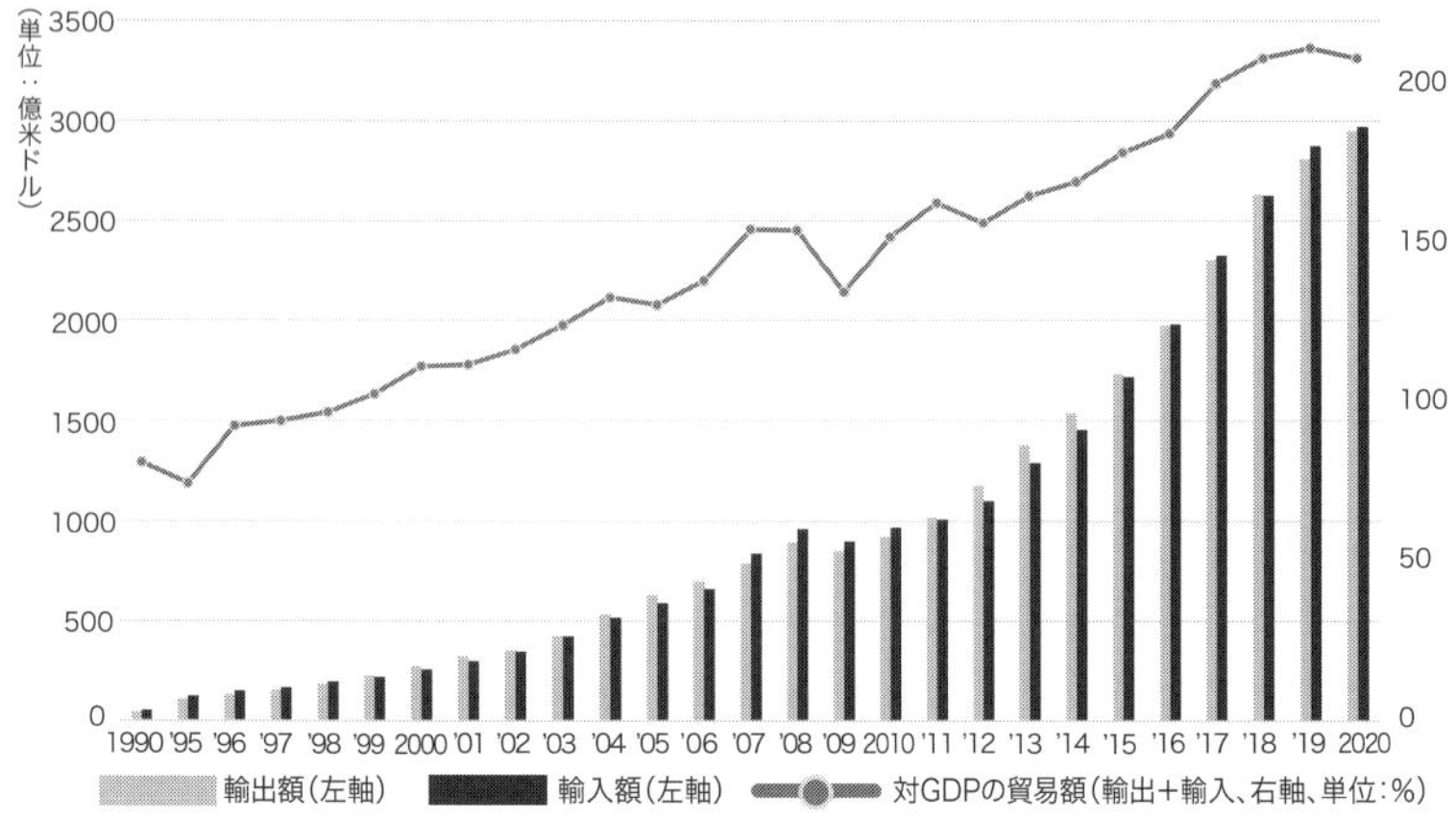

図1　ベトナムの貿易状況（2015年の基準で計算）
出典:世界銀行（WB）より作成

U、日本がベトナムの主要な貿易相手国となっている（図2）。2021年のデータをみると、米国への輸出額が全体の29・6％と最も大きく、次に中国への輸出額が全体の17・2％、ASEANが8・9％、韓国が6・8％、日本が6・2％であった。輸入においては、中国から輸入額がベトナムの輸入全体の33・9％と、一番高い割合を占めている。韓国からの輸入は全体の17・3％で、2番目に高い。その他、ASEANは12・7％、日本は7％となった。

ベトナムと中国との貿易関係における第1の特徴は、中国はベトナムの最大貿易相手国かつ最大輸入国だということである。図2で示した通り、2021年の時点で、中国の貿易総額は全体の51・1％（輸出17・2％＋輸入33・9％）を占めている。中国との貿易赤字額は約538・6億米ドルに上る。この赤字幅は韓国とASEAN、日本との貿易赤字の合計（約490億米ドル）よりも大きい。

ASEANとの貿易関係においては、ASEANも中国と同様、ベトナムの輸入超過貿易相手国になっている。具体的には、1996〜2020年まで、ASEANとの貿易額は

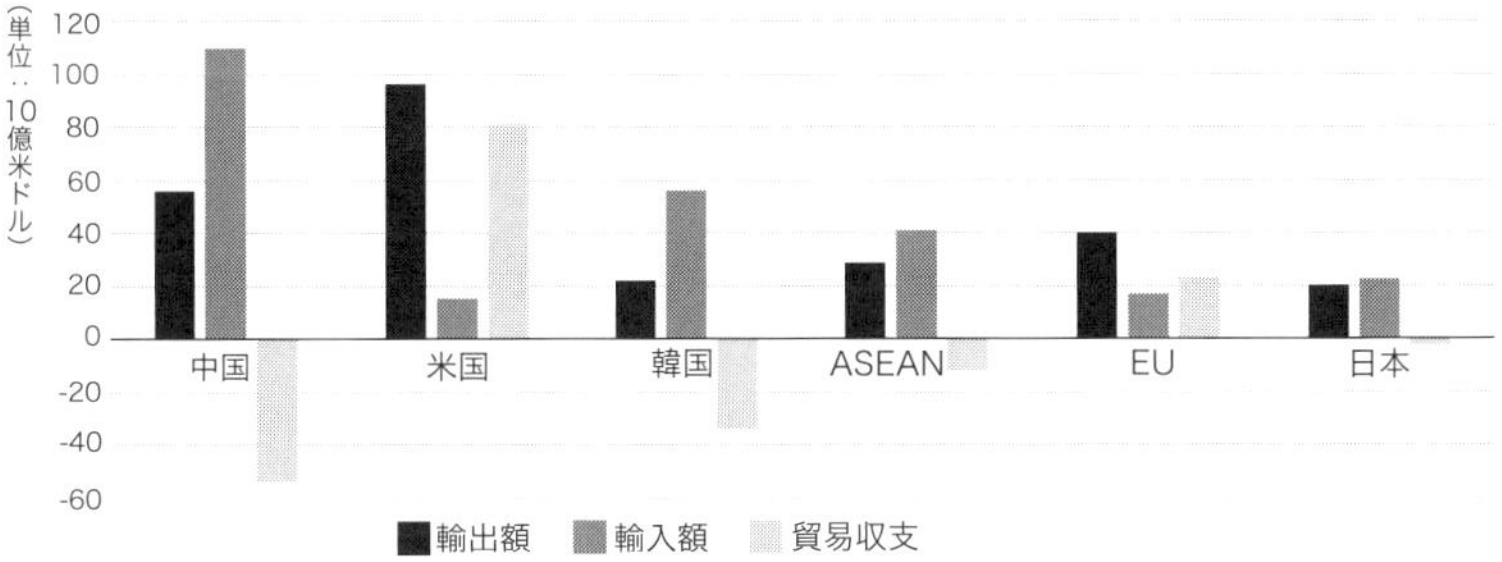

図2　2021年の主要貿易相手国との貿易状況
出典:ベトナム総統計局（GSO）より作成

約45・6億米ドルから約５３６億米ドルまで、16倍以上に拡大したが、ＡＳＥＡＮからの輸入額は輸出額を常に上回っている。しかし、１９９５年にはＡＳＥＡＮはベトナムの最大貿易相手国であったが、近年輸出においても、輸入においても中国の存在感が大きくなり、ＡＳＥＡＮの割合は縮小傾向にある。

第２の特徴は輸出品と輸入品とは強い依存関係にあることである。２０２１年のベトナムの対中国の貿易関係（表1）を品目別にみると、輸出総額に対する割合が高い品目は輸入総額に対する割合も高いことが確認できる。例えば、コンピューターと同部品は常に主要な品目になり、輸出の割合は20％と輸入の割合は20％と高い割合を占めている。ＡＳＥＡＮとの貿易も同様で、コンピューターと電子製品、同部品は輸入額の割合は14％と輸出の割合は10％となっている。これは、ベトナムと中国、ＡＳＥＡＮの間で相互に加工貿易が行われていることが考えられる。

その他、国内の生産活動に、中国とＡＳＥＡＮからの機械、設備に依存しなければならないという特徴も挙げられる。中国からの輸入品は機械、設備、工具、スペアパーツの割合が常に一番大きな割合を占めている。このことから、ベトナムは生産に必要な部品だと思われる機械、部品は中国とＡＳＥＡＮに大きく依存していることがわかる。

表1　ベトナムと中国、ASEANとの主要貿易品目

品目	輸出額（単位：1000米ドル）	輸出総額に対する割合	品目	輸入額（単位：1000米ドル）	輸入総額に対する割合
中国への輸出総額	**56,009,942**	**100%**	**中国からの輸入総額**	**109,874,584**	**100%**
携帯電話と同部品	15,182,606	27%	その他の機械、設備、工具、スペアパーツ	24,920,983	23%
コンピューターと同部品	11,096,431	20%	コンピューター、電子製品およびコンポーネント	21,861,979	20%
毛糸、繊維糸	2,984,781	5%	携帯電話と同部品	9,236,689	8%
ASEANへの輸出総額	**28,860,781**	**100%**	**ASEANからの輸入総額**	**41,133,819**	**100%**
鉄鋼	3,093,279	11%	コンピューター、電子製品と同部品	5,553,789	14%
コンピューターと同部品	2,856,532	10%	その他の機械、設備、部品	2,828,229	7%
その他の機械、設備、部品	2,320,072	8%	石油	2,792,500	7%

出典:GSOより作成

既述した通り、ベトナムと中国、ASEANとの貿易関係が密接に展開されているが、その背景に、地域内のインフラ整備を担っている大メコン圏経済回廊と一帯一路構想の役割が大きい。

大メコン経済圏（Greater Mekong Subregion・GMS）は、東南アジアのメコン川流域に位置する、タイとカンボジア、ラオス、ミャンマー、ベトナム（CLMV）の5カ国および中国のメコン川流域に位置する雲南省と広西チワン族自治区である。1992年にアジア開発銀行（ADB）による発案で大メコン圏経済協力プログラムが策定され、2000年代に入り、東西経済回廊、南部経済回廊、南北経済回廊といった3つの経済回廊が建設された（図3）。これらの経済回廊は国境をまたぐ輸送インフラの整備に伴い、地域内での輸送を促進することで、地域全体の経済発展に大きな意義を持っている。例えば、ト

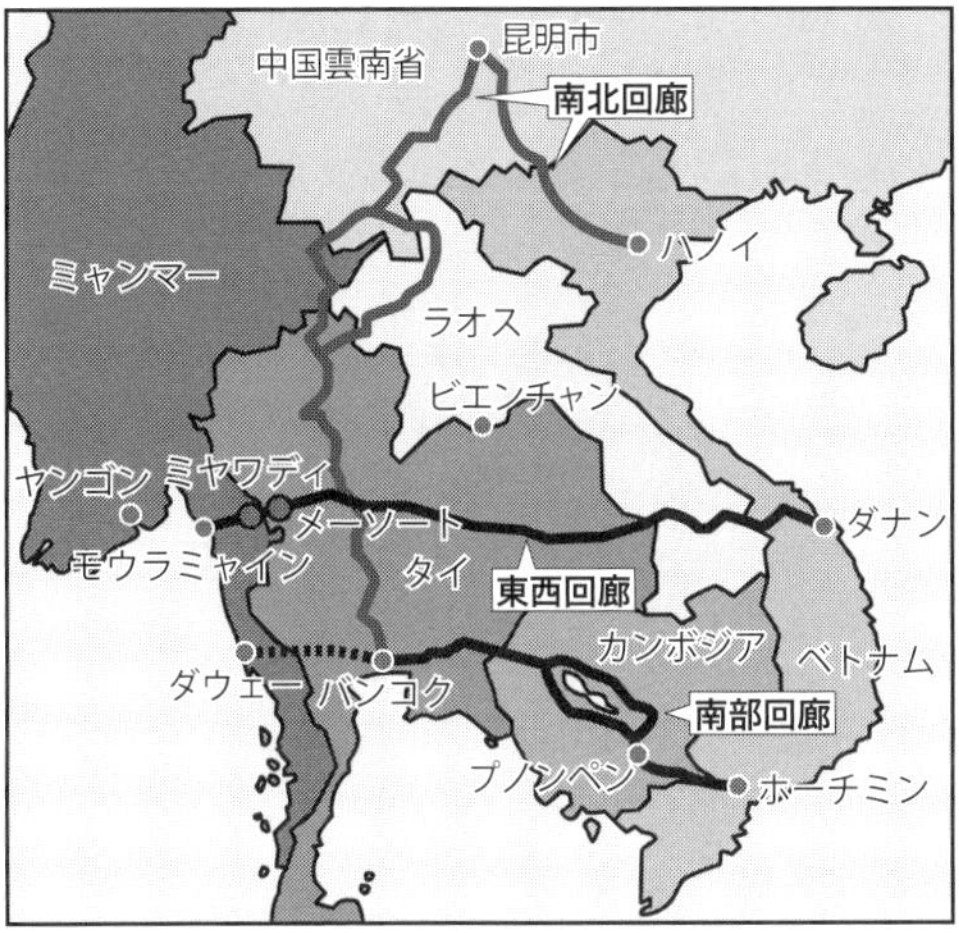

図3　大メコン圏経済回廊

ラン（2022）によって紹介されたように、ベトナムとカンボジアとの間で繊維産業の分業が深く展開されている。糸、織物などの繊維中間財はベトナムがカンボジアに輸出し、カンボジアはこれを使って加工し、完成した物を他の国に輸出している。その結果、衣類はカンボジアの主要輸出品となり、ベトナム・カンボジア間の貿易額は拡大された。

他方、一帯一路構想（OBOR）は2013年に中国が提唱した陸路と海上航路でつなぐ物流ルートを建設する構想である。一帯一路構想は陸路と海上航路でつなぐ物流ルートを建設することを通じて、貿易を活性化させ、経済成長につなげることを目指している。一帯の中に、第4回路（雲南→ラオス→タイ）一路の中に、中国の港→ベトナム→カンボジア→タイの海上ロードが形成されるため、GMS内での物流がさらに円滑化し、ベトナムとGMSとの貿易関係が強化されると期待できる。

GMS経済回廊とOBORがもたらしている効果は大きいが、ベトナムには次の2つの大きいリスクが存在する。第1に、CLMVとの競争を避けられないことである。経済発展が遅れたラオス、カンボジア、ミャンマーと比較すると、ベトナムはより良い位置にあるため、CLMVをリードする役割を果たしてきた。しかし、GMS経済回廊とOBORによって、地域内の物流がさらに円滑になれば、これまでのベトナムの魅力は薄くなってしまうと考えられる。また、ベトナムの人件費も上昇しているため、これまでは中国からベトナムへと生産拠点がシフトする動きがあったが、今後はＣＬＭにシフトする可能性が高い。第２に、中国からの影響力を避けられないことである。貿易において、すでに中国に大きく依存している。ＯＢＯＲに参加することで、インフラ整備の融資関係で中国にさらに依存せざるを得ず、最近では「債務の罠」に陥ることも懸念されている。

今後、ベトナムは地域との貿易の維持と、国内企業の競争力の改善の両立が重要である。これらの課題をどこまで解決できるか注視していく必要がある。

（カオ・ティ・キャン・グエット）

59

中越関係の現在

★永遠の三線軌条★

中越国境のベトナム側の駅ドンダンから、ザラム駅（ハノイ）まではレールが3本敷設された三線軌条の構造となっている。これは、中越両国の鉄道の軌間差に対応したものであり、中国の鉄道車両がそのままベトナム領内を通行できる構造となっている。写真右端のレールは両国の車両が共有する。左から2番目のレールは狭軌（1000ミリメートル）を走るベトナムの車両専用、左端のレールは標準軌（1453ミリメートル）を走る中国の車両専用ということになる。筆者には三線軌条が中越関係を象徴するように思われてならない。歴史的な経緯や隣国同士ということで、協力せざるをえない課題がある一方で、狭軌と標準軌の差が埋まることは永遠にないように感じられる。

中越国境のドンダンからハノイ付近まで敷設されている三線軌条（2008年8月、ランソン市内）

中越両国は1920年代以降、共産主義運動を通じて交流のあった人々が両国の政権を掌握したという特殊な事情もあり、1950年の外交関係樹立以降、緊密かつ良好な国家間関係を保持してきたが、指導者間の「以心伝心」に立脚したともいえる個人的な友情に過度に依拠した結果、彼らの他界後に武力衝突（1979年）を回避することができなかったのも事実である。

1991年の関係正常化以降、両国はこうした1950年代から70年代にかけての関係が内包していた欠陥を見直すとともに、紛争要因の除去や指導部の交代にかかわらず引き継ぐことのできる善隣友好協力関係の構築に努めてきた。両国の新たな関係のあり方は、1999年に提起された16字の基本方針（「善隣友好、全面協力、長期安定、未来志向」）や2002年に提唱された「よき隣人、よき友人、よき同志、よきパートナー」という標語に反映されている。これは、両国関係のうち、冒頭に述べた両国が共有するレールを支える素材の一要素とでもいったものだろう。

こうした善隣友好協力関係の具現としてまず挙げられるのは、約1450キロメートルに及ぶ陸上国境全線の画定（1999～2008年）と北部湾領海の画定（2004年）であり、これにより両国は陸上国境と一部海域における領土紛争発生の芽を摘むことに成功した。首脳の相互訪問や交流も双方の指導部の交代とは関係なく維持されている。両国間では係争状態が続いている南シナ海でも、武力衝突に至らないのは、このような首脳間の意思疎通が機能していることを示している。

また、両国間の経済関係も拡大を続け、中越間の貿易総額は、ベトナム側の恒常的な輸入超過という構造的な問題を抱えながらも拡大を続け、1995年には6億9100万米ドルであったところから、2018年には1000億米ドルを突破するまでになった。貿易総額は、コロナ禍の中でも減少することなく、２０２０年も１３３０億米ドルに達しており、今や中国はベトナムにとって最大の貿易相手国となっている（第58章「中国・ＡＳＥＡＮとの貿易関係」参照）。人的な交流も増大し、ベトナムに入国した中国人の数は、コロナ禍前の２０１９年には延べ５８０万人を記録している（同時期に中国を訪問したベトナム人の数は不明）。これは、ＡＳＥＡＮ諸国内ではタイに次ぐ人数である。

以上のようなポジティブな面と同時に、冒頭で述べた両国の専用レールあるいは軌間の差に関わる側面も存在する。細かい話をすると、先ほど述べた16字の基本方針の配列はベトナムのものであり、中国では「長期安定、未来志向、善隣友好、全面協力」となり、両国間で一致をみるに至っていない。こうした点には両国関係が決して一筋縄ではいかないことが暗示されている。中国側にベトナムとの間で、一体感や国境を越えた広域的な視点に立脚した協力関係を構築しようとする傾向が強いのに対し、ベトナムの方はとりあえず国内の特定地域（中越国境地帯など）の開発に努力しようとする傾向がある。例えば、中国側には「跨境経済協力区」構想が示すように、国境の両側が一体となって、開発を進めるべきだとする発想が根強い。「憑祥・ドンダン跨境経済協力区」構想はその一例だが、これに対してベトナム側には「ドンダン・ランソン国境経済区」構想しかなく、中国側の隣接地域は視野に入っていない。また、両国間の越境共同開発プロジェクト「二回廊一

ベトナム領内に向かう中国のトラックの列（2012年9月、友誼関）

経済圏」（2006年に覚書調印）に関して、中国側はこれを「南寧・シンガポール経済回廊」やメコン流域圏（GMS）開発、拡大北部湾経済協力など東南アジア全体を視野に入れた経済開発構想の一部として位置付けてきた。2015年以降はさらにグローバルな「一帯一路」構想の中に組み込んでいる。他方、ベトナムは前述したようにインフラ整備をはじめ、国内の開発に注力しているのが現状である。同プロジェクトが実現していれば、その一端として、中国のナンバープレートを付けた車両をベトナム各地で目にすることができるはずだが、そこまで至っていない。

以上のような傾向は、両国首脳間の対話にも見て取ることができる。特に中国で習近平指導部が成立して以降、中国側は、ベトナム共産党の指導者に対して、両国の政治体制の共通性や諸課題の解決にあたっての一体感を強調するようになった。これに対しベトナム側は、各国がそれぞれに努力を重ねるといったスタンスで臨んでいる。

これまでの話は中越関係といっても、国家や党に関わるものであったが、いわばこれらのレールを支える基盤に関わる問題として、ベトナムの国民間に存在する反中感情を挙げることができる。2014年の南シナ海問題を契機に、全国的規模で発生した反中デモはその象徴ともいうべきものである。また、毎年1月19日、2月17日、3月14日、7月12日になると、SNS上では、ベトナム人による「人民はこの日を忘れない」と題した中国批判や、犠牲者を追悼する内容の投稿が相次ぐ。日付は順に1974年、1979年、1988年、1984年に中越国境地帯や南シナ海で大きな武力衝突が発生した日に因んでいるが、いずれもベトナムでは公式な記念日ではなく、国家的な行事が開催されることはない。

ヴィスエン（ハザン省）に復員軍人会などの寄付で建設された戦没者追悼記念施設。1984年、写真奥にみえる1509高地（中国名老山）をめぐる攻防戦で、中越双方に多くの犠牲者が出た（2018年11月）

前述したように、中越間の貿易額の増大からすれば、ベトナムにはそれによって経済的利益を得る人間や職を得ている人間も少なくないはずである。他方で反中感情の存在はどう説明されるのだろうか。それには様々な要因が考えられるが、少なくとも「未来志向」に基づく中国との関係の構築を進めるベトナム共産党指導部が、過去の中国との対立について十分な説明をしないまま、中国を批判する書籍の出版や、国民の自発的な示威行動を許容していないという事情があることは看過できないだろう。特に、負傷兵を含め、復員軍人など中国との戦闘に参加した経験をもつ人々や、戦死者の遺族たちには、真実を知り、それを書き残しておきたいという気持ちが強い。この問題を未来志向の対中政策とどう調整するのか、ベトナム共産党の手腕が問われている。

（栗原　浩英）

60

草の根の農業開発

★食の安全と村おこし★

ベトナムは農業大国である。コロナ禍が極まった2021年でも主要な輸出品であるコーヒーの輸出量はブラジルに次いで世界2位、コメはインドに次いで世界2位、コショウは世界1位を維持している。ベトナムの国土は細長く、北部から南部まで多様な地形と気候を持ち、生物多様性が実に豊かな国である。その豊かな自然環境の中で、様々な農産物が作られ、人々の暮らしが営まれてきた。しかし、近年、ベトナムの農業、農村、そして農家がおかれている状況は劇的に変化し、様々な困難に直面している。

まず、経済発展に伴い、相対的に収入が低い農林水産業に従事する人口が減少し、農業生産に様々な影響を与えている。ベトナム政府が10年ごとに実施している人口センサスによれば、2009年に農村部に居住している人口は70％、農業に従事している人の割合は54％であったが、2019年には農村部に居住している人口は65％と2009年と比べて5％しか下がっていないのに対し、農業に従事している人の割合は54％から35％へと急減している。筆者がよく訪問するベトナム北部山岳地域や南部のメコンデルタにおいても、若者が工業団地などで働くようになり、農家の高齢化が進んでいる。このことは農村部における深刻な労働力不足を引き起こし、生産コストを押し上げ、農業を続けることを困難にしている。

また、過剰な農薬や化成肥料の使用等による自然資源の汚染や気候変動の影響も深刻さを増している。例えば、メコンデルタに住む人々はメコン川から得られる豊かな水源、魚や水生植物、肥沃な土砂の恩恵を受けて暮らしてきた。しかし、農薬の過剰利用などによって水源や土壌が汚染され、農業生産の低下を招いている他、水浴びをすると皮膚に異常がみられたり、魚の種類と量が急速に減少したりするなど、暮らしに悪影響が及んでいる。また、ベンチェ省では2016年に深刻な塩害に見舞われ、飲料水の不足や農業生産が深刻な打撃を受けた。この塩害の原因はエルニーニョ現象による少雨とメコン川流域のダム開発の影響だとされている。

さらに、ベトナムの農産物の品質改善や加工業の育成、市場の開拓が喫緊の課題となっている。2020年に発生した新型コロナウイルスの感染拡大により、ベトナムの農業生産と流通は大きな影響を受けた。ベトナムの農産物の主な輸出先である中国が感染予防対策の一環としてベトナムからの輸入を制限したため、メコンデルタでは行き場を失った農産物が大量に残された。日本を含めた中国以外の国への輸出も試みられたが、グローバルGAPなど品質が確認できる認証を得ている農産物がほとんどなく、輸出できなかった。加工も発展していないため、農家は二束三文で農産物を販売するか捨ててしまう他なかった。

一方、ベトナム国内でも経済発展に伴い消費者の意識が高まり、安全な食品が求められるようになった。有機農業に取り組む農家グループや若者の新規就農も増えているが、生産者が規格に沿って農産

相互チェックの後、有機認証を得た小規模農家グループの代表（ベンチェ省バーチー郡）

物を生産したり、日本の「提携」のように消費者との信頼関係を土台にした流通形態が普及しておらず、有機農産物が広く消費者の信用を得るには至っていない。

　このような背景の下、筆者が代表を務めている特定非営利活動法人シード・トゥ・テーブル（Seed to Table）はベトナム北部山岳地域にあるホアビン省、南部メコンデルタにあるベンチェ省とドンタップ省で環境に配慮した地域づくりを実施してきた。「地域づくり」とは、地域の人々の努力と「よそ者」、つまり私たちのような外部の支援組織や専門家などとの協働によって、その地域に伝わる文化や知恵、自然資源を活かしながら暮らしや環境を改善し、次世代に伝えていくことである。具体的な活動は、在来のタネの保存と活用、環境保全型農業の普及、参加型保証制度（Participatory Guarantee System：PGS）の実践による市場へのアクセスの改善と有機農業の規格に沿った農産物の品質の管理と改善、農産物の加工、そして、次世代を育てるための青少年を対象とした環境教育などである。

　各活動を実施する際、注力しているのは、グループ活動による協働の促進と地域の人材を育てていくことである。ベトナムの農家の多くは他の世帯と協力することを好まぬ傾向があり、単独で生産・販売・加工をしていることが多い。単独で行うと生産コストが高くなり、資本調達や大規模化などが困難になる。また、何らかの規格に沿って農産物を生産・加工していないため、品質の改善と安定化が大きな課題となっている。そこで、グループ活動を通じた協働を促進できるPGSを紹介・実践している。PGSは農家、小売業者、地方行政機関や農業専門機関の職員、消費者などが参加し、協働で生産から販売まで有機農産物の品質を管理し、認証を与える制度である。この制度では、農家が有機農業の規格に沿って農産物を生産し、相互チェックを受け認証を得るため、農家が農産物の品質に責任を持ち、グループで販売することで小売業者との交渉力も高まる。また、小売業者も農家グループや農村の現状を理解し、消費者に伝え、信頼関係を深めることができる。さらに、ベンチェ省では特産品のココナッツを有機栽培し、農村に住む女性たちの加工グループを作り、ココナッツチップを商品化し、日本などへ輸出する準備をしている。こうした活動を通じて、地域の産業を育て、雇用を創出し、地域の食文化を保存・発展していくことを目指している。

シェフ・グループによる伝統食づくりとヌォック・マムに関する研修

また、次世代を育てていくために、青少年を対象に地域の自然資源や生態系を調べて資料化したり、中学校や高校で有機菜園を設置し、子どもたちが継続的に有機農業を実践していくための活動を行っている。この他、ホーチミン市のシェフ・グループの協力を得て、ベンチェ省とドンタップ省で学校菜園の有機野菜を使い、伝統的な料理を学ぶための研修を開催している。この研修では調理実習の他、ヌォック・マム（ベトナムで作られている魚醤）など伝統的な調味料などについて専門家が講義を行い、地域の食文化を守ることは、自然と健康を守ることに繋がることを子どもたちに伝えている。一連の活動後、自宅で有機菜園を作る子どもたち、化成肥料ではなくコンポストを利用する農家、手作りのヌォック・マムを使う家庭が出てくるようになり、手ごたえを感じている。

以上、述べてきたように、ベトナムの主力産業である農業とそれを支える農村は岐路に立たされているが、希望もある。２０１８年にベトナム政府は有機農業を推進していく方針を明確にし、現在も様々な形で有機農業を含めた環境保全型農業が推進および実践されている。環境保全型農業を実践する農家を支援すると同時に、今後の地域社会と農業を担う人材を育成すること、そして、農家や農村の現状を思いやることができ、品質の良い農産物を生産している農家を応援できる消費者を育てていくことも必要である。筆者が実践している活動がその一助となれば幸いである。

（伊能　まゆ）

61

海外就労

★EPA看護師・介護福祉士、技能実習生★

２０１５年、ハノイから約80キロ離れた農村を訪れた。日本ベトナム経済連携協定（Economic Partnership Agreement：ＥＰＡ）の介護福祉士候補者Ａさんの実家は簡易な平屋だったが、村の中を散歩して驚いた。新築の豪邸が林立していたのだ。高校を卒業後、台湾や韓国へ海外就労に行った若者たちが建てたのだという。Ａさんの父親は、村の若者たちが借金をして海外就労に行くのとは違い、息子の場合、経費負担も不要で、選抜された者だけが、働きながら学んで国家試験を目指すプログラム（Ｅ

韓国、台湾帰りの若者が建てた家（北部農村、2015年）

PA）に参加したことを誇りに思っている、と話した。

ベトナム政府の本格的な労働力輸出振興政策は1991年に始まった。以後、民間の送り出し機関が増加し、旺盛なリクルート活動を展開した。移住産業と並んで、海外就労を促進してきたのが各国政府の公的機関である。ベトナム－日本間では労働・傷病兵・社会問題省の海外労働管理局（Department of Overseas labor：DOLAB）が1992年に日本側の公的機関である国際研修協力機構（2020年に国際人材協力機構へと名称変更）とRD（討議議事録）を締結している。ただし、2000年代は、台湾、マレーシア、韓国がベトナム人労働者の主な行先国であり、日本の技能実習生は未だ少なかった。

ベトナムから日本への海外就労は2012年が転機といえる。2012年にベトナム人労働者の失踪率の高さを理由に韓国が新規受入れを停止する。それ以降、台湾と日本が二大行先国となった。日本側では、中国人技能実習生が経済成長に伴う国内の賃金上昇等により減少したため、ベトナム人技能実習生の受入れニーズが急増した。

また2012年を境に、日本の介護分野でのベトナム人受入れが始まった。EPA下での、看護師・介護福祉士候補者受入れが合意されたのである。私たちが5年以上、追跡調査を行った介護福祉士候補者の4人の事例を紹介したい。まず冒頭に紹介したAさん（男性）の場合、看護短大卒業後、日本や韓国のような進んだ国に行きたいと考えたが、韓国は受入れ停止、日本留学は書類不備となった。そんな折、DOLABのホームページを見てEPAを知った。Bさん、Cさん（いずれも女性）は看護短大卒業後、同じ短大の無償プログラム（日本の社会福祉法人が実施）で日本語と介護を学び、修了時にEPAが始まった。Dさん（女性）は元技能実習生の兄の勧めでEPAに応募した。4人の在学中に私立の看護師養成校が急増し、卒業時には、公立病院への就職が以前よりも難しくなっていた。また4人が介護福祉士候補者に応募した理由は、看護師候補者の応募要件である2年の実務経験がないこともある。

2014年6月、4人は、第1陣ベトナム人看護師21名・介護福祉士候補者117名の一員として来日した。Bさんは2年目は看護師への未練について話していたが、4年目には「EPA看護師候補者は、介護福祉士候補者を下に見ている。それは納得できない。看護と介護は別の職業であって、どっちが上でどっちが下というものではない」と語った。個別ケアという介護の専門性に魅了される等、介護に職業的自尊心を持つに至ったようだ。一方Cさんは最初こそ介護を学ぶ意欲があったが、次第に体力のなさや人間関係から意欲が低下し、3年半の契約期限の満了をもって帰国することを決めた。それでもCさんも他の3人同様に介護福祉士国家試験には合格できた。合格への主なモチベーションは、帰国後によい仕事が得られるからであった。その背景には2017年に技能実習制度に介護職種が追加されたことがある。またこの頃すでに特定技能での介護労働者の受入れの話も聞かれるようになっていた。そのため少なくとも十数名（Cさんもその1人）の元EPA介護福祉士が、在ベトナムの関連会社に教育担当者等として高い賃金で雇用された。

ところで、EPAベトナム人候補者の国家試験合格率の高さ（EPAインドネシア、フィリピンのみならずベトナム人介護留学生と比べても高い）の背景としては、①日本語能力試験N3取得という来日要件、②来日後に無料配布される教材で、3年半、漢越語を介した漢字学習を行うこと等が要因となっていると考えられる。

Bさん、Dさんは合格後「お世話になったから」と一定期間受入れ施設で働いた後、ベトナムに帰国し、日本向けの介護人材の教育機関に就職、30歳前後に結婚をした。Aさんは国家試験の前に、故郷に豪邸を新築した。合格後、やはり一定期間受入れ施設で働いた後、日本の監理団体に就職した。コロナ下の実習生の相談役としても活躍していたが、ベトナムへの帰国を決めた。厚労省のデータでみると、介護福祉士候補者第1陣117人は、96人が国家試験を受験し、91人が合格、累積合格率は94・7%。毎年一定数の人が、EPAの雇用契約を更新せず、ベトナムに帰国したり、「介護」等へ在留資格を変更しており、2022年1月時点で21人となった。

EPAの場合、日本の税金を投入していることもあり、毎年の定員が決まっている（介護福祉士候補者は最大300人）。一方、民間ベースの技能実習に人数の上限はない。ベトナム人介護技能実習生の実習計画認定件数（2021年3月現在）は5142件、全体の43%を占め、国籍別で群を抜いて多い。私は2021年12月から2022年1月にかけて日本の中部地方E県内のベトナム人介護技能実習生の実態に関するアンケート調査を実施した。その一部を紹介したい。この調査では55施設の110人に質問紙を郵送し54人から回答を得た（回収率49%）。

回答者の平均年齢は25・6歳、女性が89%を占めた。特に注目すべき点として次の2点がある。1点目は、ベトナムで看護師養成校を卒業した者が全体の75・4%を占めたことである。看護学校の内訳は大学（4年制）が18%、短大（3年制）が37%、専門学校（2年制）が19%であった。限られたデータではあるが、介護分野の技能実習生は看護教育を受けた学歴の高い者が多いことがわかる。大学と短大既卒者はEPAへの応募資格もあるが、なぜ技能実習を選んだのであろうか？　1つはより早く日本に行きたいからであろう。ＥＰＡの場合は訪日前研修が1年間と長い。もう１つは民間のリクルートの力が勝っているからであろう。技能実習生の送り出し機関と日本の受け入れ機関がベトナムの看護短大・大学に出向いて行って精力的に説明会を実施している。

２点目は介護福祉士国家試験を受験したいという回答が94・３％を占めたことである。受験したい理由（複数回答）は「日本人と同等レベルの知識とスキルを身につけたいから」が88％で最も高く、以下、「介護の専門性を高めたいから」が86％、「一定期間ベトナムに帰国した後に再来日できるから」が78％、「在留資格「介護」に変更できるから」が76％と続いた。しかしながら、技能実習生の場合、ＥＰＡのような公的な学習支援（例えば、先述した漢越語を利用した漢字学習等）が乏しい。実習生、受入れ施設の自助努力だけでは合格率は低迷するだろう。今後、ＥＰＡの経験蓄積を最大限に生かすような公的支援の拡充が求められるのではないか。

（比留間　洋一）

62

留学生30万人計画の理想と現実

★「偽装留学生」という責任回避★

兵庫県姫路市に、かつて難民として渡日したベトナム人たちが中心となって建立した仏教寺院がある。名は、福圓寺（Chùa Phước Viên）。2017年夏にこの寺院で行われた盂蘭盆会《うらぼんえ》の法要で、日本語学校や国立大学を含む留学生、会社員や技能実習生などの若者たちによる劇が披露された。劇の大まかな内容は、夢を抱き日本へ留学した主人公が、アルバイトで疲れ果てた末に貧窮し、スーパーからコメを窃盗し逮捕され、ようやく帰国できたときには母はすでに病で亡くなり、親不孝をひどく後悔する、というものだ。若者たちの心のこもった演技と悲喜こもごもの展開に、境内には笑いやすすり泣く声が響いた。その2年後、複数の私立大学が定員数を満たすためにずさんな入試体制で留学生を入学させ、あげくの果てにその一部が失踪、非正規滞在者の増大を招いたといった報道が世間を騒がせた。劇中の主人公の末路は、報道の前から留学生が抱えていた困難と苦境におかれた同国人に対する憂いの気持ちを表していたといえよう。

どうしてこのような留学生受入れ制度が生まれてしまったのか。その要因は日本が国際的に経済的地位を確立した1980

年代にさかのぼる。日本は国際社会への影響力をより高めるべく、中曽根首相（当時）の提唱により１９８３年に「21世紀への留学生政策に関する提言（通称：留学生10万人計画）」を策定し、留学生受入れに本腰を入れる。この計画目標は２００３年に達成されるが、開始にあたり制限付きではあるが就労を認め、さらに日本語学校入学者のビザ申請を簡素化した。日本滞在の費用を自分で働いて賄えるため、留学生数は飛躍的に増大した。しかし、その緩和は学費の徴収を目的とした悪質な日本語学校の乱立や留学生の非正規就労といった問題を引き起こした。この頃、留学生の圧倒的多数は中国人であった。それが変化するのは２０１０年代からだ。日本語学校への取り締まりの強化、就労に関しても何度か細かな規定変更もあったが、1週間28時間の就労可能な留学ビザの存在は、表向きには移民を受け入れていない日本へ渡航する数少ない手段となり続けた。そこへ文部科学省は、新たなグローバル人材の養成・確保に向け、２００８年に「留学生30万人計画」へ乗り出す。２０２０年までに30万人の留学生を受け入れると銘打たれたこの計画は、その通りに目標を達成させたが、１９８０年代に浮上した問題を解決できないまま、むしろ拡大させる結果に終わった。日本語学校のみならず、経営不振の大学や専門学校がずさんな体制で留学生を大量に入学させる一方、留学生はコンビニや新聞配達、大手物流企業の荷物の仕分け、食品工場など地域ひいては日本の産業にとって低廉な労働力として不可

福圓寺で劇を披露するベトナム人仏教徒の若者たち（劇の作成者より提供）

新聞の仕分けに勤しむ新聞奨学生の留学生たち（ベトナム人元留学生より提供）

欠な存在となった。製造業など単純労働に従事する外国人労働者は受け入れないまま、外国人の労働力を利用するという日本の外国人政策の歪みを改めて浮かびあがらせた（その後、２０１８年12月に在留資格「特定技能」が創設、翌年4月より受入れ開始）。

日本学生支援機構の調べによると、２０２０年5月現在の留学生総数は27万９５９７人で、その内訳をみると、最多は中国12万１８４５人、次にベトナム6万２２３３人である。２０１０年の留学生総数は14万１７７４人、ベトナム国籍者が３５７９人でしかなかったことを鑑みると、その増加率の高さは他の国・地域と比較しても際立っている。このような傾向は、技能実習生にもみられる。それまで送り出しの中心であった中国が経済発展し、渡日者数が減少、その内実が変化する一方、外貨獲得のために労働力を送り出したいベトナムからの移住が増加しているのだ。

日本留学を日本語学校からはじめる学生は、日本語能力試験Ｎ５レベルを満たすことが要件になっている。この要件を満たすために、ベトナムの日本語教育機関で数カ月間日本語を学ばなければならない。それらの学校は留学斡旋業者と連携を結んでいる場合が多く、日本語学校の入学手続きもビザ申請も請け負ってくれる。この手数料で不当に利益を得る悪徳業者も跋扈《ばっこ》しているが、良心的な業者であっても医療保険や年金、住民税の支払いについて十分に説明することはない。渡日してみると、想定したようには生活費を稼げず、アルバイト漬けになった学生は次第に学校を休みがちになり、出席率の低下、認められている就労時間の超過（週28時間）といった理由で在留資格の更新ができなくなる。在留資格を失い、借金だけ残ったかれらのなかには、摘発されるまで稼ごうと『失踪』する者も現れるのだ。

ただ、留学生は斡旋業者の言葉だけを信じて留学先を選択するわけではない。たとえ農村出身だとしても、かれらの同世代には、韓国や台湾へ移住した者もいれば、技能実習生として先に渡日した人たちもいる。そうした知人・友人の体験やSNSのまことしやかな情報を参考にしながら、自身の進路を選択する。近年「偽装留学生」という言葉が流布しているが、進路選択の動機を就労か勉学かとはっきりさせるのは難しい。その濃淡には個人差があるし、状況によって変わる。例えば、日本の学生たちに進路選択の理由を尋ねた際、明確に動機を語れるのはどれほどだろう。障壁の高い留学の門戸を開放したはいいが、十分な学習システムを確立できなかった日本の留学生政策と「高くはないかもしれないが、なくもない」向学心に漬け込んで学費をせしめる学校機関、その労働力で稼働する日本の産業が留学生たちを就労へ誘い、時に「失踪」へと追い込んでいるのである。

ベトナム東北部出身のマイ（仮名）は、高校卒業後、仕立てを学ぶ専門学校へ進学。その後、日本に留学するべく、ハノイの日本語学校で6カ月ほど勉強した。その後、名古屋の日本語学校に1年9カ月在籍し、その後、東京のとある私立大学の学部研究生に進学した。日本語学校には最大2年しか在学できないため、1年間学部研究生になれることは進学先や就職先を探すうえで有利になるように思えた。2019年末頃に特定技能の「外食業」分野の試験に合格したが、就職先が見つからず、諦めて帰国しようとした。その矢先に新型コロナウイルスが感染拡大し、帰国ができなくなった。所属学校機関を2020年3月に修了し在留資格を喪失した彼女に対し、入管は学部研究生だった者にはアルバイトであっても就労を許可しないと言い渡し、彼女はコロナ禍の日本で生計手段を失った。悪質な学校機関に所属した学生は在留資格の更新や変更が難しいと聞く。学校機関ではなく留学生が代償を支払っているのだ。幸い、日本に姉夫婦がいたのでそこに身を寄せてことなきを得ることができたが、コロナ禍において医療保険もない状態で暮らすことはさぞかし不安だっただろう。特定活動の在留資格を得て日本に滞在していたが、2020年11月の在留資格の更新でようやく就労が許可された。「外食業」の特定技能試験に合格したことを生かして就職活動をした結果、2021年、有名バーガーショップに正規社員として雇用された。

「もし、日本に来る前に戻れるとしたら日本に行きますか?」という質問を数人の元留学生になげかけたことがある。日本の生活に怒りを感じ、選択を後悔していると思ったからだ。しかし、意外なことに間髪をいれずに「行きます」と返答がくる。そして、「でも、次はもっといい学校に入る」とこぼす。偽装しているのは、日本の留学生政策と学校機関であり、彼らの労働力で便利な生活を享受している日本社会である。留学生に「偽装」の言葉を被せるのは、その責任回避でしかない。

（瀬戸　徐　映里奈）

63

ロンビエン卸売市場

―★出稼ぎ労働者が市場で築く都市インフォーマル経済と信頼ネットワーク★―

ハノイの紅河沿い、出稼ぎ労働者が集住する地区に隣接するロンビエン橋のたもとには、野菜、肉、魚介類、果物、祭事用品を販売する「ロンビエン卸売市場」（以下、ロンビエン市場）がある。ここにハノイの食を賄うだけの食材が集まってくる。果物はハノイ周辺からだけでなく、南部ホーチミン市、陸路で中国、空輸でロシア、アメリカ、カナダ、オーストラリア、南アフリカなど世界から集まってくる。ハノイで購入できる果物は、国際色豊かである。

ロンビエン市場では、学歴や技術、初期投資をかけなくても現金収入を得ることができる。そこは、都市に縁故をもたない出稼ぎ労働者にとって「都市労働の登竜門」になっている。日々の労働収入は不安定だが、市場はスキルや能力がなくても、現金収入を得たい村落からの出稼ぎ労働者に門戸を開いている労働提供の場であり、ここで経験を積めば天秤担ぎからリヤカー運搬者になって、多くの現金収入を得ることができるのである。市場では、天秤棒1本と、その両端に荷物を括る紐2本あれば、働くことができる。紐を括りつけた天秤棒を持って市場内をうろついていると、依頼したい販売員や小売業者に「ガイン（担

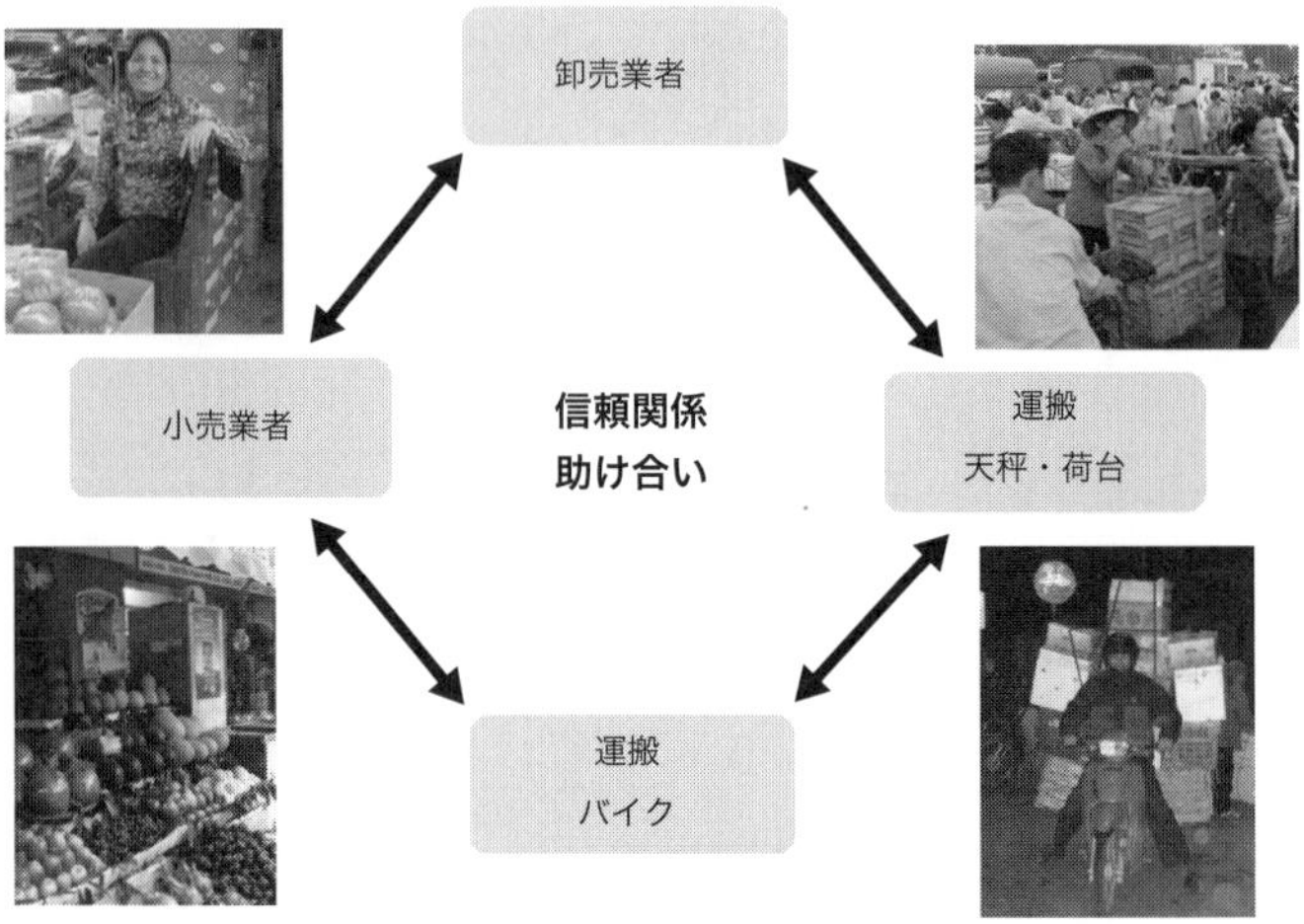

インフォーマル経済の成り立ち

ぐ意）オーイ（呼びかけ）」と声をかけられる。すると、多くの天秤担ぎが急いで駆け寄る。争奪戦である。ここでは、新参者が個人名で呼ばれることはない。この匿名性が、出稼ぎ労働者を都市に参入させやすくするから、卸売市場は村の現物経済と都市の貨幣経済をつなぐ入口になる。

果物売り場には卸売業者としての販売員がいる。そこに小売業者が買い付けに来て、果物を箱買いで購入する。それを市場の外に運ぶのが、天秤担ぎやリヤカー引きの主な仕事である。小売業者が軽トラックで来たり、バイクで自ら運搬したりする場合は、そこまで荷物を運ぶことになる。なかには、大量買いした果物を運搬バイク人に運んでもらう小売業者もいる。その場合は、市場外の歩道に荷物を積んでいく。ある程度数がまとまると、運搬人がバイクに荷物を括りつけ、小売店まで配達する。

果物の小売業者は、ほぼ毎日買い付けにくる。

その小売業者の「専属」になれば、毎日一定の収入を得ることができる。その頃になると、実名で仕事をすることになる。

天秤担ぎは、荷物を運搬するだけではない。小売業者の軽トラックの荷台まで荷物を入れる。バイクならば荷積みを手伝う。こうして、「信頼」を得ていく。小売業者が、自分より早く市場に行く、懇意にしている天秤担ぎに果物の選定を依頼することもある。掛け売りで購入している小売業者が掛け売りの代金を天秤担ぎに渡し、天秤担ぎが小売業者に代わって卸売業者に精算にいくこともある。天秤担ぎが卸売業者とのつなぎ役となり、さらに「信頼」を得ていくのである。

天秤担ぎやリヤカー引きは、小売業者が購入した果物を運搬するだけでない。卸売業者が保管している市場内の冷凍庫から果物を出して販売場所まで運んだり、マンゴーやライチが入っていたプラスチックの籠を回収したり、その他の雑多な作業も担っている。リヤカー引きになることができれば、天秤担ぎの何倍もの収入を得ることができる。

同業の運搬者だけでなく、卸売業者や小売業者にも認められると、リヤカー引きになるチャンスができる。

リヤカーの台数は、市場内にある行政の「ロンビエン市場管理委員会」によって制限されている。リヤカーは大小2種類あり、リヤカーの横にはそれぞれ登録ナンバーがついている。リヤカーは個人所有だが、毎月管理費を公組織に支払わなければならない。また、市場のそばにある保管庫の利用料も払うことになる。経費はかかるが、多くの荷物を一度に運ぶことができ、その分、収入を得ることができるリヤカー引きは「憧れ」である。

しかし、リヤカーの数は限られているので、空きを待たなければならない。また、運搬人仲間だけでなく、実名で呼ばれるほど卸売業者と小売業者の「信頼」を得なければ、リヤカーの順番はまわってこない。

リヤカー引きの女性が毎日担当する小売業者が、市場に来なかった日があった。その前日、リヤカー引きは小売業者が過労で休むという電話連絡をうけていた。リヤカー引きは、小売業者が注文した果物を各卸売業者から購入し、それらをいつものように市場外まで運んで、路上にまとめた。この小売業者はいつも自分のバイクで運搬するが、その日はリヤカー引きが運搬バイクに小売業者の店の住所と電話番号を伝えて、荷物を小売業者の店まで運んでもらった。卸売業者、リヤカー引き、チョーハン、小売業者の連携で、不測の事態でも対応できるようになっている。ここに信用経済がある。

果物の輸入元の国際化は進んでいても、市場内は機械化もAIも不要である。天秤担ぎとリヤカー引きが、山積みされた果物の間をくまなく回る。市場ではスマホも必要ない。リヤカー引きは携帯電話（いわゆる「ガラケー」）で顧客と連絡を取るぐらいである。

卸売業者は、売り上げや掛け売りの帳簿をつけるのに、パソコンを使わない。分厚いノートにボールペンで、旧暦の日付と取引先の名前、売り上げを記録する。私たちの生活と異なる旧暦を用いるのは、祭祀・祭礼の日は旧暦で数える等のため、宗教と深い関係があるからである。

ロンビエン市場内の果物店の脇には、祭事具用品を扱う問屋が連なっている。旧暦1日と15日は、自宅に設けた祭壇での祖先祭祀や街中の宗教祠堂に参拝するのに、供物となる果物や線香が必要である。そのため、小売業者が市場でも果物と一緒に祭事具を購入し、運搬している光景を見かける。

市場で働く者同士、仲間になる

旧暦1日と15日を迎えるまでのそれぞれ、旧正月さながらの繁忙期が、月2回訪れる。深夜0時頃から果物を荷台いっぱいに積んだトラックがロンビエン市場の門から次々搬入する。果物を買い付けに来る小売業者の人数も多く、市場は活気づき、人混みができる。いかに早く荷物を運ぶか、誰もが自分が先に前に進もうとするので、天秤担ぎもリヤカーも、運搬バイクも身動きが取れないほど混雑する。経済と宗教がリンクしている。

卸売業者、天秤担ぎ・リヤカー引き、運搬バイク、小売業者の信頼関係、人的ネットワークがなければ市場経済が成り立たない。この有機性は都市経済を生み出し、社会を築き、宗教と結びついて相互に依存しあっている。

（長坂　康代）

コラム13 ベトナム人の副業

伏原宏太

ベトナム人の副業については、まず公務員の副業について述べるべきであろう。公務員の給料は法律で定められている俸給制度に従っているが、生活を賄うには到底足らない。最も高い給料が支払われている1人の首相でさえ、執筆時点での月給は1862万5000ドン（およそ10万円）である。一般公務員の月給はその何分の1程度であり、生活実態には到底見合わない。ベトナムの公務員は、以前から様々な収入源を確保するための努力をしてきた。公務員の仕事の中において、企業等の関係者と直接・間接的に付き合うこと等は、そのために不可欠な要素であり続けてきた。さらに、公務員になるためにはそれなりの努力が必要だとされる。全ての場合がそうだ、と公に述べることは難しいが、就職後に一定以上の収入が確保されることが明らかな公務員の場合（例えば、税関職員、経済警察等を含む）には、就職する前に一定以上の小包（中身は読者のご想像にお任せする）を採用担当者に差し出さなければならないことがしばしばである。その小包は、2、3年後には損益分岐点に到達する程度のものである。このように、公務員の仕事を「割に合わない」仕事でないとするための支えとして、副業が大きな役割を果たしてきたと言っても過言ではない。

公務員以外の一般の人々はどうであろうか。たった1つの仕事場、職場の仕事だけをしているベトナム人は少数派である。筆者が2022年8月に行った100人（ハノイ市在住が約半分、ホーチミン市在住が4分の1、その他は各地方在住者であった。主な年齢は22歳から45歳、男

Grab配達業

バイク預かり業

女比率はほぼ均等）を対象にした調査によれば、90％近い人々が副業をしていると答えた。副業の内容としては、オンラインでの物販、不動産その他商品の仲介、株式投資、教師、Ｇｒａｂ等のアプリを介した商品配達、各種事業投資等があり、多岐にわたっている。副業をどの時間にするのかという問いに対しては、「本業をすべき時間内に副業をしている」と答えた人が半数を超えている。また、「本業と副業を同じ時間にしているか」という問いに対しては、「常にそうしている」と答えた人が、35・2％、「時々そうしている」と答えた人は45・1％であったのに対して、「同じ時間には決してしない」と答えた人は、19・6％のみであった。本業と副業は、多くの場合、同時進行で行われていることがわかる。一方で、「副業をすることが本業の仕事の質に影響を与えていると思うか」という質問に対しては、75％が「本業には影響を与えていない」と答えている。その理由としては、「優先順位をつけて処理し、スケジュール管理をきちんとしている」、「本業と副業が実質的に関連しているから非効率にならない」等が主な答えであった。「本業に対する責任を全うするためには、本業に集中すべきであり、副業をするべきではない」という考え方に対する賛否を最後に問うたところ、これに賛成した人の割合は3％しかなく、97％の人がその考え方に反対だと答えた。主な理由は、「本業の仕事は給与も少なく、社会的に奉仕しているという要素が大きい」、「家族を養い、生活を満足させるためには副業は必要だ」、「副業の仕事は、自分のソフトスキルや経験値を高める」、「人間関係を豊かにしてくれる」、「本業にもこれらが役に立つ（ので好循環な関係だ）」、「本業は本当にやりたい仕事ではない。夢はもっと別のところにある」というものであった。

ベトナムの労働法では、1人の労働者が複数の会社との間で複数の雇用契約を結ぶことは禁止されていない。また、ベトナムの新聞やネット記事等を検索して観察すると、充実した副業をするためにはどうしたらいいのかという視点に立った好意的なコンテンツが目立つ。副業という範囲を離れてみると、起業をし、事業や夢を形にしたいという人々はたくさんいる。特にベトナムのいわゆるZ世代（生まれながらにしてデジタルネイティブである1990年代半ば以降生まれの世代）は、コスパ重視で費用対効果を現実的に考える側面があり、「意識高い系」とされる人々も多く、以前よりも「現実的な」思考回路を持つことが特徴だという評価がある。街中にはそうした若者たちがオープンしたカフェや物販店がたくさんある他、証券仲介や保険仲介、不動産仲介等、自分の力で何とか仕事を作れそうな仕事に人気がある。ベトナムでは、本業と副業という何か2つの対立したような言葉で語られることはもはやなく、自分自身の人生をどう創っていくべきなのかという夢や希望を語る中で選択されるべき処世の仕方がより重要になっている。

オフィスワーク

コラム 14

ベトナムにおける日本語教育

ゴ・ミン・トゥイ

ベトナムにおける日本語教育は１９６０年代に始まり、２０００年代に入って徐々に発展してきた。特に２０１０年以降急速に広がってきている。例えば、国際交流基金が主催し、年に２回（7月と12月）実施されている日本語能力試験のベトナムでの受験者数は、２０１７年には７万１２４２人に達し、中国、台湾に次いで世界第3位、東南アジアで第1位であった。なぜ、ベトナムにおける日本語教育はこのように大きく発展してきたのであろうか？

日本とベトナムの両国における日本語人材の需要の高まり、日本におけるベトナム人留学生、就労や研修を目的として訪日するベトナム人の数の増加が背景にある。また、両国の親密化、友好関係の進展に伴い、ベトナム人は、日本についてより深く理解し、多くのベトナム人が日本文化に興味を持つようになってきている。

さらに、ベトナムにおける日本語教育の発展に密接に関係しているもう1つの要因は、初中等教育段階への日本語教育の導入である。

２００３年以降、両国政府の指導の下、中等教育機関での日本語教育が開始され、6年生（中学校1年生）から第1外国語科目として日本語が教えられるようになった。その後、２００７年には日本語が初めてベトナムでの高校卒業試験、および大学入学試験の試験科目となり、中等教育段階で外国語科目として正式に教えられる5番目の言語となった。また、ベトナム政府が２０１８年に発表した、初中等教育段階の新カリキュラムでは、日本語は小学3年生から学習される選択必修外国語科目（第1外国語）の1

つになり、初中等教育機関での日本語の導入校や学習者数も年々増加し、拡大傾向がみられている。

　高等教育では、大学独自の教育カリキュラムに基づいて、日本語学科または日本語専攻が運営されており、教科書の選択も各学科・部門に任されている。日本語センターでも同様に、様々な日本語の教科書が使用されている。こうした初中等教育機関を除く日本語教育機関では、多くの場合、日本で出版された日本語の教科書、またはそのベトナム語版の教科書が使用されている。一部の大学ではベトナム人の専門家が作成した教科書（主に日本語学・日本文化等に関する専門科目の教科書）も使用されている。

日本語の授業を受ける小学校3年生

　一方、初中等教育機関では、ベトナムの教育出版社で著作・編集され、教育訓練省によって審査および認可されたものしか使用できないという規則に則り、ベトナム人の専門家チームによって執筆され、教育訓練省に認可された教科書が使用されている。

　ベトナムでは、初中等教育機関で教える外国語の教師の要件として、教育大学（師範大学）を卒業したこと、もしくは、教師資格証明書を持っていることと規定されている。

　英語やフランス語等の場合、外国語の教師は、ベトナムの諸大学、または外国の教育大学の外国語教師養成プログラムを受けている。一方で、日本語は、一部の日本語教育機関、特に日本語センターでは、教育大学（師範大学）の卒業証明書等を持たずに教えている教師が少なくない。これは日本語教師の需要が非常に高く、教師不足の状況が続いていることによるが、近年、当該の管理機関がこの点をより厳格に管理するようになってきている。そのため、教師に必要な知識や技能を身に付けようと、日本語教育機関で教えながら教育コースを受講し、管理機関の求める教育証明書を取得する教師も多い。

２０２２年現在、日本語センター以外でも、高等教育機関、初中等教育機関等あらゆる種類の教育機関で日本語の教師が不足している。大学では、言語学や日本語学、日本語教育専攻の高い学位を持つ（博士号を持っている）教員の数はまだ少ない。加えて、ベトナム全国で、日本語学や日本語教育専攻の博士課程を設置している大学がない。小学校、中学校、高校については、常勤の日本語教師の数は非常に限られている。毎年、多くの大学で日本語を専攻した卒業生を輩出しているが、その中で日本語教師になりたいと思っている人は少ないのが現状である。

2003年から2013年の期間に出版された日本語教科書（中等教育用）

経済的な理由を含む多くの理由により、ベトナムの大学では日本人教師を長期的かつフルタイムで雇用することは難しい。民間の日本語センターは日本人教師を雇用することが大学に比べると比較的簡単ではあるが、日本語センターで教える日本人教師の数はまだ十分でない。

大学で長期間（１～２年）教える日本人教師は、国際協力機構（ＪＩＣＡ）等の公的機関から派遣された教師が多い。一部の大学では、大学間の協定等を通じて来越した日本人教師が教えている場合もあり、日本の組織や企業のスポンサーシッププログラムを通じて、日本の大学の専門家をベトナムに招き、数日間もしくは1～2週間の集中講座を実施している大学もある。

初中等教育機関における日本語教育については、2003年から国際交流基金の日本語専門家や日本語教師が初中等教育機関に入り、生徒の日本語教育と日本理解を支援する等のプログラムを実施している。また、ベトナム人日本語教師向けの研修等を定期的に開催している。国際交流基金は、2014年から「日本語パートナーズ」プログラムの実施を開始し、ベトナムを含む東南アジア諸国を中心に日本人を派遣し、生徒の日本語能力を向上させると同時に、日本文化への理解を深めている。「日本語パートナーズ」プログラムで来越した日本人は生徒にとって身近な日本人として親しみを抱かれ、日本語専門家の指導の下、ベトナムの日本語教育に貢献している。

年　表

前4世紀頃	北部で、ドンソン文化（青銅器文化）栄える
前207	南越国の成立
前111	漢の武帝の遠征により、南越国滅亡（北属期へ）
40	徴《チュン》姉妹の反乱
938	呉朝の成立（中国から独立、北属期おわる）
966	丁朝の成立
1010	李朝の成立、昇龍（タンロン、後のハノイ）に遷都
1054	国号を大越とする（中国の呼び名は安南）
1225	陳朝の成立
1257	元軍の侵攻はじまる（1257年、1284～1285年、1287～1288年）
1400	胡朝の成立
1407	明の支配下におかれる（属明期へ）
1428	黎朝の成立（属明期おわる）
1471	聖宗の南征、チャンパの首都ヴィジャヤを制圧（南進の本格化）
1532	北部（鄭氏政権）と南部（広南阮氏政権）の対立はじまる（南北並立期へ）
1624	イエズス会のアレクサンドル・ド・ロード、布教をはじめる
1651	ロード、『ベトナム語・ポルトガル語・ラテン語辞典』を刊行
1674	広南阮氏、プノンペンを攻略
1692	広南阮氏、占城《チャンパ》を制圧
1698	広南阮氏、嘉定（ザーディン、後のサイゴン・ホーチミン市）府を設置
1771	南部で、西山（タイソン）の反乱起きる
1789	タイソン阮朝の成立（国家統一へ）
1802	阮朝の成立（国家統一）、フエを都に
1803	国号を越南（ベトナム）とする
1838	明命帝、国号を大南とする
1840	**アヘン戦争**
1847・4	フランス軍艦、ダナンを砲撃（フランスの侵略はじまる）
1859・2	フランス、サイゴン占領
1867・6	フランス領コーチシナ成立
1882・4	フランス、ハノイ占領
1884・9	**清仏戦争**
1885・6	**天津条約**（清がベトナムの宗主権を放棄）
1885・7	咸宜帝の呼びかけにより、反仏活動（勤王運動）はじまる
1887・10	フランス領インドシナ連邦成立（トンキン保護領、アンナン保護国、コーチシナ直轄植民地に分割統治、カンボジア保護国と併合、1899年

4月にはラオス保護国を併合）

1888・11　フランス、咸宜帝を逮捕（勤王運動平定へ）

1890・5・19　ホー・チ・ミン、生まれる（異説あり）

1894・7　**日清戦争**

1904・2　**日露戦争**

1904・4　ファン・ボイ・チャウ、フエで「維新会」を結成

1905・5　ファン・ボイ・チャウ、訪日（東遊運動はじまる）

1908・9　日本、ファン・ボイ・チャウらを国外退去処分（東遊運動おわる）

1911・6・5　ホー・チ・ミン、サイゴンからフランス船で出国

10　**辛亥革命（1912年1月、中華民国成立へ）**

1912・2　ファン・ボイ・チャウ、中国広州で「ベトナム光復会」を結成

1914・7　**第一次世界大戦はじまる**

1917・11　**ロシア革命（1922年12月、ソ連成立へ）**

1919・6・18　ホー・チ・ミン、ヴェルサイユ講和会議に「アンナン人民の要求」を提出

1929・10　**世界恐慌はじまる**

1930・2・3　ホー・チ・ミン、香港で、ベトナム共産党を結成

10　ベトナム共産党、インドシナ共産党に改称

1935・3・27　マカオで、インドシナ共産党第1回党大会開催

1939・9・1　**第二次世界大戦はじまる**

1940・9・23　日本軍、北部仏印に進駐（日仏共同支配へ）

1941・1・28　ホー・チ・ミン、30年ぶりに祖国の地を踏む

5・19　ホー・チ・ミン、ベトミン（ベトナム独立同盟）を結成

7・28　日本軍、南部仏印に進駐

12・8　**太平洋戦争はじまる**

1944・秋　北部で、「200万人餓死」大飢饉発生（〜1945年春）

12・22　ベトナム解放軍宣伝隊（ベトナム人民軍の前身）結成

1945・3・9　日本軍、仏印軍を武装解除（仏印処理）

3・11　バオ・ダイ帝、ベトナムの独立を宣言

4・17　親日のチャン・チョン・キム政権樹立

8・15　**日本、ポツダム宣言受諾を公表**

8・16　ベトミン、総蜂起を指令

8・19　8月革命（ハノイで蜂起、以降全国で蜂起が続く）

8・30　フエで、バオ・ダイ帝退位（阮朝おわる）

9・2　ホー・チ・ミン、ベトナム民主共和国の独立を宣言

9・6　北緯16度線以南に、イギリス軍進駐

9・11　北緯16度線以北に、中国国民党軍進駐

9・23　フランス軍、サイゴンを再占領

11・11　インドシナ共産党、解散を宣言

1946・3・18　フランス軍、ハノイに入城

6・1　フランス、南部にコーチシナ共和国を樹立

1949・7・2 フランス連合内に、ベトナム国（バオ・ダイ元首）樹立
11・9 ベトナム民主共和国憲法制定
12・19 （第一次）インドシナ戦争（抗仏戦争）はじまる
10・1 **中華人民共和国成立**
1950・1・18 中国、ベトナム民主共和国を承認
1・30 ソ連、ベトナム民主共和国を承認
2・7 アメリカとイギリス、ベトナム国を承認
6・25 **朝鮮戦争はじまる**
1951・2・11 インドシナ共産党第2回党大会、ベトナム労働党に改称、ホーを党主席に選出
9・8 日本、サンフランシスコ講和条約に調印（ベトナム国が調印）
1953・3・5 **スターリン死去**
7・27 **朝鮮休戦協定**
1954・3・13 ベトミン軍、ディエンビエンフー攻撃開始
4・26 ジュネーブ会議はじまる
5・7 ディエンビエンフー陥落
5・8 インドシナ休戦に関するジュネーブ会議はじまる
7・21 ジュネーブ協定調印（北緯17度線が軍事境界線に）
1955・4・18 **アジア・アフリカ会議（バンドン会議）開催（ベトナム民主共和国、ベトナム国も参加）**
10・26 ベトナム共和国成立（ゴ・ディン・ジエム大統領）
1956・2・14 **フルシチョフ・ソ連書記長の「スターリン批判」（中ソ論争・中ソ対立へ）**
5・22 ゴ・ディン・ジエム政権、南北統一選挙実施を拒否
7・20 ジュネーブ協定の定める南北統一選挙期限終了＝南北分断の固定化（北緯17度線が国境に）、北ベトナム（ベトナム民主共和国）と南ベトナム（ベトナム共和国）に
1959・1・13 ベトナム労働党、南部の武力解放を決定（15号決議）
5・13 日本、南ベトナムと賠償協定に調印
5 ホーチミン・ルート（北から南への補給路）の建設はじまる
1960・9・5 ベトナム労働党第3回党大会、ホーを党主席に再選、レ・ズアンを第一書記に選出
12・20 南ベトナム解放民族戦線結成
1962・1・12 米軍、枯葉剤散布開始
2・8 米軍事援助軍司令部（MACV）発足
7・23 **ラオスに関するジュネーブ協定調印（ラオス中立化）**
10・22 **キューバ危機発生**
1963・5・8 南ベトナム都市部で仏教徒の反政府運動が激化（僧侶の焼身自殺、ベトナム・バーベキューと呼

ばれる）
11・1　サイゴンでクーデター発生
11・2　ゴ・ディン・ジエム兄弟暗殺される
11・22　**ケネディ米大統領、ダラスで暗殺される**
1964・8・2　米駆逐艦マドックス、北ベトナムの哨戒艇と交戦（第一次トンキン湾事件）
8・4　第二次トンキン湾事件発生とされる
8・5　米軍、北ベトナムへ報復爆撃
8・7　米議会、「トンキン湾決議」（大統領に戦争権限）可決
1965・2・7　解放戦線、プレイク米軍基地を攻撃
2・7　アメリカ、北爆開始
3・2　アメリカ、恒常的北爆の開始
3・8　米海兵隊、ダナン上陸
9・30　**インドネシアでクーデター（9・30事件）発生**
1966・5・16　**中国で文化大革命はじまる**
7・17　ホー・チ・ミン、「独立と自由ほど尊いものはない」の抗戦アピール
1967・5・10　**ストックホルムの「ラッセル法廷」、アメリカの戦争犯罪に有罪判決**
8・8　**ASEAN（東南アジア諸国連合）結成**
1968・1・30　テト攻勢開始（1月31日、革命側、サイゴンの米大使館を一時占拠）
3・31　ジョンソン米大統領、北爆の部分的停止を発表
5・13　アメリカと北ベトナム、パリ会談開始
10・31　ジョンソン米大統領、北爆の全面停止を発表
1969・1・25　サイゴン政権と解放戦線、パリ会談に参加（拡大パリ会談となる）
3・2　**中ソ両軍、ダマンスキー島（珍宝島）で衝突**
6・8　解放戦線、南ベトナム共和国臨時革命政府を樹立
7・25　**ニクソン米大統領、「グアム（ニクソン）・ドクトリン」を発表**
9・2　ホー・チ・ミン死去
1970・1・21　キッシンジャーとレ・ドゥック・トの秘密会談がはじまる
5・1　南ベトナム軍、米軍、カンボジアに侵攻（カンボジアに戦域が拡大する）
1971・2・8　南ベトナム軍、ラオスに侵攻（ラオス内戦が激化）
6・12　ニューヨーク・タイムズ、「ペンタゴン・ペーパーズ」掲載開始
7・9　**キッシンジャー米大統領補佐官、中国を極秘訪問**
7・15　**ニクソン米大統領、中国訪問を発表（第一次ニクソン・ショック）**
1972・2・21　**ニクソン米大統領、中国訪問（米中接近）**
3・30　革命勢力、春季大攻勢開始

5・8 アメリカ、北爆を再開
12・18 アメリカ、クリスマス爆撃開始
1973・1・23 キッシンジャーとレ・ドゥック・ト、和平協定案に仮調印
1・27 ベトナム和平に関するパリ協定調印
3・29 米軍撤退完了
9・21 日本、北ベトナムと国交樹立
1975・4・14 ベトナム労働党、サイゴン解放作戦を「ホーチミン作戦」と命名
4・17 **クメール・ルージュ、プノンペンを制圧**
4・30 サイゴン解放（陥落）、ベトナム戦争（抗米救国戦争）終結
4 この頃より、南部でベトナム難民発生
8・23 **パテト・ラオ、ヴィエンチャンを制圧**
8・29 ホーチミン廟建立
12・2 **ラオス人民民主共和国成立**
1976・4・14 **民主カンプチア政府（クメール・ルージュ＝ポル・ポト政権）樹立**
4・25 ベトナム統一選挙実施
7・2 ベトナム統一、ベトナム社会主義共和国成立
9・9 **毛沢東死去**
9・15 ＩＭＦ（国際通貨基金）に加盟
9・21 世界銀行に加盟
9・23 アジア開発銀行に加盟
12・14 ベトナム労働党第4回党大会、ベトナム共産党に改称、レ・ズアンを書記長に選出
1977・9・20 国連に加盟
1978・4 この頃より、ベトナム難民が大量に発生（当初は中国系ベトナム人が中心）
4・28 日本、ベトナム難民の定住を認める（3人）
4・30 中国、中国系ベトナム人の大量出国に対し迫害と非難
6・29 コメコン（経済相互援助会議）に加盟
7・3 中国、ベトナムへの経済援助の停止と技術者の引き揚げを通告
11・3 ソ連・ベトナム友好協力条約調印
12・25 カンボジア侵攻開始（カンボジア紛争、第3次インドシナ戦争）
1979・1・1 **アメリカと中国、国交正常化**
1・7 ベトナム軍、プノンペンを制圧
2・17 中国軍、懲罰としてベトナムに侵攻（中越戦争）
3・5 中国軍、ベトナムから撤退
3・27 ソ連艦船、カムラン湾に初投錨
4・3 日本、インドシナ難民の定住を認める（受け入れ枠500人）
12・24 **ソ連、アフガニスタンに侵攻（新冷戦へ）**
1980・3・12 日本、ベトナムに対する経済援助凍結
1981・1・31 「合作社における生産物請負制」導入を決定

（党書記局100号指示）

1982・3・27 ベトナム共産党第5回党大会、レ・ズアンを書記長に再選

1985・6・10 配給制度（バオ・カップ）廃止

10・15 **ゴルバチョフ・ソ連書記長、ペレストロイカを発表**

1986・2・25 **フィリピンで「2月革命」（ピープルパワー）、マルコス政権崩壊、アキノ大統領誕生**

7・10 レ・ズアン死去

7・14 チュオン・チンを書記長に選出

12・15 ベトナム共産党第6回党大会、グエン・ヴァン・リンを書記長に選出、「ドイモイ」提唱

1987・5・6 越僑（在外ベトナム人）の入国制度改善へ

1988・3・14 南シナ海・南沙諸島の領有をめぐり中国海軍とベトナム海軍が交戦

8・9 **タイのチャートチャーイ首相、「インドシナを戦場から市場へ」と声明**

10・4 総合体双生児のベトちゃん、ドクちゃん、分離手術に成功

1989・2・2 **ソ連、アフガニスタンから撤退完了**

5・15 **ゴルバチョフ・ソ連書記長、中国訪問（中ソ関係正常化）**

6・4 **北京で、天安門事件発生**

7・20 **ビルマ（ミャンマー）の軍事政権、アウンサンスーチーを自宅軟禁**

9・1 ベトナム共産党、ホー・チ・ミンの正式遺言状を公表

9・26 ベトナム軍、カンボジアから撤退完了

11・10 **ベルリンの壁崩壊**

12・2 **マルタ島で米ソ首脳会談開催（東西冷戦終結）**

1990・5・19 ホー・チ・ミン生誕100周年、ホーチミン博物館開設

1991・1・17 **湾岸戦争はじまる**

6・24 ベトナム共産党第7回党大会、ドー・ムオイを書記長に選出、「ホーチミン思想」登場

10・23 **カンボジア和平に関するパリ協定調印**

11・5 中国と国交正常化

12・26 **ソ連解体**

1992・4・18 1992年憲法（ドイモイ憲法）公布

11・6 日本、ベトナムに経済援助再開

1993・1・29 外国人の国内移動、原則自由化

10・4 世界銀行、ベトナムへの融資を再開

10・6 IMF、ベトナムへの融資を再開

12・11 フエの建造物群、世界遺産に登録

1994・2・3 アメリカ、禁輸措置を解除

12・17 ハロン湾、世界遺産に登録

1995・7・11 アメリカと国交正常化

7・28 ASEANに加盟

9・2 ハノイで、ベトナム建国50周年式典開催

1996・1・1 AFTA(ASEAN自由貿易地域)計画に参加

2・14 中越間鉄道(北京－ハノイ)、運行再開(中越紛争以来17年ぶり)

6・28 ベトナム共産党第8回党大会、ドー・ムオイを書記長に再選、「工業化・現代化」提唱

12・9 WTO(世界貿易機関)に、オブザーバー参加

1997・7・2 **アジア通貨危機はじまる**

7・20 国会議員選挙で、独立候補3人当選

12・1 インターネット・サービス解禁

12・22 第8期第4回中央委員会総会、レ・カー・ヒュウを書記長に選出

1998・5・21 **インドネシアで反スハルト・デモ発生(スハルト大統領辞任)**

11・14 APEC(アジア太平洋経済協力会議)に加盟

12・20 サイゴン・ホーチミン市誕生300周年式典開催

1999・4・30 **カンボジア、ASEAN加盟(ASEAN10結成)、ハノイで加盟式典開催**

12・4 ホイアン、ミーソン聖域、世界遺産に登録

2000・1・21 カンザーのマングローブ林、ユネスコの生物圏保護地区に指定

4・30 ベトナム戦争終結25周年式典、各地で開催

7・13 アメリカと通商協定に調印

2001・4・19 ベトナム共産党第9回党大会、ノン・ドゥック・マインを書記長に選出

9・11 **アメリカで、同時多発テロ発生**

10・7 **アフガニスタン戦争はじまる**

12・25 1992年憲法一部改正(市場経済化・国会の役割を重視)

2002・5・2 ロシア軍、カムラン湾から撤退完了(協定失効は7月1日)

5・19 国会議員選挙、独立候補の当選2人、投票率99.73%

2003・2・26 ハノイで、新型肺炎SARS感染発覚

3・20 **イラク戦争はじまる**

4・28 WHO(世界保健機関)、ベトナムのSARS制圧(世界で初)を発表

7・5 フォンニャーケーバン国立公園、世界遺産に登録

10 鳥インフルエンザ感染発生

11・7 ニャーニャック(雅楽)、ユネスコ無形文化遺産の代表一覧表に記載

11・19 米艦船、サイゴン港に入港(ベトナム戦争終結以来初めて)

2004・5・7 ディエンビエンフー戦勝50周年式典開催

12・26 **インドネシア・スマトラ島沖地震**

2005・11　鳥インフルエンザによる死者、合計42人に(03年3人、04年20人、05年19人)
2006・4・25　ベトナム共産党第10回党大会、ノン・ドゥック・マインを書記長に再選
11・7　WTO一般理事会、ベトナムのWTO加盟を承認
11・18　ハノイで、APEC首脳会議開催
2007・1・11　WTOに正式加盟(150番目の加盟国)
3・23　雄王(フンヴオン)の命日(旧暦3月10日)を祝日にする国会決議採択
5・20　国会議員選挙で、独立候補の当選1人、投票率99.64%
10・6　総合体双生児のベトちゃん、ホーチミン市のツーズー病院で死去(享年26歳)
11・20　**シンガポールで開催のASEAN首脳会議で、ASEAN憲章採択**
2008・1・1　ベトナム、国連安保理の非常任理事国に(任期2年)
2・21　ホーチミン市で地下鉄起工式
9・15　**アメリカ発のリーマン・ショックで世界金融危機へ**
12・25　日本・ベトナム経済連携協定(JVEPA)調印
2009・10・1　日本・ベトナム経済連携協定(JVEPA)発効
2010・8・3　ハノイのタンロン(昇龍)遺跡、ユネスコの世界遺産に登録
10・1　ハノイ建都1000周年
12・18　**中東・北アフリカ諸国での民主化運動「アラブの春」はじまる**
2011・1・19　ベトナム共産党第11回党大会、グエン・フー・チョンを書記長に選出
3・11　**日本で、東日本大震災**
3・21　第12期第9回国会で、グエン・タン・ズンを首相に選出
5・22　国会議員選挙で、独立候補の当選4人、投票率99.51%
7・26　第13期第1回国会で、グエン・タン・ズン首相が再任
2012・4・18　JVEPAに基づき、ベトナムからの看護師・介護福祉士候補者の受け入れ決定
7・2　ベトナム海洋法公布、南沙諸島・西沙諸島の領有権を主張
7・2　**中国、南沙諸島・西沙諸島・中沙諸島を含めた三沙市を設置**
8・2　ホーチミン市都市鉄道(地下鉄)、着工
12・11　国会常務委員会、政府首脳や高級幹部に対する国会による信任投票の実施を決定
2013・1・3　憲法草案への国民の意見聴取が開始
6・10　政府首脳や高級幹部に対する国会による信任

投票が実施(毎年1回実施に)

11・10　国連人権理事会理事国に選出

11・28　国会で、改正1992年憲法(2013年憲法)を採択

11・29　国会で、改正土地法が成立。土地使用権が20年から50年に。

2014・5・11　ハノイ、ホーチミン市などで、過去最大規模の反中デモ

6・6　日本・ベトナム経済連携協定によるベトナム人看護師・介護福祉士第1期生が渡日

10・5　国会議事堂、ハノイのバディン地区に完成

2015・5・18　ホー・チ・ミン生誕125周年(5月19日)記念式典、ハノイで開催

2016・1・27　ベトナム共産党第12回党大会、グエン・フー・チョンが書記長に再選

3・8　カムラン国際港の開港式典開催

4・7　第13期第11回国会で、グエン・スアン・フックを首相に選出

5・22　国会議員選挙で、独立候補の当選2人、投票率98・77%

5・23　オバマ米大統領、ベトナムを訪問。武器禁輸措置の全面解除を表明

7・29　第14期第1回国会で、グエン・スアン・フック首相が再選

9・9　ベトナム国家大学ハノイ校日越大学(日越大学)、ハノイに開校

2017・2・28　日本の天皇皇后両陛下、ベトナムを訪問

2018・9・21　チャン・ダイ・クアン国家主席が死去

10・23　グエン・フー・チョン書記長が国家主席を兼務

2019・2・27　**米朝首脳会談(ハノイ会談)、ハノイで開催**

6・7　国連安全保障理事会非常任理事国に選出(任期は、2020年1月から2年間)

8・30　ホー・チ・ミン主席の50回目の命日(9月2日)を記念する式典、ハノイで開催

10・22　グエン・スアン・フック首相、日本を訪問。天皇即位の儀に参列

12・8　**新型コロナウイルス感染症**(COVID–19)、**中国武漢市で発生。世界的パンデミックに**

2020・1・23　初の新型コロナウイルス感染者2人(中国人)を確認

1・30　初のベトナム人の新型コロナウイルス感染者3人を確認

7・30　新型コロナウイルス感染症、感染者累計420件、死者数0人

7・31　新型コロナウイルス感染症、ホイアンで、国内初の死亡例

12・31　新型コロナウイルス感染症、感染者累計1457件、死者数35人

2021・1・25　ベトナム共産党第13回党大会、グエン・フー・チョンが書記長に3選

4・5　第14期第11回国会で、ファム・ミン・チンを首相に選出

5・23　国会議員選挙で、独立候補の当選4人、投票率98・43％

7・26　第15期第1回国会で、ファム・ミン・チン首相が再選

8・31　**アフガニスタンから米軍が撤退。アメリカの最も長い戦争が終結**

11・6　ハノイ市都市鉄道（メトロ2A線）開通

12・31　新型コロナウイルス感染症、感染者累計171万4742人、死者数3万2168人

（遠藤　聡）

現代ベトナムを知るための63章【第3版】参考文献

I　概説書、事典、アーカイヴ

●一般向け概説書

今井昭夫、岩井美佐紀編著『現代ベトナムを知るための60章』明石書店、2004年。

今井昭夫、岩井美佐紀編著『現代ベトナムを知るための60章（第2版）』明石書店、2012年。

ヴー・ティ・フン、グエン・ヴァン・ハム、グエン・レ・ニュン（伊澤亮介訳）『ベトナムアーカイブズの成立と展開――阮朝期・フランス植民地期・そして1945年から現在まで』ビスタ ピー・エス、2016年。

柿崎一郎『東南アジアを学ぼう――「メコン圏」入門』ちくまプリマー新書、2011年。

桜井由躬雄編『もっと知りたいベトナム』弘文堂、1995年（初版：1989年）。

坪井善明編『ヴェトナム』（暮らしがわかるアジア読本）河出書房新社、1995年。

古田元夫『アジアの基礎知識4　ベトナムの基礎知識』めこん、2017年。

●子ども向け概説書、ヴィジュアル中心の概説書

鎌澤久也『ベトナム――ふたごのソンとチュン』（世界のともだち11）偕成社、2014年。

●事典

石井米雄監修、桜井由躬雄、桃木至朗編『ベトナムの事典』（東南アジアを知るシリーズ）同朋舎、1999年。

池端雪浦ほか編『東南アジアを知る事典』平凡社、2008年。

華僑華人の事典編集委員会編『華僑華人の事典』丸善出版、2017年。

信田敏宏ほか編『東南アジア文化事典』丸善出版、2019年。

桃木至朗他編集『東南アジアを知る事典』新版、平凡社、2008年（初版：1986年）。

Ⅱ　地理、環境、生態

伊藤毅編『フエ――Ｈｕｅ ベトナム都城と建築』中央公論美術出版、２０１８年。

石井米雄著、横山良一写真『メコン』めこん、１９９５年。

生方史数編『森のつくられかた』共立出版、２０２１年。

大塚啓二郎『消えゆく森の再生学――アジア・アフリカの現地から』講談社現代新書、１９９９年。

川口敏彦『メコン川物語――かわりゆくインドシナから』文英堂、２００３年。

京都大学東南アジア研究センター『事典　東南アジア――風土・生態・環境』弘文堂、１９９７年。

日本ベトナム研究者会議編『アジア文化叢書10　海のシルクロードとベトナム』穂高書店、１９９３年。

春山成子『自然と共生するメコンデルタ』（日本地理学会『海外地域研究叢書』7）古今書院、２００９年。

春山成子、藤巻正己、野間晴雄編『東南アジア』（朝倉世界地理講座3）朝倉書店、２００９年。

堀博『メコン河――開発と環境』古今書院、１９９６年。

松本悟『メコン河開発――21世紀の開発援助』築地書館、１９９７年。

Ⅲ　歴史

●　東南アジアとベトナム

荒川正晴、大黒俊二ほか『岩波講座　世界歴史04――南アジアと東南アジア ～15世紀』岩波書店、２０２２年。

荒川正晴、大黒俊二ほか『岩波講座　世界歴史12――東アジアと東南アジアの近世 15～18世紀』岩波書店、２０２２年。

アンソニー・リード（平野秀明、田中優子訳）『大航海時代の東南アジア１４５０－１６８０（１）貿易風の下で』法政大学出版会、１９９７年。

アンソニー・リード（平野秀明、田中優子訳）『大航海時代の東南アジア１４５０－１６８０（２）拡張と危機』法政大学出版会、２００２年。

アンソニー・リード（太田淳、長田紀之監訳、青山和佳、今村真央、蓮田隆志訳）『世界史のなかの東南アジア――歴史を変える交差路（上）』名古屋大学出版会、２０２１年。

アンソニー・リード（太田淳、長田紀之監訳、青山和佳、今村真央、蓮田隆志訳）『世界史のなかの東南アジア――歴史を変える交差路（下）』名古屋大学出版会、２０２１年。

池端雪浦編『変わる東南アジア史像』山川出版社、１９９４年。

石井米雄、辛島昇、和田久徳編著『東南アジア世界の歴史的位相』東京大学出版会、１９９２年。

石井米雄、桜井由躬雄編『東南アジア史Ⅰ　大陸部』（新版世界各国史5)山川出版社、1999年。

石澤良昭、生田滋『東南アジアの伝統と発展』(世界の歴史13)中公文庫、2009年(初版:1998年)。

岩崎育夫『入門 東南アジア近現代史』(講談社現代新書)講談社、2017年。

『岩波講座 東南アジア史』全9巻+別巻、岩波書店、2001~2003年。

『岩波講座 東アジア近現代通史』全10巻+別巻、岩波書店、2010~2011年。

桐山昇、根本敬、栗原浩英『東南アジアの歴史——人・物・文化の交流史』有斐閣アルマ、2003年。

桐山昇、根本敬、栗原浩英『東南アジアの歴史——人・物・文化の交流史(新版)』有斐閣、2019年。

桜井由躬雄『緑色の野帖——東南アジアの歴史を歩く』めこん、1997年。

桜井由躬雄『東南アジアの歴史』放送大学教育振興会、2002年。

桜井由躬雄『前近代の東南アジア』放送大学教育振興会、2006年。

桜井由躬雄、石澤良昭『東南アジア現代史Ⅲ ヴェトナム・カンボジア・ラオス』(世界現代史7)山川出版社、1977年。

桜井由躬雄、桐山昇、石澤良昭『東南アジア』(地域からの世界史4)朝日新聞社、1993年。

ジェームズ・C・スコット(佐藤仁監訳)『ゾミア——脱国家の世界史』みすず書房、2013年。

古田元夫『東南アジア史10講』岩波新書、2021年。

桃木至朗『歴史世界としての東南アジア』(世界史リブレット12)山川出版社、1996年。

桃木至朗編『海域アジア史研究入門』岩波書店、2008年。

歴史学研究会編『世界史史料3 東アジア・内陸アジア・東南アジアⅠ——10世紀まで』岩波書店、2009年。

歴史学研究会編『世界史史料4 東アジア・内陸アジア・東南アジアⅡ——10-18世紀』岩波書店、2010年。

歴史学研究会編『世界史史料9 帝国主義と各地の抵抗Ⅱ——東アジア・内陸アジア・東南アジア・オセアニア』岩波書店、2008年。

●ベトナムの歴史全般

小倉貞男『物語 ヴェトナムの歴史——一億人国家のダイナミズム』中公新書、1997年。

小倉貞男『ヴェトナム——歴史の旅』朝日選書、2002年。

ジャン・シェノー(斎藤玄、立花誠逸訳)『ベトナム民族形成史』理論社、1970年。

ファン・ゴク・リエン監修(今井昭夫監訳、伊藤悦子、小川有子、坪井未来子訳)『ベトナムの歴史——ベトナム中学校歴史教科書』(世界の教科書シリーズ21)明石書店、2008年。

ベトナム社会主義共和国教育省編(吉沢南、古田元夫編訳)『世界の教科書＝歴史　ベトナム』1・2、ほるぷ出版、1985年。
松本信広『ベトナム民族小史』岩波新書、1969年。

●古代史、中世史、近世史

上田新也『近世ベトナムの政治と社会』大阪大学出版会、2019年。

俵寛司『脱植民地主義のベトナム考古学――「ベトナムモデル」「中国モデル」を超えて』風響社、2014年。

チャンキィ・フォン（重枝豊訳）『チャンパ遺跡――海に向かって立つ』連合出版、1997年。

西村昌也『ベトナムの考古・古代学』同成社、2011年。

樋口英夫『風景のない国・チャンパ王国――残された末裔を追って』平河出版社、1995年。

土方美雄『北のベトナム、南のチャンパ――ベトナム・遠い過去への旅』新評論、2001年。

深山絵実梨『東南アジア先史時代の海域ネットワーク――南海の耳飾』雄山閣、2021年。

桃木至朗『中世大越国家の成立と変容』大阪大学出版会、2011年。

桃木至朗、重枝豊、樋口英夫『チャンパ――歴史・末裔・建築』めこん、1999年。

八尾隆生『黎初ヴェトナムの政治と社会』広島大学出版会、2009年。

山本達郎編『ベトナム中国関係史――曲氏の抬頭から清仏戦争まで』山川出版社、1975年。


【日越関係】


小倉貞男『朱印船時代の日本人――消えた東南アジア日本町の謎』中公新書、1989年。

菊池誠一『ベトナム日本町の考古学』高志書院、2003年。

菊池誠一、阿部百里子編『海の道と考古学――インドシナ半島から日本へ』高志書院、2010年。

櫻井清彦、菊池誠一編『近世日越交流史――日本町・陶磁器』柏書房、2002年。

安間幸甫『蘇る日越史――仏印ベトナム物語の一〇〇年』文芸社、2021年。

●近現代史（ベトナム戦争史は次項目参照）

アジア・アフリカ研究所編『資料　ベトナム解放史』全3巻、労働旬報社、1970〜1971年。

今川瑛一『東南アジア現代史――世界恐慌前夜から独立闘争の時代』新装版、亜紀書房、1999年。

今川瑛一『続　東南アジア現代史――冷戦から脱冷戦の時代』亜紀書房、1999年。

小田なら『〈伝統医学〉が創られるとき――ベトナム医療政策史』京都大学学術出版会、2022年。

栗原浩英『コミンテルン・システムとインドシナ共産党』東京大学出版会、２００５年。

小沼新『ベトナム民族解放運動史――ベトミンから解放戦線へ』法律文化社、１９８８年。

二村淳子『ベトナム近代美術史――フランス支配下の半世紀』原書房、２０２１年。

真保潤一郎『ベトナム現代史――帝国主義下のインドシナ研究序説』増補版、春秋社、１９７８年（初版：１９６８年）。

関本紀子『はかりとものさしのベトナム史――植民統治と伝統文化の共存』（ブックレット《アジアを学ぼう》20）風響社、２０１０年。

高田洋子『メコンデルタ――フランス植民地時代の記憶』新宿書房、２００９年。

高田洋子『メコンデルタの大土地所有――無主の土地から多民族社会へ　フランス植民地主義の八〇年』、京都大学学術出版会、２０１４年。

田中明彦、川島真編『20世紀の東アジア史』東京大学出版会、２０２０年。

坪井善明『近代ベトナム政治社会史――阮朝嗣徳帝統治下のヴェトナム　１８４７-１８８３』東京大学出版会、１９９１年。

ファム・カク・ホエ（白石昌也訳）『ベトナムのラスト・エンペラー』（20世紀メモリアル）平凡社、１９９５年。

チャールズ・フェン（陸井三郎訳）『ホー・チ・ミン伝』上下、岩波新書、１９７４年。

バーナード・フォール（高田市太郎訳）『二つのベトナム』毎日新聞社、１９６６年。

古田元夫『ベトナムから見た中国』日中出版、１９７９年。

古田元夫『ベトナムの世界史――中華世界から東南アジア世界へ』東京大学出版会、１９９５年。

古田元夫『ホー・チ・ミン――民族解放とドイモイ』（現代アジアの肖像10）岩波書店、１９９６年。

古田元夫『アジアのナショナリズム』（世界史リブレット42）山川出版社、１９９６年。

古田元夫『増補新装版ベトナムの世界史――中華世界から東南アジア世界へ』東京大学出版会、２０１５年。

油井大三郎、古田元夫『第二次世界大戦から米ソ対立へ』（世界の歴史28）中公文庫、２０１０年（初版：１９９８年）。

吉沢南『ベトナム――現代史のなかの諸民族』朝日新聞社、１９８２年。

吉沢南『ハノイで考える』東京大学出版会、１９８５年。

吉沢南『個と共同体――アジアの社会主義』（新しい世界史９）東京大学出版会、１９８７年。

ジャン・ラクチュール（吉田康彦、伴野文夫訳）『ベトナムの星――ホー・チ・ミンと指導者たち』サイマル出版会、１９６８年。

【日越関係】

石川達三『包囲された日本――仏印進駐誌』集英社、1979年。

小松みゆき『動きだした時計――ベトナム残留日本兵とその家族』めこん、2020年。

早乙女勝元『ベトナム200万人餓死の記録――1945年日本占領下で』大月書店、1993年。

白石昌也『ベトナム民族運動と日本・アジア――ファン・ボイ・チャウの革命思想と対外認識』巌南堂書店、1993年。

森達也『ベトナムから来たもう一人のラストエンペラー』角川書店、2003年。

吉沢南『戦争拡大の構図――日本軍の「仏印進駐」』青木書店、1986年。

吉沢南『ベトナムの日本軍――キムソン村襲撃事件』(証言　昭和史の断面)岩波ブックレット、1993年。

吉沢南『私たちの中のアジアの戦争――仏領インドシナの「日本人」』有志舎、2010年(初版:1986年)。

●ベトナム戦争史

【ベトナム戦争史全般、冷戦とベトナム戦争】

遠藤聡『ベトナム戦争を考える――戦争と平和の関係』明石書店、2005年。

小倉貞男『ドキュメント　ヴェトナム戦争全史』岩波現代文庫、2005年(初版:1992年)。

陸井三郎編『資料　ベトナム戦争』上下、紀伊國屋書店、1969年。

ガブリエル・コルコ(陸井三郎、藤本博、藤田和子、古田元夫訳)『ベトナム戦争全史――歴史的勝利の解剖』社会思想社、2001年。

清水知久『ベトナム戦争の時代――戦車の闇・花の光』有斐閣新書、1985年。

谷川榮彦編著『ベトナム戦争の起源』勁草書房、1984年。

中野亜里編『ベトナム戦争の「戦後」』めこん、2005年。

松岡完『ベトナム戦争――誤算と誤解の戦場』中公新書、2001年。

古田元夫『歴史としてのベトナム戦争』大月書店、1991年。

ベトナム戦争の記録編集委員会編『ベトナム戦争の記録』大月書店、1988年。

吉沢南『同時代史としてのベトナム戦争』有志舎、2010年。

【ベトナム人にとってのベトナム戦争】

今井昭夫、岩崎稔編『記憶の地層を掘る――アジアの植民地支配と戦争の語り方』御茶の水書房、2010年。

ヴォー・グエン・ザップ(真保潤一郎、三宅蕗子訳)『人民の戦争・人民の軍隊――ヴェトナム人民軍の戦略・戦術』中公文庫、2002年。

大石芳野『ベトナムは、いま――十年後のベトナム戦争』講談社文庫、1985年。

大石芳野『闘った人びと――ベトナム戦争を過ぎて』講談社文庫、1988年(初版:1984年。初版タイトルは『証言する民』）。

小高泰『ベトナム人民軍隊――知られざる素顔と軌跡』暁印書館、2006年。

川本邦衛『南ベトナム政治犯の証言』岩波新書、1974年。

グエン・ゴック（鈴木勝比古訳）『ベトナム戦争の最激戦地中部高原の友人たち』めこん、2021年。

タイン・ティン（中川明子訳）『ベトナム革命の内幕』めこん、1997年。

タイン・ティン（中川明子訳）『ベトナム革命の素顔』めこん、2002年。

ダン・トゥイー・チャム（髙橋和泉訳）『トゥイーの日記』経済界、2008年。

チュオン・ニュ・タン（吉本晋一郎訳）『ベトコン・メモワール――解放された祖国を追われて』原書房、1986年。

友田錫『裏切られたベトナム革命――チュン・ニュー・タンの証言』中公文庫、1986年。

ウィルフレッド・G・バーチェット（中野好夫訳）『17度線の北――ヴェトナムの戦争と平和』上下、岩波新書、1957年。

ウィルフレッド・G・バーチェット（真保潤一郎訳）『解放戦線』みすず叢書、1964年。

福田忠弘『ベトナム北緯17度線の断層――南北分断と南ベトナムにおける革命運動（1954-1960）』成文堂、2006年。

藤えりか『「ナパーム弾の少女」五〇年の物語』講談社、2022年。

ボー・グエン・ザップ（中野亜里訳）『忘れられない年月――フー・マイによる聞き書き』（アジア文化叢書5）穂高書店、1992年。

吉澤南『ベトナム戦争――民衆にとっての戦場』（歴史文化セレクション）吉川弘文館、2009年（初版：1999年）。

レ・カオ・ダイ（古川久雄訳）『ホーチミン・ルート従軍記――ある医師のベトナム戦争　1965-1973』岩波書店、2009年。


【戦争犯罪、生態系破壊、健康被害】


大石芳野『あの日、ベトナムに枯葉剤がふった――戦争の傷あとを見つめつづけた真実の記録』（くもんのノンフィクション・愛のシリーズ23）くもん出版、1992年。

北村元『アメリカの化学戦争犯罪――ベトナム戦争枯れ葉剤被害者の証言』（教科書に書かれなかった戦争47）梨の木舎、2005年。

ストックホルム国際平和研究所編（岸由二、伊藤嘉章訳）『ベトナム戦争と生態系破壊』岩波現代選書、1979年。

中村悟郎『母は枯葉剤を浴びた――ダイオキシンの傷あと』新版、岩波現代文庫、2005年（初版：1983年）。

森川金壽『ベトナムにおけるアメリカ戦争犯罪の記録』三一書房、1977年。

レ・カオ・ダイ（尾崎望監訳）『ベトナム戦争におけるエージェントオレンジ――歴史と影響』文理閣、2004年。

【アメリカとベトナム戦争】

赤木完爾『ヴェトナム戦争の起源――アイゼンハワー政権と第一次インドシナ戦争』慶應通信、１９９１年。

生井英考『ジャングル・クルーズにうってつけの日――ヴェトナム戦争の文化とイメージ』新版、三省堂、２０００年（初版：１９８７年）。

生井英考『負けた戦争の記憶――歴史のなかのヴェトナム戦争』三省堂、２０００年。

陸井三郎編訳『ベトナム帰還兵の証言』岩波新書、１９７３年。

ニール・シーハン（菊谷匡祐訳）『輝ける嘘』上下、集英社、１９９２年。

ニール・シーハン（菊谷匡祐訳）『ハノイ&サイゴン物語』集英社、１９９３年。

白井洋子『ベトナム戦争のアメリカ――もう一つのアメリカ史』（刀水歴史全書75）刀水書房、２００６年。

寺地功次『アメリカの挫折――「ベトナム戦争」前史としてのラオス紛争』めこん、２０２１年。

マリタ・スターケン（岩崎稔他訳）『アメリカという記憶――ベトナム戦争、エイズ、記念碑的表象』未來社、２００４年。

デイヴィッド・ハルバースタム（浅野輔訳）『ベスト&ブライテスト』全３巻、朝日文庫、１９９９年（初版：１９７６年）。

デイビッド・ハルバースタム（藤本博解説、泉鴻之・林雄一郎訳）『ベトナムの泥沼から（新装版）』みすず書房、２０１９年。

東大作『我々はなぜ戦争をしたのか――米国・ベトナム　敵との対話』平凡社ライブラリー、２０１０年（初版：２０００年）。

藤本博『ヴェトナム戦争研究――「アメリカの戦争」の実相と戦争の克服』法律文化社、２０１４年。

ジョージ・ヘリング（秋谷昌平訳）『アメリカの最も長い戦争』上下、講談社もんじゅ選書、１９８０年。

ニューヨーク・タイムス編（杉辺利英訳）『ベトナム秘密報告――米国防総省の汚ない戦争の告白録』上下、サイマル出版会、１９７２年。

ロバート・S・マクナマラ（仲晃訳）『マクナマラ回顧録――ベトナムの悲劇と教訓』共同通信社、１９９７年。

ロバート・S・マクナマラ編著（仲晃訳）『果てしなき論争――ベトナム戦争の悲劇を繰り返さないために』共同通信社、２００３年。

松岡完『ダレス外交とインドシナ』同文舘出版、１９８８年。

松岡完『１９６１　ケネディの戦争――冷戦・ベトナム・東南アジア』朝日新聞社、１９９９年。

松岡完『ベトナム症候群――超大国を苛む「勝利」への強迫観念』中公新書、２００３年。

松岡完『ケネディと冷戦――ベトナム戦争とアメリカ外交』彩流社、２０１２年。

松岡完『ケネディとベトナム戦争――反乱鎮圧戦略の挫折』錦正社、２０１３年。

三野正洋『わかりやすいベトナム戦争――アメリカを揺るがせた15年戦争の全貌（光人社ＮＦ文庫）』潮書房光人新社、

２０１９年。

【アジア諸国とベトナム戦争】

伊藤正子『戦争記憶の政治学——韓国軍によるベトナム人戦時虐殺問題と和解への道』平凡社、２０１３年。

金賢娥（安田敏朗訳）『戦争の記憶　記憶の戦争——韓国人のベトナム戦争』三元社、２００９年。

朱建栄『毛沢東のベトナム戦争——中国外交の大転換と文化大革命の起源』東京大学出版会、２００１年。

瀬戸裕之、河野泰之編著『東南アジア大陸部の戦争と地域住民の生存戦略——避難民・女性・少数民族・投降者からの視点』明石書店、２０２０年。

朴根好『韓国の経済発展とベトナム戦争』御茶の水書房、１９９３年。

【日本とベトナム戦争】

小田実『「ベ平連」——回顧録でない回顧』第三書館、１９９５年。

小田実『ベトナムから遠く離れて』全3巻、講談社、１９９１年。

小田実『「ベトナム以後」を歩く』岩波新書、１９８４年。

トーマス・R・H・ヘイブンズ（吉川勇一訳）『海の向こうの火事——ベトナム戦争と日本　１９６５〜１９７５』筑摩書房、１９９０年。

吉沢南『ベトナム戦争と日本』（シリーズ昭和史12）岩波ブックレット、１９８８年。

吉沢南『同時代史としてのベトナム戦争』有志舎、２０１０年。

吉沢南監修『ベトナム戦争——新聞集成』上下、大空社、１９９０年。

油井大三郎『平和を我らに——越境するベトナム反戦の声』岩波書店、２０１９年。

《日本のジャーナリズム、論壇》

石川文洋『戦場カメラマン』朝日文庫、１９８６年。

石川文洋『戦争と人間——フォトドキュメント・ベトナム』創和出版、１９８９年。

石川文洋『報道カメラマン』朝日文庫、１９９１年。

石川文洋『写真記録ベトナム戦争』金曜日、１９９６年。

石川文洋『ベトナムロード——戦争史をたどる２３００キロ』平凡社ライブラリー、１９９７年。

石川文洋『ベトナム戦争と平和』（カラー版）岩波新書、２００５年。

岡村昭彦『南ヴェトナム戦争従軍記』正・続、岩波新書、１９６５〜１９６６年。

開高健『輝ける闇』新潮文庫、１９８２年（初版：１９６８年）。

開高健『夏の闇』新潮文庫、１９８３年（初版：１９７２年）。

開高健『ベトナム戦記』朝日文庫、１９９０年（初版：１９６５年）。

開高健『サイゴンの十字架』（開高健ルポルタージュ選集）光文社文庫、２００８年（初版：１９７３年）。

古森義久『ベトナム報道１３００日――ある社会の終焉』講談社文庫、１９８５年（初版：１９７８年）。

古森義久『ベトナムの記憶――戦争と革命とそして人間』ＰＨＰ研究所、１９９５年。

近藤紘一『サイゴンから来た妻と娘』文春文庫、１９８１年（初版：１９７８年）。

近藤紘一『サイゴンのいちばん長い日』文春文庫、１９８５年（初版：１９７５年）。

近藤紘一『戦火と混迷の日々――悲劇のインドシナ』文春文庫、１９８７年（初版：１９７９年）。

沢田サタ著、沢田教一写真『泥まみれの死――沢田教一ベトナム写真集』講談社文庫、１９８５年（初版：１９７１年）。

沢田サタ著、沢田教一写真『沢田教一――ベトナム戦争』改訂版、くれせんと、２００１年（初版：１９８９年）。

平敷安常『キャパになれなかったカメラマン――ベトナム戦争の語り部たち』上下、講談社、２００８年。

平敷安常『サイゴンハートブレーク・ホテル――日本人記者たちのベトナム戦争』講談社、２０１０年。

本多勝一『ベトナムはどうなっているのか？』朝日新聞社、１９７７年。

本多勝一『戦場の村』朝日文庫、１９８１年（初版：１９６８年）。

本多勝一『殺される側の論理』朝日文庫、１９８２年（初版：１９７１年）。

本多勝一『北爆の下』（本多勝一集11）朝日新聞社、１９９５年。

本多勝一『ベトナムの戦後を行く』（本多勝一集13）朝日新聞社、１９９７年。

牧久『サイゴンの火焔樹――もうひとつのベトナム戦争』ウェッジ、２００９年。

丸山静雄『ベトナム――その戦いと平和』朝日新聞社、１９７４年。

丸山静雄『ベトナム解放』朝日選書、１９７５年。

丸山静雄『論説委員――ベトナム戦争をめぐって』筑摩書房、１９７７年。

丸山静雄『インドシナ物語』講談社、１９８１年。

丸山静雄編『ベトナム戦争』（ドキュメント現代史14）平凡社、１９７２年。

Ⅳ　社会と文化

荒神衣美編『多層化するベトナム社会 （研究双書）』アジア経済研究所、２０１８年。

チャン・トゥアン（橋本和孝訳）『ベトナム南部――歴史・文化・伝統』ビスタ ピー・エス、２０２１年。

寺本実、岩井美佐紀、竹内郁雄、中野亜里『現代ベトナムの国家と社会――人々と国の関係性が生み出す「ドイモイ」のダイナミズム』明石書店、２０１１年。

寺本実『ベトナムの社会誌――ドイモイ期の記憶の断片（風響社

ブックレット）』風響社、２０２０年。

● 都市と農村、人びとの暮らし

岩井美佐紀、大野美紀子、大田省一『ベトナム「新経済村」の誕生』神田外語大学出版局、２０１６年。

大田省一著、増田彰久写真『建築のハノイ——ベトナムに誕生したパリ』白揚社、２００６年。

桜井由躬雄『ベトナム村落の形成——村落共有田＝コンディエン制の史的展開』（東南アジア研究叢書21）創文社、１９８７年。

桜井由躬雄『ハノイの憂鬱』めこん、１９８９年。

下條尚志『戦争と難民——メコンデルタ多民族社会のオーラル・ヒストリー』風響社、２０１６年。

下條尚志『国家の余白——メコンデルタ　生き残りの社会史』京都大学学術出版会、２０２１年。

竹沢尚一郎編『アジアの社会と近代化——日本・タイ・ベトナム』（アジア太平洋センター研究叢書６）日本エディタースクール出版部、１９９８年。

トゥオン・ミン・ズク、レ・ヴァン・ディン『ベトナムの都市化とライフスタイルの変遷』ビスタ　ピー・エス、２０２１年。

道明三保子、田村照子編『アジアの風土と服飾文化』放送大学教育振興会、２００４年。

友田博通編『ベトナム町並み観光ガイド』岩波アクティブ新書、２００３年。

中野亜里『ベトナム——「工業化・近代化」と人々の暮らし』（新アジア生活文化読本）三修社、１９９８年。

皆川一夫『ベトナムのこころ——しなやかさとしたたかさの秘密』めこん、１９９７年。

吉井美和子『立ち上がるベトナム市民とＮＧＯ』明石書店、２００９年。

● 女性、ジェンダー、家族、親族

江原裕美編著『国際移動と教育——東アジアと欧米諸国の国際移民をめぐる現状と課題』明石書店、２０１１年。

京樂真帆子『英雄になった母親戦士——ベトナム戦争と戦後顕彰』有志舎、２０１４年。

村田文教『女たちのベトナム』めこん、１９９９年。

レ・ティ・ニャム・トゥエット（片山須美子訳）『ベトナム女性史——フランス植民地時代からベトナム戦争まで』（アジア現代女性史８）明石書店、２０１０年。

● 少数民族

伊藤正子『増補改訂版　エスニシティ〈創生〉と国民国家ベトナム——中越国境地域タイー族・ヌン族の近代』三元社、２０２２年。

伊藤正子『民族という政治——ベトナム民族分類の歴史と現在』三元社、２００８年。

樫永真佐夫『東南アジア年代記の世界——黒タイの「クアム・トー・ムオン」』(ブックレット《アジアを学ぼう》2)風響社、２００７年。

樫永真佐夫『ベトナム黒タイの祖先祭祀——家霊簿と系譜認識をめぐる民族誌』風響社、２００９年。

菊池一雅『ベトナムの少数民族』古今書院、１９８８年。

菊池一雅『インドシナの少数民族社会誌』大明堂、１９８９年。

志賀市子編『潮州人——華人移民のエスニシティと文化をめぐる歴史人類学』風響社、２０１８年。

新江利彦『ベトナムの少数民族定住政策史』風響社、２００７年。

チャンヴェトキーン編(本多守訳)『ヴェトナム少数民族の神話——チャム族の口承文芸』明石書店、２０００年。

塚田誠之編『民族の移動と文化の動態——中国周縁地域の歴史と現在』風響社、２００３年。

塚田誠之編『中国国境地域の移動と交流——近現代中国の南と北』(人間文化叢書　ユーラシアと日本　交流と表象)有志舎、２０１０年。

古田元夫『ベトナム人共産主義者の民族政策史——革命の中のエスニシティ』大月書店、１９９１年。

●在外ベトナム人

岡田雅志『越境するアイデンティティ——黒タイの移住の記憶をめぐって』(ブックレット《アジアを学ぼう》32) 風響社、２０１４年。

川上郁雄『越境する家族——在日ベトナム系住民の生活世界』明石書店、２００１年。

戸田佳子『日本のベトナム人コミュニティ——一世の時代、そして今』暁印書館、２００１年。

古屋博子『アメリカのベトナム人——祖国との絆とベトナム政府の政策転換』明石書店、２００９年。

レ・フー・コア(山井徳行、池田年穂、藤田康子、藤田衆訳)『フランスのベトナム人』西北出版、１９８９年。

●学校教育、社会福祉、セーフティーネット

伊藤未帆『少数民族教育と学校選択——ベトナム—「民族」資源化のポリティクス』京都大学出版会、２０１４年。

潮木守一『ベトナムにおける初等教育の普遍化政策』明石書店、２００８年。

黒田学『ベトナムの障害者と発達保障——障害者と福祉・教育の実態調査を通じて』文理閣、２００６年。

黒田学、津止正敏、向井啓二、藤本文朗編『胎動するベトナムの教育と福祉——ドイモイ政策下の障害者と家族の実態』文理閣、２００３年。

小山道夫『火焔樹の花——ベトナム・ストリート・チルドレン物語』小学館、１９９９年。

関口洋平『ベトナム高等教育の構造——国家の管理と党の領導』東

信堂、２０１９年。

吉井美知子『立ち上がるベトナムの市民とＮＧＯ——ストリートチルドレンのケア活動から』明石書店、２００９年。

●宗教、信仰、社会儀礼

板垣明美編『ヴェトナム——変化する医療と儀礼』春風社、２００８年。

北澤直宏『ベトナムのカオダイ教——新宗教と20世紀の政教関係』風響社、２０２１年。

末成道男『ベトナムの祖先祭祀——潮曲の社会生活』風響社、１９９８年。

武内房司編著『越境する近代東アジアの民衆宗教——中国・台湾・香港・ベトナム、そして日本』明石書店、２０１１年。

宮沢千尋編『社会変動と宗教の「再選択」——ポスト・コロニアル期の人類学研究』（南山大学人類学研究所叢書８）風響社、２００９年。

●食文化、料理

木村一膳『ヌクマムの香り　パパイヤの味——ベトナム食紀行』日本放送出版協会、２００２年。

木村聡『米旅・麺旅のベトナム』弦書房、２０１９年。

銀城康子文、バンジャマン・レイス絵『ベトナムのごはん』（絵本世界の食事13）農山漁村文化協会、２００８年。

ファム・ドゥック・ナム、グエン・マイ・ホア、小高泰『おいしいベトナム料理』めこん、２０１１年。

森枝卓士『図説　東南アジアの食』河出書房新社、１９９７年。

森枝卓士『世界の食文化４——ベトナム・カンボジア・ラオス・ミャンマー』農山漁村文化協会、２００５年。

●言語文化

冨田健次『ヴェトナム語の世界——ヴェトナム語基本文典』大学書林、２０００年。

冨田健次『ベトナム語——はじめの一歩まえ』ＤＨＣ、２００１年。

日本漢字学会編『漢字系文字の世界——字体と造字法』花鳥社、２０２２年。

三根谷徹『越南漢字音の研究』（東洋文庫論叢53）東洋文庫、１９７２年。

三根谷徹『中古漢語と越南漢字音』汲古書院、１９９３年。

村田雄二郎、Ｃ・ラマール編『漢字圏の近代——ことばと国家』東京大学出版会、２００５年。

●音楽、演劇、映画、美術

赤松紀彦編『朝鮮半島、インド、東南アジアの詩と芸能』（芸術教養シリーズ12　アジアの芸術史　文学上演篇Ⅱ）京都造形芸術大学東北芸術工科大学出版局藝術学舎、２０１４年。

伊熊よし子『ショパンに愛されたピアニスト——ダン・タイ・ソン物

語』ヤマハミュージックメディア、２００３年。

石坂健治、夏目深雪編著『躍動する東南アジア映画――多文化・越境・連帯』論創社、２０１９年。

伊東照司『ベトナム仏教美術入門』雄山閣、２００５年。

角英夫『サイゴンの歌姫――22年ぶりの祖国』（ＮＨＫスペシャル家族の肖像）日本放送出版協会、１９９７年。

木村聡『メコンデルタの旅芸人』コモンズ、２０１９年。

田所政江『ベトナム民間版画』里文出版、２００８年。

福岡まどか、福岡正太編著『東南アジアのポピュラーカルチャー――アイデンティティ・国家・グローバル化』スタイルノート、２０１８年。

柳沢英輔『ベトナムの大地にゴングが響く』灯光舎、２０１９年。

● 文学、思想

宇戸清治、川口健一編『東南アジア文学への招待』段々社、２００１年。

川本邦衛『ベトナムの詩と歴史』文藝春秋、１９６７年。

野平宗弘『新しい意識――ベトナムの亡命思想家ファム・コン・ティエン』岩波書店、２００９年。

● 邦訳文学作品

【民話、昔話】


加茂徳治、深見久美子編訳『ベトナムの昔話』文芸社、２００３年。

坂入政生編著、小島祥子絵『語りおじさんのベトナム民話』（アジア心の民話４）星の環会、２００１年。

冨田健次編訳『ベトナムのむかし話――駱竜君と嫗姫ほか』（大人と子どものための世界のむかし話15）偕成社、１９９１年。

グエン・ズー（レ・スァン・トゥイ越英訳・脚注、佐藤清二、黒田佳子英和訳）『トゥイ・キォウの物語』吉備人出版、２００５年。


【古典文学】

檀良訳、畠山久美子挿絵『ベトナムの古典　長編詩　ビッカウキーゴ（碧溝奇遇）――仙女との愛』ヒューモアコンサートソサエティー、１９９８年。

【ベトナム戦争期の文学】


アィン・ドゥック（冨田健次訳）『ホンダット洞窟の夜明け――ベトナム戦争を支えた女性達』（アジア文化叢書３）穂高書店、１９９２年。

川本邦衛、松山納編『世界短編名作選　東南アジア編』新日本出版社、１９８１年。

グェン・ティ（高野功訳、いわさきちひろ絵）『母さんはおるす』新装版、新日本出版社、２００４年（初版：１９７２年）。

グエン・ドック・トアン（川本邦衛訳）『不屈』全４巻、新日本出版社、１９７６年。

グェン・バン・ボン（高野功訳）『白い服――サイゴンの女子学生の物語』新日本出版社、１９８０年。

ベトナムの平和と統一のために闘う在日ベトナム人の会編『ベトナムの解放文学』（すずさわ叢書５）すずさわ書店、１９７６年。

【ベトナム戦争後の文学】

加藤栄編訳『流れ星の光――現代ベトナム短編小説集』（双書　アジアの村から町から７）新宿書房、１９８８年。

加藤栄編訳『ベトナム現代短編集』１・２（アジアの現代文芸　ベトナム１・３）大同生命国際文化基金、１９９５〜２００５年。

グエン・チー・ファン（加藤栄訳）『ツバメ飛ぶ』てらいんく、２００２年。

グエン・ティ・トゥー・フエ（加藤栄訳）『魔術師』（アジア女流作家シリーズ３）紀伊國屋書店、１９９７年。

グエン・ニャット・アィン（加藤栄訳）『つぶらな瞳』てらいんく、２００４年。

ズオン・トゥー・フオン（加藤栄訳）『虚構の楽園』（現代アジアの女性作家秀作シリーズ）段々社、１９９７年。

ズオン・トゥー・フオン（石原未奈子訳）『愛と幻想のハノイ』集英社文庫、２００４年。

バオ・ニン（井川一久訳）『戦争の悲しみ』めるくまーる、１９９７年。

バオ・ニン（大川均訳）『愛は戦いの彼方へ――戦争に裂かれたキエンとフォンの物語』遊タイム出版、１９９９年。

ファム・コン・ティエン（野平宗弘訳）『新しい意識』東京外国語大学出版会、２０２２年。

ホアン・ミン・トゥオン（今井昭夫訳）『神々の時代』東京外国語大学出版会、２０１６年。

マー・ヴァン・カーン（加藤栄訳）『夏の雨――現代ベトナム長編小説』（双書　アジアの村から町から１０）新宿書房、１９９２年。

レ・リュー（加藤則夫訳）『はるか遠い日――あるベトナム兵士の回想』（アジアの現代文学16　ベトナム）めこん、２０００年。

ヴィエト・タン・ウェン（上岡伸雄訳）『シンパサイザー』（上下巻）早川書房、２０１７年。

Ｖ　現代政治

『アジア・中東動向年報』アジア経済研究所、１９８２〜１９８８年。

『アジア動向年報』アジア経済研究所、１９７０〜１９８１年、１９８９〜２０２２年。

● 司法制度

鮎京正訓『ベトナム憲法史』日本評論社、１９９３年。

鮎京正訓『法整備支援とは何か』名古屋大学出版会、２０１１年。

鮎京正訓編『アジア法ガイドブック』名古屋大学出版会、２００９年。

稲子恒夫、鮎京正訓『ベトナム法の研究』日本評論社、１９８９年。

ファン・ダン・タイン、チュオン・ティ・ホア（今井昭夫訳）『ベトナム立憲史』ビスタ ピー・エス、２０２２年。

● 国内政治、国際関係

伊藤正子、吉井美和子編著『原発輸出の欺瞞――日本とベトナム、「友好」関係の舞台裏』明石書店、2015年。

今川幸雄『ベトナムと日本――国交正常化への道』連合出版、2002年。

木村哲三郎『ベトナム――党官僚国家の新たな挑戦』(アジア現代史シリーズ5)アジア経済研究所、1996年。

木村哲三郎編『インドシナ三国の国家建設の構図』(研究双書324　アジア開発の経験と展望4)アジア経済研究所、1984年。

木村汎、グエン・ズイ・ズン、古田元夫編『日本・ベトナム関係を学ぶ人のために』世界思想社、2000年。

五島文雄、竹内郁雄編『社会主義ベトナムとドイモイ』(研究双書446)アジア経済研究所、1994年。

清水一史、田村慶子、横山豪志編著『東南アジア現代政治入門』ミネルヴァ書房、2011年。

清水一史、田村慶子、横山豪志編著『東南アジア現代政治入門(改訂版)』ミネルヴァ書房、2018年。

庄司智孝『南シナ海問題の構図――中越紛争から多国間対立へ』名古屋大学出版会、2022年。

白石昌也『ベトナム――革命と建設のはざま』(東アジアの国家と社会5)東京大学出版会、1993年。

白石昌也編著『ベトナムの国家機構』(明石ライブラリー22)明石書店、2000年。

白石昌也編著『ベトナムの対外関係――21世紀の挑戦』暁印書館、2004年。

白石昌也、竹内郁雄編『ベトナムのドイモイの新展開』(研究双書494)アジア経済研究所、1999年。

張剣波『米中和解と中越関係――中国の対ベトナム政策を中心に』社会評論社、2015年。

ナヤン・チャンダ(友田錫、滝上広水訳)『ブラザー・エネミー――サイゴン陥落後のインドシナ』めこん、1999年。

ディン・キム・フック(橋本和孝訳)『南シナ海――ベトナムからの発言』ビスタ ピー・エス、2020年。

坪井善明『ヴェトナム――「豊かさ」への夜明け』岩波新書、1994年。

坪井善明『ヴェトナム新時代――「豊かさ」への模索』岩波新書、2008年。

坪井善明『ヴェトナム現代政治』東京大学出版会、2002年。

寺本実編著『現代ベトナムの国家と社会――人々と国の関係性が生み出す〈ドイモイ〉のダイナミズム』明石書店、2011年。

寺本実編『転換期のベトナム――第11回党大会、工業国への新たな選択』(情報分析レポート17)アジア経済研究所、2012年。

中野亜里『現代ベトナムの政治と外交――国際社会参入への道』暁印書館、2006年。

中野亜里『ベトナムの人権――多元的民主化の可能性』福村出版、

２００９年。

中野亜里、遠藤聡、小高泰、玉置充子、増原綾子『入門　東南アジア現代史』福村出版、２０１０年。

中野亜里、遠藤聡、小高泰、玉置充子、増原綾子『入門　東南アジア現代政治史（改訂版）』福村出版、２０１６年。

フイ・ドゥック（中野亜里訳）『ベトナム――勝利の裏側』めこん、２０１５年。

フイ・ドゥック（中野亜里訳）『ベトナム――ドイモイと権力』めこん、２０２１年。

古田元夫『ベトナムの現在』講談社現代新書、１９９６年。

古田元夫『ドイモイの誕生――ベトナムにおける改革路線の形成過程』（シリーズ民族を問う4）青木書店、２００９年。

増原綾子、鈴木絢女、片岡樹、宮脇聡史、古谷博子『はじめての東南アジア政治』有斐閣ストゥディア、２０１８年。

松本三郎、川本邦衛編著『ベトナムと北朝鮮――岐路に立つ二つの国』大修館書店、１９９５年。

三尾忠志編『インドシナをめぐる国際関係――対決と対話』（国際研究叢書36）日本国際問題研究所、１９８８年。

三尾忠志編『ポスト冷戦のインドシナ』（ＪＩＩＡ選書3）日本国際問題研究所、１９９３年。

Ⅵ　経済、ビジネス

● 市場経済化、制度改革、産業発展

石川滋、原洋之介編『ヴィエトナムの市場経済化』東洋経済新報社、１９９９年。

江橋正彦編著『21世紀のベトナム――離陸への条件』日本貿易振興会、１９９８年。

グエン・スアン・オアイン（丹野勲、中山健、丹野真紀子、牛丸元、薄上二郎訳）『概説ベトナム経済――アジアの新しい投資フロンティア』有斐閣選書、１９９５年。

グエン・スアン・オアイン（白石昌也監訳、那須川敏之、本多美樹訳）『ベトナム経済――21世紀の新展開』（明石ライブラリー54）明石書店、２００３年。

グエン・スアン・オアイン著（片岡利昭訳）『ドイモイよ蘇れ　ゆたかな社会をめざして――発展的ドイモイの提言』ビスタ ピー・エス、２００３年。

グエン・ズク・キエン、チャン・ヴァン、ミヒャエル・フォンハウフ、グエン・ホン・タイ（チャン・ティ・ホン・キー訳）『後発者の利を活用した持続可能な発展――ベトナムからの視点　ホップ・ステップ・ジャンプ』ビスタ ピー・エス、２０１６年。

関口末夫、トラン・ヴァン・トゥ編『現代ベトナム経済――刷新（ドイモイ）と経済建設』勁草書房、１９９２年。

竹内郁雄、村野勉編『ベトナムの市場経済化と経済開発』（研究双

書462　市場経済化2）アジア経済研究所、１９９６年。

竹内郁雄編著『ベトナムにおける「共同体」の存在と役割――現代ベトナム農村開発論』明石書店、２０２２年。

長憲次『市場経済下ベトナムの農業と農村』筑波書房、２００５年。

トラン・ヴァン・トゥ『ベトナム経済の新展開――工業化時代の始動』日本経済新聞社、１９９６年。

トラン・ヴァン・トゥ『ベトナム経済発展論――中所得国の罠と新たなドイモイ』勁草書房、２０１０年。

トラン・ヴァン・トゥ『ベトナムの工業化と深化・高度化の課題』国際貿易投資研究所、２０２２年。

矢島鈞次、窪田光純『ドイモイの国ベトナム』同文舘出版、１９９３年。

矢島鈞次、窪田光純『新ドイモイの国ベトナム』同文舘出版、１９９４年。

●グローバル経済、広域経済（ＡＳＥＡＮ、大メコン圏）

石田暁恵、五島文雄編『国際経済参入期のベトナム』（研究双書５４０）アジア経済研究所、２００４年。

石田正美編『メコン地域開発――残された東アジアのフロンティア』（アジ研選書1）アジア経済研究所、２００５年。

石田正美編『メコン地域――国境経済をみる』（アジ研選書22）アジア経済研究所、２０１０年。

大野健一、川端望編著『ベトナムの工業化戦略――グローバル化時代の途上国産業支援』日本評論社、２００３年。

川田敦相『メコン広域経済圏――インフラ整備で一体開発』勁草書房、２０１１年。

木村哲三郎『ベトナムの国際関係と経済発展』（研究双書３５９）アジア経済研究所、１９８７年。

トラン・ヴァン・トゥ、松本邦愛編著『中国‐ＡＳＥＡＮのＦＴＡと東アジア経済』文眞堂、２００７年。

細川大輔『中国‐ＡＳＥＡＮ経済圏のゆくえ――汎北部湾経済協力の視点から』（大阪経済大学研究叢書71）明石書店、２０１１年。

山田満、苅込俊二『アジアダイナミズムとベトナムの経済発展』文眞堂、２０２０年。

●企業経営、ビジネス、労働

白石昌也、糸賀了、渡辺英緒監修『ベトナムビジネスのルール――法制・投資実務・税務』日経ＢＰ出版センター、１９９５年。

鈴木岩行、谷内篤博編著『インドネシアとベトナムにおける人材育成の研究』八千代出版、２０１０年。

斉藤善久『ベトナムの労働法と労働組合』明石書店、２００７年。

坂田正三編『変容するベトナムの経済主体』（研究双書５７９）アジア経済研究所、２００９年。

丹野勲『アジアフロンティア地域の制度と国際経営――ＣＬＭＶＴ（カンボジア、ラオス、ミャンマー、ベトナム、タイ）

と中国の制度と経営環境』文眞堂、2010年。

千葉文人『リアル・ベトナム――改革・開放の新世紀』明石書店、2004年。

千葉文人『ベトナム@世代――ITで変わる意識と文化』暁印書館、2009年。

平野裕子、米野みちよ編『外国人看護師――EPAに基づく受入れは何をもたらしたのか』東京大学出版会、2021年。

松戸武彦、高田利武編著『変貌するアジアの社会心理――中国・ベトナム・日本の比較』ナカニシヤ出版、2000年。

山田美和『東アジアにおける移民労働者の法制度――送出国と受入国の共通基盤の構築に向けて』アジア経済研究所、2014年。

Ⅶ　近年の旅行記、滞在記、写真集、ジャーナリズム、コミック等

池部亮『行け！　ベトナム街道』（JETRO books 41）日本貿易振興会、1997年。

大石芳野『活気あふれて　長い戦争のあと』（アジアの子どもたち）草土文化、1997年。

大石芳野『ベトナム凛と――大石芳野写真集』講談社、2000年。

郷司正巳『ベトナム海の民』新泉社、2003年。

小松みゆき『ベトナムの風に吹かれて』KADOKAWA、2015年。

クリストファ・ハント（真野明裕訳）『バイクで駆けたヴェトナム――ホーチミン・ルート踏破の夢』河出書房新社、1997年。

ティー・ブイ（椎名ゆかり訳）『私たちにできたこと――難民になったベトナムの少女とその家族の物語』フィルムアート社、2020年。

樋口健夫『ベトナムの微笑み――ハノイ暮らしはこんなに面白い』平凡社新書、1999年。

ファン・ヴァン・キエン（伊澤亮介訳）『報道と社会批評――ドイモイ前夜・ハノイ大洪水・新幹線導入計画の事例を通して』ビスタピー・エス、2017年。


（遠藤　聡）

チャン・ティ・フエ（Tran Thi Hue）［56］
神戸女子大学文学部国際教養学科専任講師

ド・マン・ホーン（Do Manh Hong）［57］
桜美林大学ビジネスマネジメント学群教授

カオ・ティ・キャン・グエット（Cao Thi Khanh Nguyet）［58］
京都先端科学大学経済経営学部准教授・京都大学東南アジア地域研究研究所連携准教授

比留間洋一（ひるま・よういち）［61］
静岡大学国際連携推進機構特任准教授

瀬戸徐映里奈（せと・そ・えりな）［62］
近畿大学人権問題研究所講師

長坂康代（ながさか・やすよ）［63］
敬和学園大学人文学部国際文化学科准教授

伏原宏太（ふしはら・ひろた）［コラム13］
The Libero &. Associates（Vietnam）代表、ベトナム国際商事調停センター公式調停員、日越大学非常勤講師。ハノイ法科大学卒業、ベトナム司法省司法学院弁護士養成課程修了

ゴ・ミン・トゥイ（Ngo Minh Thuy）［コラム14］
文化言語教育学際研究所所長、元ハノイ国家大学外国語大学副学長、ベトナム初・中等教育日本語教科書編集長兼著者

※大泉さやか（おおいずみ・さやか）[38, 43]
編集協力者略歴を参照

二村淳子（にむら・じゅんこ）[39]
関西学院大学経済学部教授。比較文化論、フランス語圏文化研究者

野平宗弘（のひら・むねひろ）[40]
東京外国語大学大学院総合国際学研究院准教授、ベトナム文学専攻

坂川直也（さかがわ・なおや）[41]
京都大学東南アジア地域研究研究所連携研究員

田崎広野（たざき・ひろの）[コラム10]
ベトナム語通訳翻訳者、ホーチミン市人文社会科学大学社会学修士

遠藤　聡（えんどう・さとし）[46, 47, 年表 , 参考文献]
神田外語大学等非常勤講師、ベトナム現代史・現代政治・国際関係専攻

中野亜里（なかの・あり）[48]
大東文化大学教授。博士（法学）。ベトナム政治・外交
没年月日2021年１月９日

小高　泰（おだか・たい）[48, 54]
大東文化大学国際関係学部教授。ベトナム現代史（国防政策及び人民軍隊史）

宋　光祐（そう・こうすけ）[49, 51, 55]
朝日新聞パリ支局長、2020年1月から2022年8月までハノイ支局に勤務

福田忠弘（ふくだ・ただひろ）[50]
鹿児島県立短期大学商経学科教授

生方史数（うぶかた・ふみかず）[53]
岡山大学学術研究院（環境生命自然科学学域）教授

伊藤まり子（いとう・まりこ）[コラム12]
京都外国語大学国際言語平和研究所客員研究員、ベトナム国家大学ハノイ校－日越大学客員研究員

ファム・ヴァン・ビック（Phạm Văn Bích）［コラム5］
ベトナム社会科学院・社会学院准教授。博士（社会学）。家族社会学

安達真弓（あだち・まゆみ）［コラム6］
東京外国語大学アジア・アフリカ言語文化研究所准教授。専門はベトナム語学・社会言語学

岡田雅志（おかだ・まさし）［29］
防衛大学校人間文化学科准教授。専門分野：東南アジア山地社会史

柳沢英輔（やなぎさわ・えいすけ）［30, コラム9］
京都大学大学院アジア・アフリカ地域研究研究科特任助教

芹澤知広（せりざわ・さとひろ）［31］
天理大学国際学部教授

大西和彦（おおにし・かずひこ）［32, 36］
学校法人K学園アジア貢献ホスピタリティ専門学校日本語科主任。専門はベトナム宗教史・ベトナム民間信仰史

レ・ホアン・アン・トゥー（Lê Hoàng Anh Thu）［33］
立命館アジア太平洋大学アジア太平洋学部准教授、博士（文化人類学）

レ・ホアン・ゴック・イエン（Lê Hoàng Ngọc Yến）［34］
オーストラリア国立大学文化歴史言語学部講師、博士（文化人類学）

北澤直宏（きたざわ・なおひろ）［35］
東洋大学助教

小栗久美子（おぐり・くみこ）［コラム7］
トルン奏者、o.g.music 主宰、神田外語大学非常勤講師

野上恵美（のがみ・えみ）［コラム8］
武庫川女子大学文学部心理・社会福祉学科講師

加納遥香（かのう・はるか）［37］
一橋大学大学院社会学研究科特別研究員

鈴木伸二（すずき・しんじ）[15]
近畿大学総合社会学部准教授

大田省一（おおた・しょういち）[16]
京都工芸繊維大学未来デザイン・工学機構准教授。専門は建築史・都市史

澁谷由紀（しぶや・ゆき）[17, 44]
法政大学兼任教員

鍋田尚子（なべた・なおこ）[18, 42]
神奈川大学日本常民文化研究所特別研究員

ファン・ハイ・リン（Phan Hải Linh）[コラム3]
ハノイ人文社会科学大学東洋学部日本研究学科准教授、博士（歴史学）

伊能まゆ（いのう・まゆ）[コラム4, 60]
特定非営利活動法人 Seed to Table 理事長兼ベトナム事務所長

上田新也（うえだ・しんや）[19]
広島大学大学院人間社会科学研究科准教授

吉本康子（よしもと・やすこ）[20]
京都大学大学院アジア・アフリカ地域研究研究科非常勤講師・特任研究員

※**岩井美佐紀**（いわい・みさき）[21, 22, 23, コラム5, コラム11]
編著者略歴を参照

小田なら（おだ・なら）[24]
東京外国語大学世界言語社会教育センター講師

加藤敦典（かとう・あつふみ）[25]
京都産業大学現代社会学部准教授

寺本　実（てらもと・みのる）[26]
日本貿易振興機構アジア経済研究所研究員

関口洋平（せきぐち・ようへい）[27]
畿央大学教育学部・講師

〈執筆者紹介および担当章〉※編著者および編集協力者（執筆順）

八尾隆生（やお・たかお）[1]
広島大学名誉教授

俵　寛司（たわら・かんじ）[2]
国立台湾大学文学院人類学系研究員、博士（比較社会文化）

西村昌也（にしむら・まさなり）[3, 11]
ベトナム考古学院研究員。NPO 法人東南アジア埋蔵文化財保護基金代表。博士（文学）。東南アジア考古学、ベトナム地域研究
没年月日2013年６月９日

大野美紀子（おおの・みきこ）[4, 13, 52]
京都大学東南アジア地域研究研究所・社会共生研究部門・准教授

栗原浩英（くりはら・ひろひで）[5, 59]
東京外国語大学名誉教授

山形眞理子（やまがた・まりこ）[6, 7]
立教大学学校・社会教育講座学芸員課程特任教授、博士（文学）

佐原彩子（さはら・あやこ）[8]
共立女子大学国際学部准教授

清水政明（しみず・まさあき）[9]
大阪大学大学院人文学研究科教授

※下條尚志（しもじょう・ひさし）[コラム1, 12, 15, 28, 33, 34]
編集協力者略歴を参照

小松みゆき（こまつ・みゆき）[コラム2]
『動きだした時計 —— ベトナム残留日本兵とその家族』（めこん）著者

柳澤雅之（やなぎさわ・まさゆき）[10]
京都大学東南アジア地域研究研究所准教授

樫永真佐夫（かしなが・まさお）[14, 45]
国立民族学博物館教授、総合研究大学院大学教授

〈編集協力者略歴〉

大泉さやか（おおいずみ・さやか）
昭和女子大学国際学部国際学科准教授。博士（学術）、ベトナム地域研究。
主な論文に「『南部解放』以後のベトナムにおける南ベトナム時代の歌謡の管理」『アジア研究』66: 21-36, 2020、「ベトナムにおける無形文化遺産としての聖母信仰の保護と管理」『東南アジア研究』56: 148-184, 2019、「社会主義ベトナムにおけるフォークロアの収集・研究と文化政策」『東南アジア研究』52: 235-266, 2015など。

下條尚志（しもじょう・ひさし）
神戸大学大学院国際文化学研究科准教授。博士（地域研究）。歴史人類学、ベトナム・東南アジア研究。
主な著書に『国家の余白 ― メコンデルタ　生き残りの社会史』（京都大学出版会、2021年）、『戦争と難民――メコンデルタ多民族社会のオーラル・ヒストリー（ブックレット《アジアを学ぼう》42）』（風響社、2016年）など。主な論文に Hisashi Shimojo, “Local Politics in the Migration between Vietnam and Cambodia: Mobility in a Multi-Ethnic Society in the Mekong Delta since 1975.” *Southeast Asian Studies* 10 (1): 89-118, 2021など。

〈編著者略歴〉

岩井美佐紀（いわい・みさき）
神田外語大学外国語学部アジア言語学科ベトナム語専攻教授。博士（社会学）。ベトナム地域研究。
主な共著・共編に、『現代ベトナムを知るための60章』（明石書店、2004年）、『現代ベトナムを知るための60章【第2版】』（明石書店、2012年）、『ベトナム「新経済村」の誕生』（神田外語大学出版局、2016年）、『東南アジア文化事典』（丸善出版、2019年）、『東南アジア大陸部の戦争と地域住民の生存戦略 ── 避難民・女性・少数民族・投降者からの視点』（明石書店、2020年）など。主な論文に "Care Relations and Custody of Return-Migrant Children in Rural Vietnam: Cases in the Mekong Delta", *Southeast Asian Studies,* 10(1): 33-52, 2021, "Barriers Faced by Returning Migrant Children in Vietnam: The Case of the Mekong Delta Region", *Positions: Asia Critique*(Duke University) 30(2): 301-32, 2022など。

エリア・スタディーズ　39

現代ベトナムを知るための63章【第3版】

2004年6月10日　初　版第1刷発行
2012年11月1日　第2版第1刷発行
2023年2月25日　第3版第1刷発行
2024年4月1日　第3版第2刷発行

編著者　岩井美佐紀
発行者　大江道雅
発行所　株式会社 明石書店
〒101-0021 東京都千代田区外神田6-9-5
電　話　03-5818-1171
FAX　03-5818-1174
振　替　00100-7-24505
https://www.akashi.co.jp/

装　幀　明石書店デザイン室
印刷／製本　日経印刷株式会社

（定価はカバーに表示してあります）　ISBN978-4-7503-5529-0

エリア・スタディーズ

1 **現代アメリカ社会を知るための60章**
明石紀雄、川島浩平 編著

2 **イタリアを知るための62章【第2版】**
村上義和 編著

3 **イギリスを旅する35章**
辻野功 編著

4 **モンゴルを知るための65章【第2版】**
金岡秀郎 著

5 **パリ・フランスを知るための44章**
梅本洋一、大里俊晴、木下長宏 編著

6 **現代韓国を知るための61章【第3版】**
石坂浩一、福島みのり 編著

7 **オーストラリアを知るための58章【第3版】**
越智道雄 著

8 **現代中国を知るための54章【第7版】**
藤野彰 編著

9 **ネパールを知るための60章**
日本ネパール協会 編

10 **アメリカの歴史を知るための65章【第4版】**
富田虎男、鵜月裕典、佐藤円 編著

11 **現代フィリピンを知るための61章【第2版】**
大野拓司、寺田勇文 編著

12 **ポルトガルを知るための55章【第2版】**
村上義和、池俊介 編著

13 **北欧を知るための43章**
武田龍夫 著

14 **ブラジルを知るための56章【第2版】**
アンジェロ・イシ 著

15 **ドイツを知るための60章**
早川東三、工藤幹巳 編著

16 **ポーランドを知るための60章**
渡辺克義 編著

17 **シンガポールを知るための65章【第5版】**
田村慶子 編著

18 **現代ドイツを知るための67章【第3版】**
浜本隆志、髙橋憲 編著

19 **ウィーン・オーストリアを知るための57章【第2版】**
広瀬佳一、今井顕 編著

20 **ハンガリーを知るための60章【第2版】** ドナウの宝石
羽場久美子 編著

21 **現代ロシアを知るための60章【第2版】**
下斗米伸夫、島田博 編著

22 **21世紀アメリカ社会を知るための67章**
明石紀雄 監修　赤尾千波、大類久恵、小塩和人、落合明子、川島浩平、高野泰 編

23 **スペインを知るための60章**
野々山真輝帆 著

24 **キューバを知るための52章**
後藤政子、樋口聡 編著

25 **カナダを知るための60章**
綾部恒雄、飯野正子 編著

26 **中央アジアを知るための60章【第2版】**
宇山智彦 編著

27 **チェコとスロヴァキアを知るための56章【第2版】**
薩摩秀登 編著

28 **現代ドイツの社会・文化を知るための48章**
田村光彰、村上和光、岩淵正明 編著

29 **インドを知るための50章**
重松伸司、三田昌彦 編著

30 **タイを知るための72章【第2版】**
綾部真雄 編著

31 **パキスタンを知るための60章**
広瀬崇子、山根聡、小田尚也 編著

32 **バングラデシュを知るための66章【第3版】**
大橋正明、村山真弓、日下部尚徳、安達淳哉 編著

33 **イギリスを知るための65章【第2版】**
近藤久雄、細川祐子、阿部美春 編著

34 **現代台湾を知るための60章【第2版】**
亜洲奈みづほ 著

35 **ペルーを知るための66章【第2版】**
細谷広美 編著

36 **マラウィを知るための45章【第2版】**
栗田和明 著

37 **コスタリカを知るための60章【第2版】**
国本伊代 編著

38 **チベットを知るための50章**
石濱裕美子 編著

39 **現代ベトナムを知るための63章【第3版】**
岩井美佐紀 編著

40 **インドネシアを知るための50章**
村井吉敬、佐伯奈津子 編著

41 **エルサルバドル、ホンジュラス、ニカラグアを知るための45章**
田中高 編著

エリア・スタディーズ

42 パナマを知るための70章【第2版】
国本伊代 編著

43 イランを知るための65章
岡田恵美子、北原圭一、鈴木珠里 編著

44 アイルランドを知るための70章【第3版】
海老島均、山下理恵子 編著

45 メキシコを知るための60章
吉田栄人 編著

46 中国の暮らしと文化を知るための40章
東洋文化研究会 編

47 現代ブータンを知るための60章【第2版】
平山修一 著

48 バルカンを知るための66章【第2版】
柴宜弘 編著

49 現代イタリアを知るための44章
村上義和 編著

50 アルゼンチンを知るための54章
アルベルト松本 著

51 ミクロネシアを知るための60章【第2版】
印東道子 編著

52 アメリカのヒスパニック＝ラティーノ社会を知るための55章
大泉光一、牛島万 編著

53 北朝鮮を知るための55章【第2版】
石坂浩一 編著

54 ボリビアを知るための73章【第2版】
真鍋周三 編著

55 コーカサスを知るための60章
北川誠一、前田弘毅、廣瀬陽子、吉村貴之 編著

56 カンボジアを知るための60章【第3版】
上田広美、岡田知子、福富友子 編著

57 エクアドルを知るための60章【第2版】
新木秀和 編著

58 タンザニアを知るための60章【第2版】
栗田和明、根本利通 編著

59 リビアを知るための60章【第2版】
塩尻和子 編著

60 東ティモールを知るための50章
山田満 編著

61 グアテマラを知るための67章【第2版】
桜井三枝子 編著

62 オランダを知るための60章
長坂寿久 著

63 モロッコを知るための65章
私市正年、佐藤健太郎 編著

64 サウジアラビアを知るための63章【第2版】
中村覚 編著

65 韓国の歴史を知るための66章
金両基 編著

66 ルーマニアを知るための60章
六鹿茂夫 編著

67 現代インドを知るための60章
広瀬崇子、近藤正規、井上恭子、南埜猛 編著

68 エチオピアを知るための50章
岡倉登志 編著

69 フィンランドを知るための44章
百瀬宏、石野裕子 編著

70 ニュージーランドを知るための63章
青柳まちこ 編著

71 ベルギーを知るための52章
小川秀樹 編著

72 ケベックを知るための56章【第2版】
日本ケベック学会 編

73 アルジェリアを知るための62章
私市正年 編著

74 アルメニアを知るための65章
中島偉晴、メラニア・バグダサリヤン 編著

75 スウェーデンを知るための60章
村井誠人 編著

76 デンマークを知るための70章【第2版】
村井誠人 編著

77 最新ドイツ事情を知るための50章
浜本隆志、柳原初樹 著

78 セネガルとカーボベルデを知るための60章
小川了 編著

79 南アフリカを知るための60章
峯陽一 編著

80 エルサルバドルを知るための55章
細野昭雄、田中高 編著

81 チュニジアを知るための60章
鷹木恵子 編著

82 南太平洋を知るための58章 メラネシア ポリネシア
吉岡政德、石森大知 編著

83 現代カナダを知るための60章【第2版】
飯野正子、竹中豊 総監修 日本カナダ学会 編

エリア・スタディーズ

84 現代フランス社会を知るための62章
三浦信孝、西山教行 編著

85 ラオスを知るための60章
菊池陽子、鈴木玲子、阿部健一 編著

86 パラグアイを知るための50章
田島久歳、武田和久 編著

87 中国の歴史を知るための60章
並木頼壽、杉山文彦 編著

88 スペインのガリシアを知るための50章
坂東省次、桑原真夫、浅香武和 編著

89 アラブ首長国連邦（UAE）を知るための60章
細井長 編著

90 コロンビアを知るための60章
二村久則 編著

91 現代メキシコを知るための70章【第2版】
国本伊代 編著

92 ガーナを知るための47章
高根務、山田肖子 編著

93 ウガンダを知るための53章
吉田昌夫、白石壮一郎 編著

94 ケルトを旅する52章 イギリス・アイルランド
永田喜文 著

95 トルコを知るための53章
大村幸弘、永田雄三、内藤正典 編著

96 イタリアを旅する24章
内田俊秀 編著

97 大統領選からアメリカを知るための57章
越智道雄 著

98 現代バスクを知るための60章【第2版】
萩尾生、吉田浩美 編著

99 ボツワナを知るための52章
池谷和信 編著

100 ロンドンを旅する60章
川成洋、石原孝哉 編著

101 ケニアを知るための55章
松田素二、津田みわ 編著

102 ニューヨークからアメリカを知るための76章
越智道雄 著

103 カリフォルニアからアメリカを知るための54章
越智道雄 著

104 イスラエルを知るための62章【第2版】
立山良司 編著

105 グアム・サイパン・マリアナ諸島を知るための54章
中山京子 編著

106 中国のムスリムを知るための60章
中国ムスリム研究会 編

107 現代エジプトを知るための60章
鈴木恵美 編著

108 カーストから現代インドを知るための30章
金基淑 編著

109 カナダを旅する37章
飯野正子、竹中豊 編著

110 アンダルシアを知るための53章
立石博高、塩見千加子 編著

111 エストニアを知るための59章
小森宏美 編著

112 韓国の暮らしと文化を知るための70章
舘野晳 編著

113 現代インドネシアを知るための60章
村井吉敬、佐伯奈津子、間瀬朋子 編著

114 ハワイを知るための60章
山本真鳥、山田亨 編著

115 現代イラクを知るための60章
酒井啓子、吉岡明子、山尾大 編著

116 現代スペインを知るための60章
坂東省次 編著

117 スリランカを知るための58章
杉本良男、高桑史子、鈴木晋介 編著

118 マダガスカルを知るための62章
飯田卓、深澤秀夫、森山工 編著

119 新時代アメリカ社会を知るための60章
明石紀雄 監修 大類久恵、落合明子、赤尾千波 編著

120 現代アラブを知るための56章
松本弘 編著

121 クロアチアを知るための60章
柴宜弘、石田信一 編著

122 ドミニカ共和国を知るための60章
国本伊代 編著

123 シリア・レバノンを知るための64章
黒木英充 編著

124 EU（欧州連合）を知るための63章
羽場久美子 編著

125 ミャンマーを知るための60章
田村克己、松田正彦 編著

エリア・スタディーズ

126 カタルーニャを知るための50章 立石博高、奥野良知 編著

127 ホンジュラスを知るための60章 桜井三枝子、中原篤史 編著

128 スイスを知るための60章 スイス文学研究会 編

129 東南アジアを知るための50章 今井昭夫 編集代表 東京外国語大学東南アジア課程 編

130 メソアメリカを知るための58章 井上幸孝 編著

131 マドリードとカスティーリャを知るための60章 川成洋、下山静香 編著

132 ノルウェーを知るための60章 大島美穂、岡本健志 編著

133 現代モンゴルを知るための50章 小長谷有紀、前川愛 編著

134 カザフスタンを知るための60章 宇山智彦、藤本透子 編著

135 内モンゴルを知るための60章 ボルジギン・ブレンサイン 編著 赤坂恒明 編集協力

136 スコットランドを知るための65章 木村正俊 編著

137 セルビアを知るための60章 柴宜弘、山崎信一 編著

138 マリを知るための58章 竹沢尚一郎 編著

139 ASEANを知るための50章 黒柳米司、金子芳樹、吉野文雄 編著

140 アイスランド・グリーンランド・北極を知るための65章 小澤実、中丸禎子、高橋美野梨 編著

141 ナミビアを知るための53章 水野一晴、永原陽子 編著

142 香港を知るための60章 吉川雅之、倉田徹 編著

143 タスマニアを旅する60章 宮本忠 著

144 パレスチナを知るための60章 臼杵陽、鈴木啓之 編著

145 ラトヴィアを知るための47章 志摩園子 編著

146 ニカラグアを知るための55章 田中高 編著

147 台湾を知るための72章【第2版】 赤松美和子、若松大祐 編著

148 テュルクを知るための61章 小松久男 編著

149 アメリカ先住民を知るための62章 阿部珠理 編著

150 イギリスの歴史を知るための50章 川成洋 編著

151 ドイツの歴史を知るための50章 森井裕一 編著

152 ロシアの歴史を知るための50章 下斗米伸夫 編著

153 スペインの歴史を知るための50章 立石博高、内村俊太 編著

154 フィリピンを知るための64章 大野拓司、鈴木伸隆、日下渉 編著

155 バルト海を旅する40章 7つの島の物語 小柏葉子 著

156 カナダの歴史を知るための50章 細川道久 編著

157 カリブ海世界を知るための70章 国本伊代 編著

158 ベラルーシを知るための50章 服部倫卓、越野剛 編著

159 スロヴェニアを知るための60章 柴宜弘、アンドレイ・ベケシュ、山崎信一 編著

160 北京を知るための52章 櫻井澄夫、人見豊、森田憲司 編著

161 イタリアの歴史を知るための50章 高橋進、村上義和 編著

162 ケルトを知るための65章 木村正俊 編著

163 オマーンを知るための55章 松尾昌樹 編著

164 ウズベキスタンを知るための60章 帯谷知可 編著

165 アゼルバイジャンを知るための67章 廣瀬陽子 編著

166 済州島を知るための55章 梁聖宗、金良淑、伊地知紀子 編著

167 イギリス文学を旅する60章 石原孝哉、市川仁 編著

エリア・スタディーズ

168 フランス文学を旅する60章
野崎歓 編著

169 ウクライナを知るための65章
服部倫卓、原田義也 編著

170 クルド人を知るための55章
山口昭彦 編著

171 ルクセンブルクを知るための50章
田原憲和、木戸紗織 編著

172 地中海を旅する62章 歴史と文化の都市探訪
松原康介 編著

173 ボスニア・ヘルツェゴヴィナを知るための60章
柴宜弘、山崎信一 編著

174 チリを知るための60章
細野昭雄、工藤章、桑山幹夫 編著

175 ウェールズを知るための60章
吉賀憲夫 編著

176 太平洋諸島の歴史を知るための60章 日本とのかかわり
石森大知、丹羽典生 編著

177 リトアニアを知るための60章
櫻井映子 編著

178 現代ネパールを知るための60章
公益社団法人 日本ネパール協会 編

179 フランスの歴史を知るための50章
中野隆生、加藤玄 編著

180 ザンビアを知るための55章
島田周平、大山修一 編著

181 ポーランドの歴史を知るための55章
渡辺克義 編著

182 韓国文学を旅する60章
波田野節子、斎藤真理子、きむ ふな 編著

183 インドを旅する55章
宮本久義、小西公大 編著

184 現代アメリカ社会を知るための63章【2020年代】
明石紀雄 監修 大類久恵、落合明子、赤尾千波 編著

185 アフガニスタンを知るための70章
前田耕作、山内和也 編著

186 モルディブを知るための35章
荒井悦代、今泉慎也 編著

187 ブラジルの歴史を知るための50章
伊藤秋仁、岸和田仁 編著

188 現代ホンジュラスを知るための55章
中原篤史 編著

189 ウルグアイを知るための60章
山口恵美子 編著

190 ベルギーの歴史を知るための50章
松尾秀哉 編著

191 食文化からイギリスを知るための55章
石原孝哉、市川仁、宇野毅 編著

192 東南アジアのイスラームを知るための64章
久志本裕子、野中葉 編著

193 宗教からアメリカ社会を知るための48章
上坂昇 著

194 ベルリンを知るための52章
浜本隆志、希代真理子 著

195 NATO（北大西洋条約機構）を知るための71章
広瀬佳一 編著

196 華僑・華人を知るための52章
山下清海 著

197 カリブ海の旧イギリス領を知るための60章
川分圭子、堀内真由美 編著

198 ニュージーランドを旅する46章
宮本忠、宮本由紀子 著

199 マレーシアを知るための58章
鳥居高 編著

200 ラダックを知るための60章
煎本孝、山田孝子 著

201 スロヴァキアを知るための64章
長與進、神原ゆうこ 編著

——以下続刊

◎各巻2000円（一部1800円）

〈価格は本体価格です〉